SAISON 3

B1

MÉTHODE DE FRANÇAIS

Marie-Noëlle Cocton
Coordination pédagogique

Isabelle Cros
Caroline Mraz

Dorothée Dupleix (DELF)
Delphine Ripaud (phonétique)

didier

Principe de couverture et direction artistique : Vivan Mai
Conception graphique intérieure : Marie-Astrid Bailly-Maître
Adaptation maquette : Amarante
Mise en page : Sabine Beauvallet
Iconographie : Aurélia Galicher
Illustrations : Pascal Lemaître, Dany Mourain
Carte : Jean-Louis Liennard
Enregistrements, montage et mixage : Olivier Ledoux (Studio EURODVD)
DVD : INIT Productions
Photogravure : RVB

Achevé d'imprimer en Italie par L.E.G.O. en Août 2017

Un avant-goût de *Saison*...

Au cœur des cultures francophones, ***Saison*** est une méthode de français sur **quatre niveaux** qui s'adresse à des apprenants adultes ou grands adolescents. Cette troisième ***Saison*** couvre avec **9 unités** l'ensemble du niveau B1 du Cadre européen commun de référence pour les langues (CECRL), soit 160 à 180 heures d'enseignement. Ce manuel permet aux apprenants de se présenter à l'examen du DELF B1.

Saison reflète le savoir-faire d'une équipe d'auteurs ayant une pratique d'enseignement dynamique et stimulante. Pour une classe de français **animée** et **vivante**, on retrouve des rubriques déjà présentes dans ***Saison 1*** et ***2***, telles que « Agissez » ou « Réagissez », et de nouvelles venues, telles que « Ça fait sens ! », « Ça se discute ! » ou encore « Du tac au tac ! », qui sollicitent les apprenants directement et les invitent à une réelle **dynamique d'échange**.

La méthode s'appuie sur une perspective d'enseignement-apprentissage **réflexive** et s'inscrit pleinement dans la lignée des approches communicative et actionnelle. Les activités sont guidées par des consignes claires et **stratégiques** favorisant, chez l'apprenant, l'acquisition de **réflexes d'apprentissage** pour une meilleure **autonomie**, avec des rubriques comme « Ouvrez l'œil ! », « Posez-vous les bonnes questions ! » ou encore « Formulez des hypothèses ! » et « Classez vos idées ! ».

Saison 3 maintient ses axes forts avec le **lexique**, la **grammaire** et la **phonétique en contexte**. L'apprenant enrichit sa compréhension des champs lexicaux ainsi que leur construction et leur mémorisation par un travail de repérage, des activités ludiques et des **cartes mentales**. La **grammaire réflexive** permet une acquisition progressive assurée par une démarche simple. Enfin, la **phonétique** abordée tout au long de l'unité accompagne en douceur l'apprenant B1 dans le perfectionnement de sa maîtrise des sons et de l'intonation.

Parmi les singularités de ce ***Saison 3***, citons la très belle place accordée à la dimension **argumentative** proposée dans chaque unité *via* **LE + ARGUMENTATIF**, « **Argumentez !** » et une production écrite systématique ; mais aussi à la réalisation concrète des productions avec les **activités Étape** et **Bilan** et les **ateliers d'expression orale** et **écrite**. Sans oublier la **culture francophone** abordée dans sa dimension créative pour un moment de respiration culturelle en fin d'unité !

Enfin, pour vérifier les acquisitions, trois types d'**évaluation** sont proposés :
- 8 préparations au DELF (4 compétences) et une épreuve blanche finale en unité 9 ;
- 9 bilans dans le cahier ;
- des évaluations portant sur les 4 compétences dans le guide pédagogique.

Ces quelques lignes ne sont que l'avant-goût d'une méthode riche et stimulante par ses contenus et ses supports.
Rendez-vous sur le site Didier pour découvrir compléments d'information, extraits, ressources complémentaires, interviews d'auteurs...

Très belle découverte !

Une démarche réflexive pour devenir autonome

1 J'EXPLORE

6 pages de découverte au cœur de l'actualité francophone

- Un ensemble de ressources documentaires variées
- Le lexique, la grammaire et la phonétique en contexte

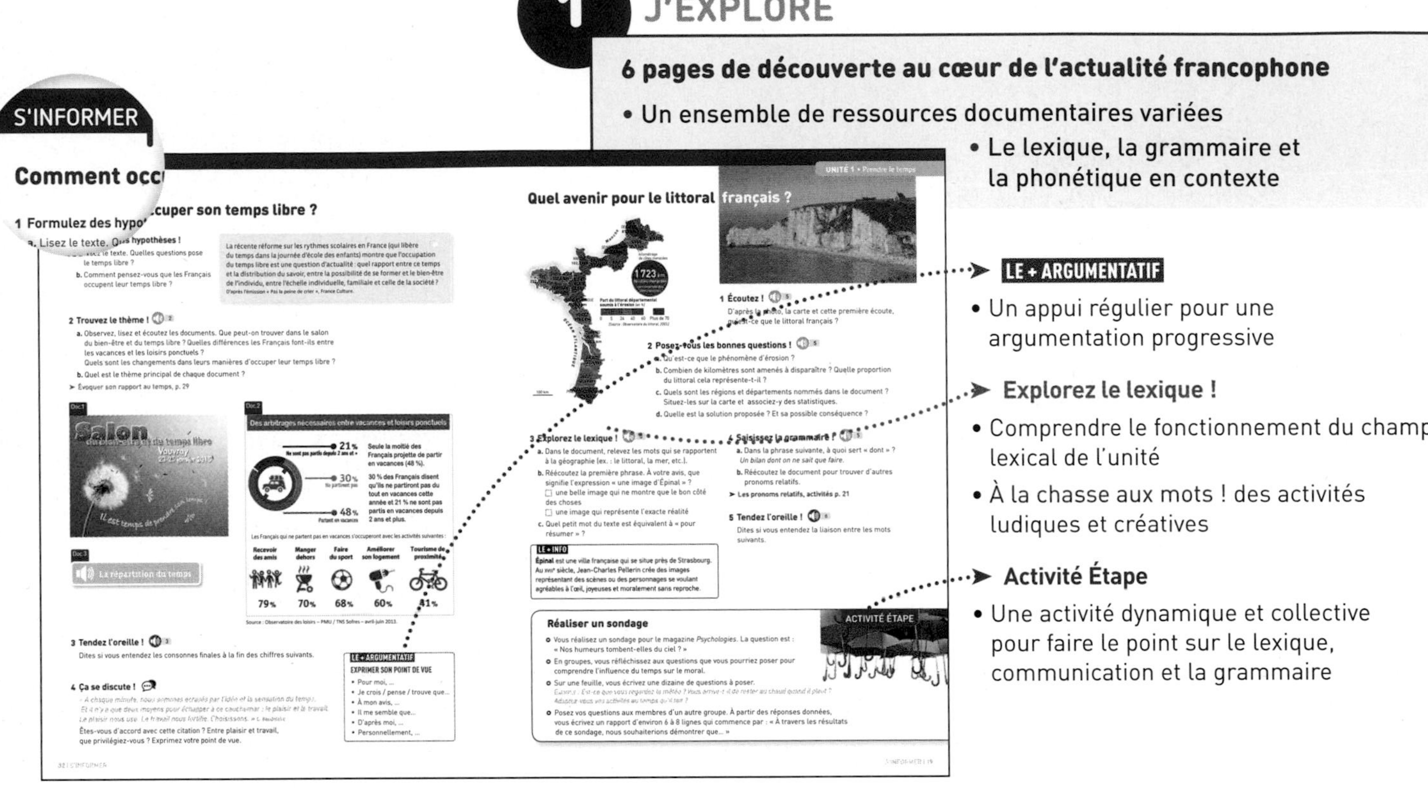

LE + ARGUMENTATIF

- Un appui régulier pour une argumentation progressive

Explorez le lexique !

- Comprendre le fonctionnement du champ lexical de l'unité
- À la chasse aux mots ! des activités ludiques et créatives

Activité Étape

- Une activité dynamique et collective pour faire le point sur le lexique, communication et la grammaire

2 JE COMPRENDS LE FONCTIONNEMENT

Une double page d'acquisition grammaticale

- 4 points de grammaire
- Une démarche simple en 3 étapes

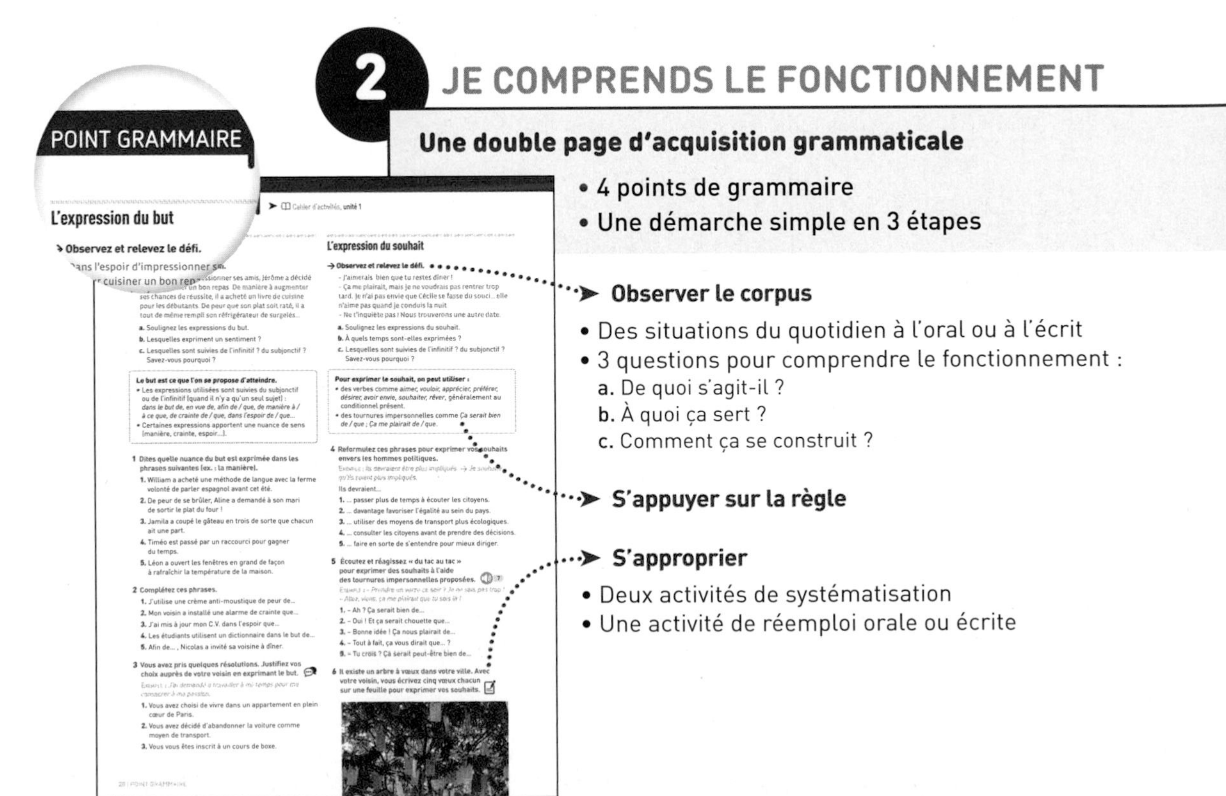

Observer le corpus

- Des situations du quotidien à l'oral ou à l'écrit
- 3 questions pour comprendre le fonctionnement :
  a. De quoi s'agit-il ?
  b. À quoi ça sert ?
  c. Comment ça se construit ?

S'appuyer sur la règle

S'approprier

- Deux activités de systématisation
- Une activité de réemploi orale ou écrite

3 JE PRODUIS

6 pages pour s'exprimer à l'oral et à l'écrit

- Des documents de compréhension vers des activités de production
- Des stratégies pour structurer son discours

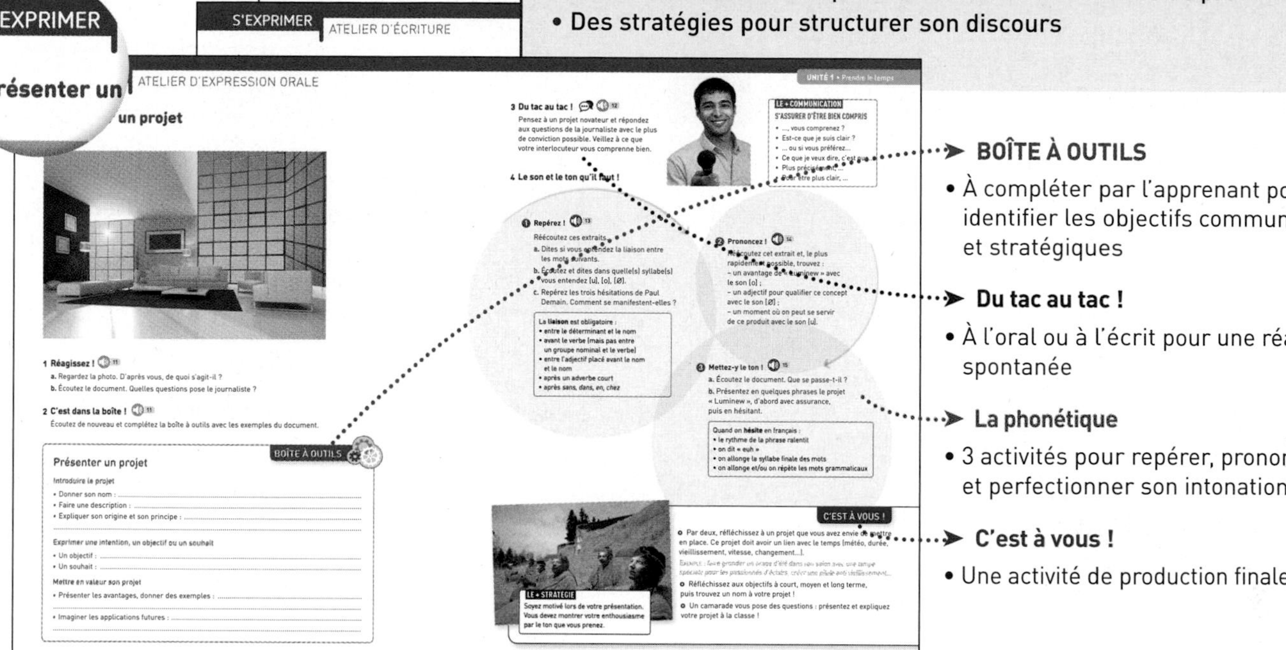

➤ BOÎTE À OUTILS

- À compléter par l'apprenant pour identifier les objectifs communicatifs et stratégiques

➤ Du tac au tac !

- À l'oral ou à l'écrit pour une réaction spontanée

➤ La phonétique

- 3 activités pour repérer, prononcer et perfectionner son intonation

➤ C'est à vous !

- Une activité de production finale

4 JE RETROUVE L'ESSENTIEL

Une double page récapitulative

- Des stratégies visuelles et réflexives pour faire le point
- Une activité Bilan au cœur des acquis de l'unité

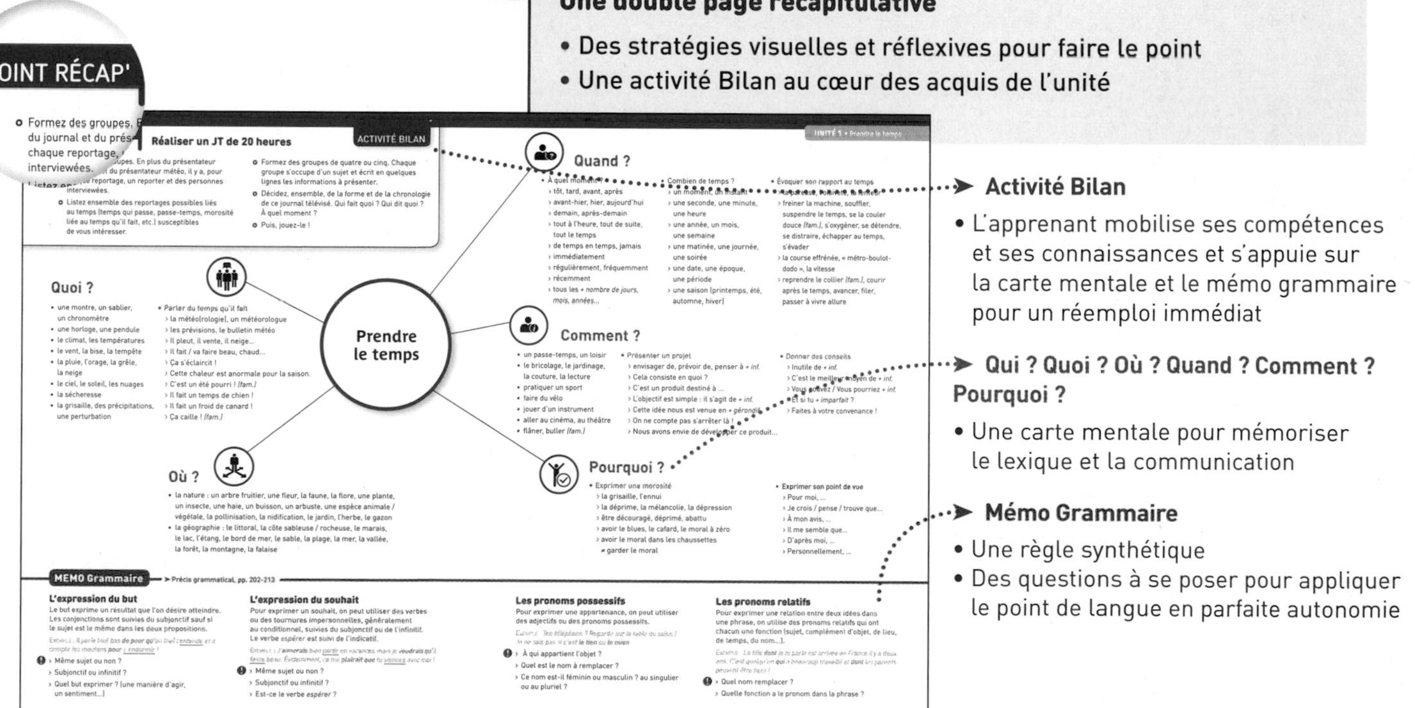

➤ Activité Bilan

- L'apprenant mobilise ses compétences et ses connaissances et s'appuie sur la carte mentale et le mémo grammaire pour un réemploi immédiat

➤ Qui ? Quoi ? Où ? Quand ? Comment ? Pourquoi ?

- Une carte mentale pour mémoriser le lexique et la communication

➤ Mémo Grammaire

- Une règle synthétique
- Des questions à se poser pour appliquer le point de langue en parfaite autonomie

Les +

- 8 préparations au DELF (4 compétences)
- Une épreuve blanche en unité 9
- Des carnets pratiques en annexes pour enrichir ses écrits

Module 1
ÉVEILLER SA CURIOSITÉ

	Socioculturel	Communication
UNITÉ 1 Prendre le temps P. 12 	• Le temps libre • Le vélo en ville • Le temps, un produit qui se vend bien (SUISSE) • Un bulletin météo en BD • La nature chez soi • Le littoral français • Le projet « Luminew» • Un récit personnel, Alain Rémond	• Exprimer une morosité • Évoquer son rapport au temps • Parler du temps qu'il fait • Donner des conseils • Écrire un article promotionnel • Exprimer son point de vue LE + ARGU ➤ **Activité Étape** : *Réaliser un sondage* ➤ **Activité Bilan** : *Réaliser un JT de 20 heures* **MÉTHODOLOGIE P. 15** • Trouver le thème
UNITÉ 2 Apprendre autrement P. 32 	• Les tablettes tactiles à l'école • Les façons d'apprendre • L'apprentissage informel • Aperçu d'un système scolaire (GUYANE) • La formation professionnelle • L'apprentissage (SUISSE) • Apprendre en jouant • Les MOOC • Les jeux de société • Une lettre de motivation	• Parler de son rapport à l'apprentissage • Raconter son parcours (études, profession) • Décrire la diffusion d'idées • Écrire un C.V. • Exprimer son accord et son désaccord LE + ARGU ➤ **Activité Étape** : *Participer à une émission de radio* ➤ **Activité Bilan** : *Apprendre en trois lieux* **MÉTHODOLOGIE P. 35** • Classer ses idées
UNITÉ 3 Développer son esprit critique P. 52 	• Esprit et intelligence • Le vaudou (BÉNIN) • Des superstitions • L'origine des idées (SUISSE) • L'intelligence artificielle • Wikipédia • L'art contemporain • Des tableaux de maîtres • Des faits divers de la presse	• Exprimer des degrés de certitude • Décrire une inspiration • Vérifier une information • Parler de l'art contemporain • Écrire un court article • Introduire un fait ou un exemple LE + ARGU ➤ **Activité Étape** : *Créer un faux site d'information* ➤ **Activité Bilan** : *Organiser le colloque international de la robotique* **MÉTHODOLOGIE P. 55** • Isoler des mots-clés

Grammaire	Lexique	Ateliers	
• L'expression du but › *de peur de / que, de crainte de / que, en vue de...* • L'expression du souhait • Les pronoms possessifs › *le mien / le tien* • Les pronoms relatifs (simples) › *dont* complément du nom / du verbe / de l'adjectif	• Le temps qui passe • La météo, le climat • La nature • La géographie • *Les abréviations* **Phonétique** • La prononciation des consonnes finales des chiffres • La liaison obligatoire • Les voyelles [u], [o], [ø] • Intonation : l'hésitation	• **Présenter un projet** › Introduire le projet › Exprimer une intention, un objectif, un souhait › Mettre en valeur son projet › S'assurer d'être bien compris • **Écrire un texte personnel** › Exprimer ses goûts et une opinion personnelle › Décrire le temps qui passe et les saisons › Exprimer une impatience • **Atelier créatif :** *Créer des illustrations*	➤ Préparation au DELF B1 **p. 30**
• Le participe passé › la différenciation dans le choix entre *avoir* et *être* • Les temps du passé › imparfait, passé composé, plus-que-parfait • Le gérondif › la cause, la condition • La négation	• L'apprentissage (études et parcours professionnel) • Le jeu • Le numérique (1) • *Le suffixe* **Phonétique** • La liaison interdite • Les voyelles nasales ([ɑ̃], [ɔ̃], [ɛ̃]) • Intonation : la phrase déclarative	• **Expliquer les règles d'un jeu** › Présenter le jeu › Préparer le matériel et donner le but du jeu › Expliquer les règles du jeu et ce qu'il faut dire • **Écrire une lettre de motivation** › Introduire la candidature › Démontrer ses capacités pour le poste › Conclure la lettre de façon dynamique • **Atelier créatif :** *Créer un collage*	➤ Préparation au DELF B1 **p. 50**
• La forme passive › *se laisser, se faire* • Les signes de ponctuation › indicateurs de sens dans une phrase • L'événement incertain et le conditionnel passé › les formes verbales : *Il semble que, Il paraîtrait que...* • L'expression de la certitude et du doute	• L'intelligence • La science • Les croyances • Le numérique (2) • La santé • Les médias • L'art • *L'antonyme* **Phonétique** • La ponctuation • Les enchaînements vocalique et consonantique et la liaison interdite • Intonation : la mise en relief	• **Commenter une œuvre d'art** › Présenter le contexte de l'œuvre › Décrire l'œuvre › Parler de l'accueil de l'œuvre • **Rédiger un fait divers** › Introduire l'événement › Raconter les faits • **Atelier créatif :** *Reproduire un tableau*	➤ Préparation au DELF B1 **p. 70**

Module 2

JOUER AVEC SES ÉMOTIONS

	Socioculturel	Communication
UNITÉ 4 Décrypter ses identités **P. 72** 	• L'identité d'une œuvre d'art • Les selfies et l'identité numérique • L'usurpation d'identité (SUISSE) • Identités multiples (ALGÉRIE) • Changer de profil ou changer de vie • Un portrait de personnalité radiophonique • Un extrait d'autobiographie, Kim Thuy (QUÉBEC, VIETNAM)	• Parler d'identité • Évoquer ses origines • Exprimer son désarroi • Parler d'un changement de vie • Écrire un synopsis de film • Développer un argument en comparant **LE + ARGU** ➤ **Activité Étape :** *Participer à un concours* ➤ **Activité Bilan :** *Organiser un Conseil européen*  **MÉTHODOLOGIE P. 75** • **Comparer ce qui est comparable**
UNITÉ 5 Vivre une révolution **P. 92** 	• Un changement de société • Les formes de révolte (QUÉBEC) • Les objets connectés • L'impression 3D • Thomas Piketty et la pensée économique dominante • Coco Chanel, une femme révolutionnaire • Évolution et révolution	• Rêver de quelque chose • Expliquer l'utilité et le fonctionnement d'un objet • Envisager l'avenir • Écrire le texte de présentation d'une association • Protester et s'opposer **LE + ARGU** ➤ **Activité Étape :** *Réaliser une publicité* ➤ **Activité Bilan :** *Faire un voyage dans le temps* **MÉTHODOLOGIE P. 95** • **Comparer des situations**
UNITÉ 6 S'engager avec passion **P. 112** 	• Le *roofing* et les sports extrêmes • Des témoignages engagés • Les cadenas amoureux de Paris • Une critique de film • Le mécénat d'entreprise • Les nouvelles formes de familles • Les conférences TED	• Évoquer une performance • Décrire une tradition • Parler de soi • Décrire une évolution personnelle • Écrire le texte d'une campagne de communication • Insister, renforcer ses propos **LE + ARGU** ➤ **Activité Étape :** *Témoigner dans un reportage télévisé* ➤ **Activité Bilan :** *Se rencontrer entre passionnés anonymes* **MÉTHODOLOGIE P. 115** • **Prendre des notes**

Grammaire	Lexique	Ateliers	
• Les indicateurs de temps › *depuis, il y a, en, pour, dans, pendant, en…* • La comparaison › des conjonctions (*comme*), des adjectifs (*pareil, semblable, différent…*), des verbes et des expressions • L'hypothèse › *avec, sans, en cas de, au cas où…* • Les pronoms relatifs composés › *à laquelle, auquel…*	• L'identité numérique • Les origines personnelles • L'Union européenne • Le corps • La chirurgie esthétique • Les changements de vie • *Le néologisme* **Phonétique** • La chute du [ə] • L'assimilation de deux consonnes • Le registre familier et les ellipses	• **Faire un portrait** › Introduire une personne › Donner des caractéristiques › Évoquer son parcours › Rendre le portrait vivant › Définir son caractère • **Écrire un passage autobiographique** › Évoquer ses origines › Faire une description physique et morale › Raconter un souvenir • **Atelier créatif :** *Créer et jouer un personnage*	➤ Préparation au DELF B1 **p. 90**
• Le futur proche et le futur simple • Le futur antérieur • L'opposition et la concession • L'antériorité, la simultanéité et la postériorité › *lorsque, tandis que, jusqu'à ce que, une fois que…*	• La révolution, la révolte • Les nouvelles technologies • L'économie • La mode • *L'homonyme* **Phonétique** • La voyelle nasale [ɔ̃] • Intonation : la colère	• **Gérer une situation de crise** › Faire face au problème › Résoudre le problème › Rassurer • **Écrire un essai argumentatif** › Introduire › Développer son argumentation › Conclure • **Atelier créatif :** *Lire à voix haute*	➤ Préparation au DELF B1 **p. 110**
• La mise en relief • Les tournures impersonnelles › *Il paraît que, Il semble que, Il suffit que…* • La cause et la conséquence • Le groupe prépositionnel › la construction avec d'autres groupes (expansions infinitives, adverbiales, etc.) et ses fonctions	• La passion • La politique • L'amour, les rencontres • L'entreprise • La famille • *L'étymologie* **Phonétique** • Les voyelles [ɔ] et [œ] • Intonation : les différents types d'interrogation	• **Faire un court exposé** › Introduire le sujet › Développer ses idées › Conclure le sujet • **Prendre des notes** › Distinguer et retenir les éléments importants › Définir ce qui n'est pas essentiel › Utiliser des outils pour écrire rapidement • **Atelier créatif :** *Exprimer ses émotions*	➤ Préparation au DELF B1 **p. 130**

Module 3

ENTRETENIR SA MÉMOIRE

	Socioculturel	Communication
UNITÉ 7 Se plonger dans l'histoire P. 132 	• Le Panthéon • Des événements de l'Histoire francophone • Le *storytelling* • *L'Étranger* de Camus en BD • Une fable créole (Antilles) • Le Puy du Fou • Un interrogatoire de police • Un week-end médiéval	• Parler de travaux • Réagir à un mensonge • Décrire des émotions • Décrire un succès • Écrire un mail • Rectifier et démentir une idée LE + ARGU ➤ **Activité Étape :** *Jouer une scène historico-comique* ➤ **Activité Bilan :** *Réaliser une chaîne d'écriture* **MÉTHODOLOGIE P. 135** • **Distinguer les idées principales**
UNITÉ 8 Protéger le patrimoine P. 152 	• Le patrimoine matériel et immatériel de l'humanité, l'UNESCO • Le patrimoine français et les Journées du patrimoine • Le gwoka (Guadeloupe) • Chez le notaire • Une scène d'héritage dans un roman • Un patrimoine menacé (Québec) • L'association l'« Inventaire » • Un débat radiophonique sur le patrimoine des ministres	• Exprimer une appartenance • Porter un jugement de valeur • Hésiter • Décrire une détérioration • Écrire la critique d'une série télévisée • Ouvrir et fermer une digression LE + ARGU ➤ **Activité Étape :** *Participer à la sauvegarde d'un monument historique* ➤ **Activité Bilan :** *Organiser une vente aux enchères* **MÉTHODOLOGIE P. 155** • **Se plonger dans le détail du texte**
UNITÉ 9 Nourrir son quotidien P. 172 	• Le wasbar (Belgique) • La cuisine « fait maison » • Les bars à oxygène et les besoins primaires • Le mouvement « Movember » • Les manies du quotidien • Youboox et la lecture plaisir • Un témoignage de marcheur • Le voisinage • Le courrier des lecteurs	• Défendre une idée • Décrire un style • Décrire une manie • Exprimer un bienfait • Écrire le manifeste d'un club • Conclure ses propos LE + ARGU ➤ **Activité Étape :** *Participer à une séance chez le psychologue* ➤ **Activité Bilan :** *Créer et attribuer un label* **MÉTHODOLOGIE P. 175** • **Mettre les documents en relation**

Grammaire	Lexique	Ateliers	
• Le discours rapporté au présent • Le discours rapporté au passé et la concordance des temps • Le passé simple • Les pronoms personnels, démonstratifs et neutres › *en, y, le...*	• L'Histoire, les histoires • Le mensonge • Le spectacle • La justice • *La majuscule* **Phonétique** • Le verlan • Les tics de langage • Le maintien du contact	• **Participer à un interrogatoire** **Interroger quelqu'un** › Accuser quelqu'un › Demander des informations et des aveux › Menacer quelqu'un **Répondre à un interrogatoire** › Dire son incompréhension › Nier › Avouer • **Écrire un témoignage sur un blog** › Raconter des faits passés › Exprimer ses sentiments › Donner du relier au discours › Établir un contact avec le lecteur • **Atelier créatif :** *Écrire un poème*	➤ Préparation au DELF B1 **p. 150**
• Le groupe adverbial à valeur d'opinion • La reprise nominale • Les doubles pronoms • Les verbes pronominaux › réfléchis et réciproques › accord du participe passé	• Le patrimoine national • L'héritage • La promotion (d'une association...) • *Le synonyme* **Phonétique** • Les semi-voyelles [j], [ɥ] et [w] et l'accent antillais • La séparation d'une séquence initiale • Intonation : la mise en relief	• **Participer à un débat** › Présenter le débat › Exposer ses arguments › Exprimer son opinion › Prendre la parole au cours d'une conversation • **Écrire un mail de réclamation** › Donner le contexte de départ › Exprimer un mécontentement › Exprimer une demande • **Atelier créatif :** *Écrire un littinéraire*	➤ Préparation au DELF B1 **p. 170**
• Les articulateurs logiques › débuter, conclure, préciser, énumérer... • L'expression du regret et du reproche • Les indéfinis › adjectifs et pronoms • L'infinitif › ses différents emplois	• La cuisine • Les besoins • Les styles (vestimentaires...) • La lecture • Le voyage, la marche • *La métaphore* **Phonétique** • [ɛ̃] et [ɛn] • Les consonnes géminées • Les onomatopées	• **Prendre part à un conflit** › Formuler des reproches › Exprimer des règles de vie › Réagir à une insulte, protester › Apaiser les tensions › Rejeter une fausse accusation • **Réagir au courrier des lecteurs** › Introduire son propos › Exposer son opinion › Se justifier › Proposer une conclusion • **Atelier créatif :** *Composer une chanson de voyage*	➤ Épreuve blanche DELF B1 **p. 190**

Unité 1

Prendre le temps

S'INFORMER

- Exprimer une morosité
- Évoquer son rapport au temps
- Parler du temps qu'il fait
- Donner des conseils
- Exprimer son point de vue
- Écrire un article promotionnel
- ▶ Activité Étape
  Réaliser un sondage

S'EXPRIMER

- Présenter un projet
- Écrire un texte personnel
- ▶ L'atelier créatif
  Créer des illustrations

S'ÉVALUER

- ▶ Activité Bilan
  Réaliser un JT de 20 heures
- DELF B1

Ça fait sens !

- Où sont ces gens ? Comment se sentent-ils ?
- D'après le document audio, qu'est-ce que « prendre son temps » ?
- Prendre son temps, en quoi est-ce nécessaire ?

Une belle échappée

« À vélo, je me libère du superflu »

Fondateur d'agences immobilières, Vincent Ledoux, 51 ans, vit à Paris et, depuis trois ans, a trouvé un refuge au Mans. Et un vélo (souvent sans les mains !) pour aller de l'avant.

Quand et où faites-vous du vélo ?
Par tous les temps, jour et nuit, été comme hiver, 7 jours sur 7 ! Je ne fais ni performance ni endurance, aucun col ni sprint... et je ne participe pas au Tour de France. J'ai d'abord choisi le vélo par commodité, pour circuler dans Paris ou au Mans (entre les deux, je le mets dans le train). Parfois, à l'étranger, je loue un vélo ou j'en emprunte un. J'adore dévaler les rues qui s'offrent à moi. Immédiatement, j'ai le sentiment d'appartenir à la ville... sauf, peut-être, à San Francisco où il m'a fallu un peu plus de temps *(rires)*.

Qu'est-ce que cela change, le lundi matin, d'aller à sa première réunion à vélo ?
Tout : l'air froid dans les yeux, le vent dans les cheveux, la beauté du ciel au lieu de l'air saturé du métro. Et puis, l'effort ! Le bon effort sur les pédales, plutôt que l'impression de sentir son ventre qui s'arrondit à l'arrière d'une berline. Sans oublier le sentiment grisant[1] de se faufiler entre les voitures, d'échapper aux embouteillages, de se croire, parfois même, un rescapé de la traversée de la ville.
Cela change aussi le fait délicieux d'aller gravement travailler (en costume-cravate, de précieux dossiers dans un sac à dos) non pas en taxi, non pas en « métro-boulot-dodo », mais dans l'esprit de votre enfance, de vos 10 ans.

Quel rôle a la vitesse ? Qu'apporte le vélo par rapport à la marche ?
Le vélo est le moyen de transport le plus rapide en ville. Et la vitesse a plus d'avantages que l'ubiquité[2] : elle libère le corps, aère l'esprit, attise la pensée, véhicule un goût de liberté et de risque. À vélo, je me libère du superflu. En fait, à vélo, on n'invente rien. Ce sont les bruits de la ville, la pluie, le froid ou le ciel bleu, les arbres en fleurs qui dessinent nos pensées.

Le vélo serait-il un antidote à la morosité ?
Même quand on est déprimé, la vitesse, le vent, la liberté qu'offre le vélo réveillent l'étincelle de vie en nous. Bien sûr, le cycliste n'échappe pas à la grisaille du ciel et du cœur, pas du tout ! Mais je crois que le vélo nous donne juste ce qu'il faut d'air dans la figure et de rêverie dans la tête pour, malgré tout, déceler la vibration joyeuse, poétique et amoureuse de la nature vivante.

1 *Qui exalte, excite.*
2 *Capacité d'être présent en plusieurs lieux à un même moment.*

Source : www.cles.com

1 Ouvrez l'œil !

a. Regardez l'article et les éléments en gras.
b. De quel type de document s'agit-il ?

2 Posez-vous les bonnes questions !

a. Qui est Vincent Ledoux ?
b. Où et quand fait-il du vélo ?
c. Quelles sensations ressent-il à vélo ? Donnez quelques exemples.
d. Pourquoi aime-t-il la vitesse ?
e. Grâce au vélo, à quoi échappe-t-il ? Pourquoi ?

➤ Exprimer une morosité, p. 29

3 Explorez le lexique !

a. Expliquez le titre. Que signifie le mot « superflu » ?
b. Dans le texte, recherchez les mots et expressions liés aux thèmes suivants : le temps qu'il fait et la pratique du vélo.
c. Et vous, quelle(s) activité(s) vous permet(tent) de vous libérer du superflu ?

LE + INFO

Les déplacements domicile-travail sont en moyenne de 3,5 km par trajet. Plus généralement, près de la moitié des déplacements en France, tous modes et motifs confondus, font moins de 4 km. La mairie de Paris s'est fixé l'objectif ambitieux de multiplier par trois le nombre de trajets à vélo, pour atteindre une part de 15 % des trajets en 2020.
www.blog.velib.paris.fr

Comment occuper son temps libre ?

1 Formulez des hypothèses !

a. Lisez le texte. Quelles questions pose le temps libre ?

b. Comment pensez-vous que les Français occupent leur temps libre ?

La récente réforme sur les rythmes scolaires en France (qui libère du temps dans la journée d'école des enfants) montre que l'occupation du temps libre est une question d'actualité : quel rapport entre ce temps et la distribution du savoir, entre la possibilité de se former et le bien-être de l'individu, entre l'échelle individuelle, familiale et celle de la société ?
D'après l'émission « Pas la peine de crier », France Culture.

2 Trouvez le thème !  2

a. Observez, lisez et écoutez les documents. Que peut-on trouver dans le salon du bien-être et du temps libre ? Quelles différences les Français font-ils entre les vacances et les loisirs ponctuels ?
Quels sont les changements dans leurs manières d'occuper leur temps libre ?

b. Quel est le thème principal de chaque document ?

➤ Évoquer son rapport au temps, p. 29

Doc.1

Doc.3

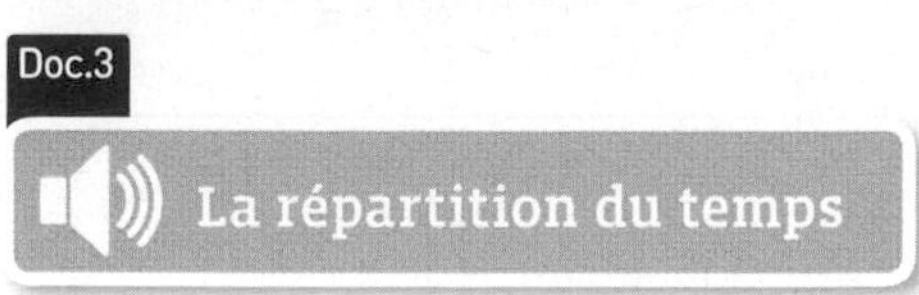

Doc.2

Observatoire des loisirs – PMU / TNS Sofres – avril-juin 2013.

3 Tendez l'oreille !  3

Dites si vous entendez les consonnes finales à la fin des chiffres suivants.

4 Ça se discute ! 

« À chaque minute, nous sommes écrasés par l'idée et la sensation du temps. Et il n'y a que deux moyens pour échapper à ce cauchemar : le plaisir et le travail. Le plaisir nous use. Le travail nous fortifie. Choisissons. » C. Baudelaire

Êtes-vous d'accord avec cette citation ? Entre plaisir et travail, que privilégiez-vous ? Exprimez votre point de vue.

LE + ARGUMENTATIF

EXPRIMER SON POINT DE VUE

- Pour moi, ...
- Je crois / pense / trouve que...
- À mon avis, ...
- Il me semble que...
- D'après moi, ...
- Personnellement, ...

Le temps : un produit qui se vend bien !

1 Ouvrez l'œil !

Décrivez l'image.

D'après vous, quel est le lien avec le titre de la page ?

2 Posez-vous les bonnes questions ! 

Regardez la vidéo.

a. Qui est concerné par les services météo ?

b. Qu'est-ce qui change sur le site de *ebookers* en fonction de la météo ?

c. Que font les internautes quand il fait mauvais temps ?

d. Que cherche à faire l'agence de marketing météo ?

LE + INFO

70 % de l'économie mondiale serait « météo-sensible ». D'après une étude sur le comportement d'achat des Français sur Internet à partir de relevés météorologiques de Météo France sur l'année 2012, plus il pleut et plus les Français consomment. Et dans ce cas, on consomme plus à Marseille qu'à Paris !

D'après I. Capet, www.chefdentreprise.com.

3 Restez à l'écoute ! 

a. Est-ce qu'*ebookers* est très connu en Suisse ?

b. Quelles sont les données qui modifient les destinations de voyage ?

c. Que signifie l'expression « en temps réel » ?

4 Saisissez la grammaire ! 

Par quels mots remplaceriez-vous les éléments soulignés ? Vérifiez ce qui est dit dans le document.

Pour un client, anticiper la météo est important en vue d'organiser ses RH et ses investissements. Stéphane Perino a une petite dizaine de clients qui profitent de l'intelligence climatique de ses ordinateurs de crainte de voir la météo faire chuter leur business.

➤ **L'expression du but, activités p. 20**

5 Tendez l'oreille ! 

Écoutez de nouveau le directeur marketing d'*ebookers* et repérez ses trois hésitations.

Comment se manifestent-elles ?

6 Réagissez ! 

Avec votre voisin, discutez de l'importance du temps dans le choix de vos destinations touristiques : la météo influence-t-elle vos choix ? Comment et pourquoi ?

7 Agissez !

Vous créez une agence de marketing météo. Afin d'attirer de nouveaux clients, écrivez un petit article promotionnel (120 mots environ) qui informe sur vos objectifs et les services que vous proposez.

La météo des râleurs

1 Ouvrez l'œil !

a. Regardez le document. De quel type de document s'agit-il ?

b. Qui est « incrédule » ? Qu'a-t-il posté ?

2 Lisez et réagissez !

a. Expliquez le titre : « La météo des râleurs »

b. Quelles expressions les Français utilisent-ils pour parler du temps ? Vous en connaissez d'autres ?

c. Quels clichés sur les Français et la météo française sont exprimés dans cette bande dessinée ?

d. Pour quelle raison « incrédule » demande-t-il aux météorologues de s'excuser ?

➤ Parler du temps qu'il fait, p. 28

3 Saisissez la grammaire !

Quel souhait « incrédule » exprime-t-il ? De quelle manière ?

➤ L'expression du souhait, activités p. 20

4 Explorez le lexique !

a. Quelles sont les différentes significations du mot « temps » ?

b. Quel est le mot entier qui correspond à « météo » ? Dans le document, retrouvez un autre mot de la même famille.

c. Quelles autres abréviations connaissez-vous en français ?

> Du latin *brevis* (en français : « court »), une **abréviation** est un mot ou groupe de mots qui a été raccourci.

Rédigé par : *incredule*

Les météorologues qui ont la prétention de prévoir le temps sur une semaine, se trompent très souvent sur un espace de 2-3 jours, car ils ne peuvent pas savoir de quelle manière les vents peuvent tourner. J'aimerais, quand ils incitent les touristes à se rendre à tel ou tel endroit pour leurs vacances, qu'ils soient moins affirmatifs, et qu'en cas d'erreur, ce qui est pardonnable, qu'ils prennent quelques secondes pour s'excuser.

5 À la chasse aux mots ! 1

a. Le plus rapidement possible, retrouvez cinq mots pour chaque colonne de ce tableau dans les documents de ces pages.

La météo	Qualifier le temps	Le temps qui passe
le ciel	Cette chaleur est insupportable !	une saison
....	....	....

b. Par deux, inventez la « météo du bonheur », celle qui fait que vous n'êtes jamais triste. Réécrivez la bande dessinée avec des bulles positives. 

Cherche abeille pour colocation

Un havre pour vos abeilles

Invitez les abeilles dans votre jardin ou sur votre balcon en le transformant en havre naturel. Bientôt, ces petites glaneuses volantes vous berceront de leur bourdonnement.

Quelle que soit la superficie de votre jardin, vous pouvez créer toute une variété d'habitats pour la faune[1]. La moindre initiative, qu'il s'agisse de faire pousser une plus grande sélection de plantes à fleurs ou de composter les déchets du jardin, peut faire une énorme différence.

Inutile de consacrer tout le jardin à la faune, de couper vos magnifiques dahlias ou d'arrêter tout bonnement de jardiner : faites à votre convenance. Jardiner pour les insectes peut aller d'une simple bande de gazon à la plantation d'une espèce d'arbre ou d'une haie particulière. Vous pouvez cultiver les meilleures plantes pour les insectes pollinisateurs[2]. C'est votre jardin, vous êtes libre !

En encourageant la faune à investir les jardins, vous concourez à la protection des espèces locales, vous vous reconnectez avec la nature tout en apprenant quantité de choses sur le monde fascinant qui évolue à notre porte. C'est le meilleur moyen d'obtenir une gestion naturelle des nuisibles, une meilleure pollinisation, un sol plus sain et donc des plantes heureuses. Et en plus, c'est ludique !

Les gros bourdons[3] que l'on voit zigzaguer au printemps sont à coup sûr des reines parties à la recherche d'une nouvelle aire de nidification. [...] Les bourdons prospectent souvent dans les jardins, à la recherche d'un point de chute. Vous pouvez créer des conditions idéales pour qu'ils choisissent le vôtre. Vous pouvez laisser les souris ou campagnols vivre dans votre jardin, ou encore laisser pousser des herbes [...] ou des espèces à floraison printanière. S'ils refusent de nicher, ils s'arrêteront au moins pour grignoter.

1 *Ensemble des espèces animales.*
2 *Insecte qui transporte le pollen vers les plantes.*
3 *Grosse abeille qui favorise la pollinisation.*

Extrait de *Simple Things* n°2, Iceberg Press Limited, www.simple-things.fr, 2014.

1 Ouvrez l'œil !

a. Regardez la photo : que voyez-vous ?

b. Lisez le titre et le chapeau du texte. De quoi parle l'article ? Selon vous, qu'est-ce qu'un « havre » ?

LE + INFO

Un **chapeau** est un petit texte qui introduit l'article. Son but est de donner envie de le lire en le résumant.

2 Posez-vous les bonnes questions !

a. Quels sont les objectifs de cet article ?
- ☐ raconter et mettre en garde
- ☐ informer et raconter
- ☐ informer et conseiller

Comment le savez-vous ?

b. Comment peut-on jardiner pour les insectes ? Quels sont les avantages de cette activité ?

c. À quelle période de l'année voit-on les bourdons ? Pourquoi ?

➤ Donner des conseils, p. 29

3 Explorez le lexique !

a. Retrouvez tous les mots et expressions utilisés pour parler des abeilles ou des bourdons.

b. Retrouvez dans le texte les mots pour chaque définition :

1. le bruit produit par le battement des ailes d'un insecte : ....
2. l'herbe qui recouvre le sol : ....
3. la construction d'un nid : ....

Trouvez également deux noms d'animaux et un nom de fleur.

c. Quel petit mot sert à ajouter une idée ? Vous en connaissez d'autres ?

4 Saisissez la grammaire !

À la fin du texte, quel mot permet de ne pas répéter « votre jardin » ?

➤ **Les pronoms possessifs, activités p. 21**

5 Argumentez !

La Société centrale d'apiculture gère de nombreuses ruches à Paris, où on compte environ 300 ruches. Pensez-vous que mettre des ruches en ville soit une bonne façon de sauver les abeilles ?
Discutez avec votre voisin, puis écrivez chacun trois arguments pour expliquer votre point de vue.

Quel avenir pour le littoral français ?

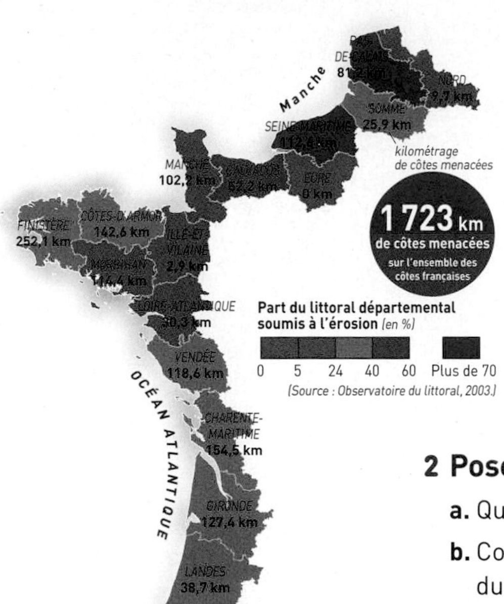

1 Écoutez ! 

D'après la photo, la carte et cette première écoute, qu'est-ce que le littoral français ?

2 Posez-vous les bonnes questions ! 5

a. Qu'est-ce que le phénomène d'érosion ?

b. Combien de kilomètres sont amenés à disparaître ? Quelle proportion du littoral cela représente-t-il ?

c. Quels sont les régions et départements nommés dans le document ? Situez-les sur la carte et associez-y des statistiques.

d. Quelle est la solution proposée ? Et sa possible conséquence ?

3 Explorez le lexique ! 

a. Dans le document, relevez les mots qui se rapportent à la géographie (ex. : le littoral, la mer, etc.).

b. Réécoutez la première phrase. À votre avis, que signifie l'expression « une image d'Épinal » ?
☐ une belle image qui ne montre que le bon côté des choses
☐ une image qui représente l'exacte réalité

c. Quel petit mot du texte est équivalent à « pour résumer » ?

LE + INFO

Épinal est une ville française qui se situe près de Strasbourg. Au XVIIIe siècle, Jean-Charles Pellerin crée des images représentant des scènes ou des personnages se voulant agréables à l'œil, joyeuses et moralement sans reproche.

4 Saisissez la grammaire ! 

a. Dans la phrase suivante, à quoi sert « dont » ?
Un bilan dont on ne sait que faire.

b. Réécoutez le document pour trouver d'autres pronoms relatifs.

➤ **Les pronoms relatifs, activités p. 21**

5 Tendez l'oreille ! 

Dites si vous entendez la liaison entre les mots suivants.

Réaliser un sondage

- Vous réalisez un sondage pour le magazine *Psychologies*. La question est : « Nos humeurs tombent-elles du ciel ? »
- En groupes, vous réfléchissez aux questions que vous pourriez poser pour comprendre l'influence du temps sur le moral.
- Sur une feuille, vous écrivez une dizaine de questions à poser.
  EXEMPLE : *Est-ce que vous regardez la météo ? Vous arrive-t-il de rester au chaud quand il pleut ? Adaptez-vous vos activités au temps qu'il fait ?*
- Posez vos questions aux membres d'un autre groupe. À partir des réponses données, vous écrivez un rapport d'environ 6 à 8 lignes qui commence par : « À travers les résultats de ce sondage, nous souhaiterions démontrer que... »

Cahier d'activités, **unité 1**

L'expression du but

→ Observez et relevez le défi.

Dans l'espoir d'impressionner ses amis, Jérôme a décidé de leur cuisiner un bon repas. De manière à augmenter ses chances de réussite, il a acheté un livre de cuisine pour les débutants. De peur que son plat soit raté, il a tout de même rempli son réfrigérateur de surgelés...

a. Soulignez les expressions du but.
b. Lesquelles expriment un sentiment ?
c. Lesquelles sont suivies de l'infinitif ? du subjonctif ? Savez-vous pourquoi ?

Le but est ce que l'on se propose d'atteindre.
- Les expressions utilisées sont suivies du subjonctif ou de l'infinitif (quand il n'y a qu'un seul sujet) : *dans le but de, en vue de, afin de / que, de manière à / à ce que, de crainte de / que, dans l'espoir de / que...*
- Certaines expressions apportent une nuance de sens (manière, crainte, espoir...).

1 Dites quelle nuance du but est exprimée dans les phrases suivantes (ex. : la manière).

1. William a acheté une méthode de langue avec la ferme volonté de parler espagnol avant cet été.
2. De peur de se brûler, Aline a demandé à son mari de sortir le plat du four !
3. Jamila a coupé le gâteau en trois de sorte que chacun ait une part.
4. Timéo est passé par un raccourci pour gagner du temps.
5. Léon a ouvert les fenêtres en grand de façon à rafraîchir la température de la maison.

2 Complétez ces phrases.

1. J'utilise une crème anti-moustique de peur de...
2. Mon voisin a installé une alarme de crainte que...
3. J'ai mis à jour mon C.V. dans l'espoir que...
4. Les étudiants utilisent un dictionnaire dans le but de...
5. Afin de... , Nicolas a invité sa voisine à dîner.

3 Vous avez pris quelques résolutions. Justifiez vos choix auprès de votre voisin en exprimant le but. 

Exemple : *J'ai demandé à travailler à mi-temps pour me consacrer à ma passion.*

1. Vous avez choisi de vivre dans un appartement en plein cœur de Paris.
2. Vous avez décidé d'abandonner la voiture comme moyen de transport.
3. Vous vous êtes inscrit à un cours de boxe.

L'expression du souhait

→ Observez et relevez le défi.

– J'aimerais bien que tu restes dîner !
– Ça me plairait, mais je ne voudrais pas rentrer trop tard. Je n'ai pas envie que Cécile se fasse du souci... elle n'aime pas quand je conduis la nuit.
– Ne t'inquiète pas ! Nous trouverons une autre date.

a. Soulignez les expressions du souhait.
b. À quels temps sont-elles exprimées ?
c. Lesquelles sont suivies de l'infinitif ? du subjonctif ? Savez-vous pourquoi ?

Pour exprimer le souhait, on peut utiliser :
- des verbes comme *aimer, vouloir, apprécier, préférer, désirer, avoir envie, souhaiter, rêver*, généralement au conditionnel présent.
- des tournures impersonnelles comme *Ça serait bien de / que ; Ça me plairait de / que*.

4 Reformulez ces phrases pour exprimer vos souhaits envers les hommes politiques.

Exemple : *Ils devraient être plus impliqués. → Je souhaite qu'ils soient plus impliqués.*

Ils devraient...

1. ... passer plus de temps à écouter les citoyens.
2. ... davantage favoriser l'égalité au sein du pays.
3. ... utiliser des moyens de transport plus écologiques.
4. ... consulter les citoyens avant de prendre des décisions.
5. ... faire en sorte de s'entendre pour mieux diriger.

5 Écoutez et réagissez « du tac au tac » pour exprimer des souhaits à l'aide des tournures impersonnelles proposées. 

Exemple : *– Prendre un verre ce soir ? Je ne sais pas trop ! – Allez, viens, ça me plairait que tu sois là !*

1. – Ah ? Ça serait bien de...
2. – Oui ! Et ça serait chouette que...
3. – Bonne idée ! Ça nous plairait de...
4. – Tout à fait, ça vous dirait que... ?
5. – Tu crois ? Ça serait peut-être bien de...

6 Il existe un arbre à vœux dans votre ville. Avec votre voisin, vous écrivez cinq vœux chacun sur une feuille pour exprimer vos souhaits.

Les pronoms possessifs

→ Observez et relevez le défi.

LE FROMAGER. – À qui sont ces fromages ?
UNE DAME. – Ce sont les miens !
UNE DAME ET SON MARI. – Ah non, désolée, il me semble que ce sont les nôtres !
LE FROMAGER. – Oui, je crois que ce sont les leurs. Les vôtres sont déjà dans votre panier, non ?

a. Soulignez les pronoms qui remplacent « ces fromages ».
b. Expliquez la forme de chaque pronom.
c. Si vous remplacez « les fromages » par « une pomme », que se passe-t-il ?

Pour exprimer une appartenance, on peut utiliser des pronoms (= qui remplacent un nom) possessifs : *le mien, la tienne, le sien, les vôtres, les leurs...*
Ils s'accordent en genre et en nombre avec l'objet qu'ils remplacent et en fonction du possesseur.

7 Complétez ces phrases.

1. Ton téléphone ? Regarde sur la table du salon ! Je ne sais pas si c'est .... ou ....
2. Pour aller au resto, on prend quelle voiture : .... ou .... ?
3. J'ai du mal à me décider entre ton tableau et celui de Sophie. Voyons, ... ou .... ?
4. Vos routes, au Canada, sont accidentées à cause de la neige alors que ...., en France, ne le sont pas.
5. Quoi ? Tu gardes leurs enfants ? Tu sais que .... sont beaucoup plus pénibles que les nôtres !

8 Écoutez attentivement et répondez à la personne. 8

1. Oui, c'est ....
2. Oui, c'est ...
3. Ce ne sont pas... ! Ce sont... *(en montrant Mathilde)*.
4. Oui, nous aussi, nous avons...
5. Effectivement, il me semble que ce sont...

9 Écoutez l'exemple puis, avec votre voisin, inventez un dialogue de sourds. 9

Au fur et à mesure, donnez des indices pour que les autres devinent de quoi vous parlez ! 

Les pronoms relatifs

→ Écoutez et relevez le défi.  10

a. Combien de pronoms relatifs entendez-vous ? Notez-les.
b. Réécoutez et expliquez le choix de chaque pronom.
c. Que remplace le pronom *dont* ?

Pour exprimer une relation entre deux phrases, on utilise des pronoms relatifs : *qui, que, dont, où*.
Qui est sujet, *que* est complément d'objet direct, *où* est complément de lieu et de temps.
Dont remplace un complément avec *de* (complément d'un nom, d'un adjectif ou d'un verbe).

10 Complétez ce texte avec des pronoms relatifs simples.

Saviez-vous que le Prix Goncourt, ... le nom vient de l'écrivain, est un prix .... est décerné chaque année en France ? La cérémonie a lieu au restaurant Drouant .... l'on remet au gagnant un chèque symbolique de dix euros. Maigre récompense pour un prix .... la notoriété est bien installée et .... permet de propulser le livre dans les meilleures ventes ! C'est en tout cas un événement .... on parle beaucoup en période de rentrée littéraire.

11 Faites une seule phrase en utilisant le pronom relatif qui convient.

1. Nous nous sommes rencontrés en 2011. Cette année-là, je travaillais encore à l'université.
2. Cette chanteuse québécoise a sorti un nouvel album. Je ne l'ai pas encore écouté.
3. Je cherche un moyen de rencontrer cet homme. Tu as certainement entendu parler de lui.
4. Il va nous faire visiter sa nouvelle maison. Il en est tellement fier !
5. Mes parents sont allés en Russie. Ils y ont retrouvé une amie de longue date.

12 Transformez en texte le poème de Paul Éluard avec des pronoms relatifs et complétez-le. Puis, comparez avec votre voisin.

EXEMPLE : *Dans Paris où je me promène tous les jours, il y a une rue que je traverse volontiers. Dans cette rue, il y a une maison bleue qui...*

Dans Paris il y a une rue ; dans cette rue il y a une maison ; dans cette maison il y a un escalier ; dans cet escalier il y a une chambre ; dans cette chambre il y a une table ; sur cette table il y a un tapis ; sur ce tapis il y a une cage ; dans cette cage il y a un nid ; dans ce nid il y a un œuf, dans cet œuf il y a un oiseau.

Paul Éluard, « Dans Paris, il y a... », *Les Sentiers et les routes de la poésie*, Gallimard.

Présenter un projet

1 Réagissez ! 11

a. Regardez la photo. D'après vous, de quoi s'agit-il ?

b. Écoutez le document. Quelles questions pose le journaliste ?

2 C'est dans la boîte ! 11

Écoutez de nouveau et complétez la boîte à outils avec les exemples du document.

BOÎTE À OUTILS

Présenter un projet

Introduire le projet

- Donner son nom : ....
- Faire une description : ....
- Expliquer son origine et son principe : ....

....

Exprimer une intention, un objectif ou un souhait

- Un objectif : ....
- Un souhait : ....

Mettre en valeur son projet

- Présenter les avantages, donner des exemples : ....

....

- Imaginer les applications futures : ....

....

3 Du tac au tac !  

Pensez à un projet novateur et répondez aux questions de la journaliste avec le plus de conviction possible. Veillez à ce que votre interlocuteur vous comprenne bien.

LE + COMMUNICATION

S'ASSURER D'ÊTRE BIEN COMPRIS

- ..., vous comprenez ?
- Est-ce que je suis clair ?
- ... ou si vous préférez...
- Ce que je veux dire, c'est que...
- Plus précisément, ...
- Pour être plus clair, ...

4 Le son et le ton qu'il faut !

1 Repérez ! 

Réécoutez ces extraits.

a. Dites si vous entendez la liaison entre les mots suivants.

b. Écoutez et dites dans quelle(s) syllabe(s) vous entendez [u], [o], [Ø].

c. Repérez les trois hésitations de Paul Demain. Comment se manifestent-elles ?

La **liaison** est obligatoire :
- entre le déterminant et le nom
- avant le verbe (mais pas entre un groupe nominal et le verbe)
- entre l'adjectif placé avant le nom et le nom
- après un adverbe court
- après *sans, dans, en, chez*

2 Prononcez ! 

Réécoutez cet extrait et, le plus rapidement possible, trouvez :
– un avantage de « Luminew » avec le son [o] ;
– un adjectif pour qualifier ce concept avec le son [Ø] ;
– un moment où on peut se servir de ce produit avec le son [u].

3 Mettez-y le ton !  15

a. Écoutez le document. Que se passe-t-il ?

b. Présentez en quelques phrases le projet « Luminew », d'abord avec assurance, puis en hésitant.

Quand on **hésite** en français :
- le rythme de la phrase ralentit
- on dit « euh »
- on allonge la syllabe finale des mots
- on allonge et/ou on répète les mots grammaticaux

LE + STRATÉGIE

Soyez motivé lors de votre présentation. Vous devez montrer votre enthousiasme par le ton que vous prenez.

C'EST À VOUS !

- Par deux, réfléchissez à un projet que vous avez envie de mettre en place. Ce projet doit avoir un lien avec le temps (météo, durée, vieillissement, vitesse, changement...).

EXEMPLE : *faire gronder un orage d'été dans son salon avec une lampe spéciale pour les passionnés d'éclairs, créer une pilule anti vieillissement...*

- Réfléchissez aux objectifs à court, moyen et long terme, puis trouvez un nom à votre projet !
- Un camarade vous pose des questions : présentez et expliquez votre projet à la classe !

Écrire un texte personnel

Je ne me ferai jamais à la fin de l'été. Jamais. Les charmes de l'arrière-saison, la splendeur de l'automne, la douceur des pulls et le retour des feux de cheminée, c'est inutile de m'en parler, je refuse, de toutes mes forces, la fin de l'été. Je l'ai trop attendu, je l'ai trop voulu. Chaque année, au printemps, je guette la première explosion de feuilles. Enfin du vert, du vivant ! Les arbres sont faits pour avoir des feuilles. Je ne connais rien de plus sinistre que la chute des feuilles, en automne, qui annonce ces longs mois d'arbres noirs, d'abord morts, en hiver. Ce qui me fait tenir, c'est cette certitude qu'à partir du 21 décembre les jours rallongent. Quelques secondes, puis, quelques minutes, oui, c'est sûr, on va vers l'été. J'aime mai et juin quand les feuilles sont encore tendres, fraîches, luisantes. J'aime ce qu'elles annoncent, les longues journées d'été, le soleil qui joue dans l'herbe, qui fait rêver la terre. C'est à cause des grandes vacances, de l'enfance, le nez dans l'herbe, dans la douceur de l'herbe, pour des semaines et des semaines d'éternité. Les arbres qui chantent, au-dessus de la tête. Le temps qui prend son temps. On peut se laisser aller, on peut croire au bonheur. On peut serrer la terre dans ses bras. C'est l'été. Les grandes vacances. Je me disais, enfant, qu'on devrait interdire la fin de l'été. Je n'ai pas changé d'avis. [...] Déjà, j'ai hâte d'être au printemps, déjà je veux qu'on soit en mai, en juin, je ferme les yeux sur ces longs mois qui viennent, je les raye de ma vie, je ne veux pas qu'ils existent. Cette impatience est vaine, bien sûr. Surtout elle est cruelle : vouloir accélérer le temps, c'est comme brûler la vie qui reste. J'ai hâte d'être demain, après-demain. Mais le temps aura, alors, passé. Ce temps que je ne regagnerai jamais. Il faudrait accepter l'automne et l'hiver, les arbres morts, les nuits trop longues, parce que c'est le temps de la vie, c'est du temps pour vivre. Mais j'ai cette impatience, toujours. Et toujours ce regret d'avoir accéléré le temps. Et l'été passe tellement vite...

Alain Rémond, *Comme une chanson dans la nuit*, Le Seuil, 2003.

1 En un clin d'œil !

a. De quel type de texte s'agit-il ?

b. Lisez la première phrase : qui est le narrateur ? De quoi va-t-il certainement parler ?

c. Lisez le texte jusqu'à « on va vers l'été » (l. 15). Que réussit-il à faire dans ce passage ?

LE + INFO

Alain Rémond est un chroniqueur français qui a travaillé pour divers journaux et magazines, dont *Télérama*, *La Croix* et *Marianne*. Il a écrit une série de romans autobiographiques parmi lesquels *Comme une chanson dans la nuit* (2003), dans lequel il évoque sa jeunesse.

2 C'est dans la boîte !

a. Lisez le texte et complétez la boîte à outils en retrouvant les informations dans le texte.

BOÎTE À OUTILS

Écrire un texte personnel

Exprimer ses goûts et une opinion personnelle

....

....

Décrire le temps qui passe et les saisons

....

....

Exprimer une impatience

....

....

b. Repérez les phrases courtes. À votre avis, qu'est-ce que cela apporte au texte ?

c. Prenez un stylo et faites le lien entre l'idée exprimée dans une phrase et la phrase suivante. Que constatez-vous ?

EXEMPLE : *Je ne me ferai jamais à la fin de l'été. Jamais. Les charmes de l'arrière-saison, ...*

3 Du tac au tac ! 

Par deux, échangez autour des saisons.

a. Êtes-vous d'accord avec ce que dit le narrateur ?

b. Associez des mots ou expressions liés, pour vous, à chacune des saisons. Pensez aux couleurs, aux odeurs...

c. Quelle est votre saison préférée ? Pourquoi ? Décrivez ce que vous faites pendant cette saison.

4 Comment ça s'écrit ?

a. Repérez dans le document comment s'écrivent les sons [u], [o], [Ø].

[u]	....
[o]	....
[Ø]	....

b. [o] et [Ø] peuvent s'écrire de la même manière que leurs équivalents ouverts [ɔ] et [œ]. Comment ? Quelle est la différence ?

C'EST À VOUS !

- À la manière d'Alain Rémond, écrivez un texte (200 mots environ) dans lequel vous décrivez les saisons, la nature et le temps qui passe.
- Vous donnez votre opinion personnelle sur la saison que vous préférez et exprimez votre impatience à la voir arriver.

LE + STRATÉGIE

Souvenez-vous que les phrases courtes peuvent donner du rythme à votre texte !

Créer des illustrations

Pour enrichir votre dictionnaire d'expressions imagées, vous allez créer des illustrations sur le thème du temps. Pour cela, inspirez-vous des éléments culturels proposés et lancez-vous !

1 Respiration

- Regardez et lisez les documents. Ensemble, échangez : qu'avez-vous envie de découvrir ? Pourquoi ?
- Expliquez chaque expression. Pour cela, essayez de décrire le lien entre le titre du document et l'événement culturel.

  EXEMPLE : *Dans la pièce de théâtre, il y a trois femmes qui vivent dans un petit village et qui sont sans cesse en train de râler. Elles pensent qu'il fait toujours « un temps de chien », et que leur vie ne ressemble à rien, jusqu'au jour où...*

2 Inspiration

- Ensemble, faites une liste de toutes les expressions liées au temps que vous connaissez.

  EXEMPLE : *prendre le temps, un temps de chien, perdre son temps, etc.*
- En groupes, nommez l'expression que vous préférez et expliquez votre choix.
- Rassemblez-vous par groupes de la même expression.

3 Création

- Réfléchissez à la manière dont vous pourriez illustrer l'expression choisie. Pensez à son sens propre et à son sens figuré et placez-la dans des contextes variés pour trouver l'illustration la plus adaptée.
- Organisez votre illustration. Choisissez le format, les personnages, les couleurs, des détails... et un texte : une illustration vient toujours décrire, compléter ou prolonger un texte. Donnez-lui une petite touche amusante !
- Présentez votre travail à la classe, en veillant à bien expliquer le lien entre l'illustration et l'expression.
- Rassemblez toutes les illustrations et créez votre dictionnaire commun.

LE + INFO

Le **sens propre** d'un mot est son sens premier, le sens concret. Le mot « chien », par exemple, évoque l'animal. Le **sens figuré** renvoie à un sens abstrait. Dans l'expression « un temps de chien », on indique que le temps est si mauvais qu'on ne peut même pas laisser un chien dehors !

À VOIR

L'exposition *Au fil du temps*, jusqu'au 4 janvier 2014 au Bon Marché et à la galerie Galry (Paris). Prenez le temps d'aller admirer cette exposition ! L'artiste démonte des mécanismes horlogers et les réassemble dans des montages mobiles étonnants et poétiques.

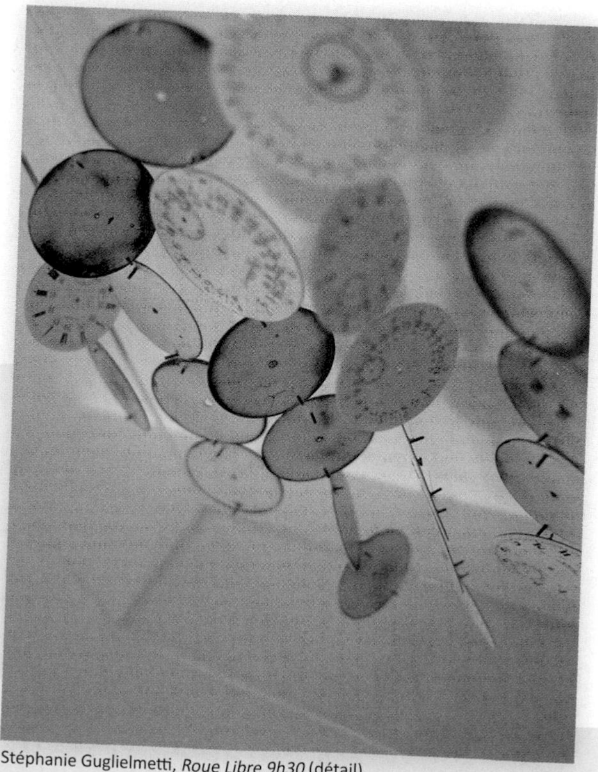

Stéphanie Guglielmetti, *Roue Libre 9h30* (détail)

À ÉCOUTER

(Ré)écoutez la dixième chanson de l'album *En quête de sens* de Sinsemilia, intitulée « Prendre le temps » et laissez-vous porter par son invitation à l'oisiveté !

Marcel
Proust
À la recherche du temps perdu
Quarto Gallimard

À LIRE

Plongez dans l'œuvre en sept tomes de Marcel Proust, écrite entre 1908 et 1922. Pour mieux reconquérir son passé, le narrateur conte son itinéraire depuis son enfance jusqu'à la maturité, en traversant les époques, les âges, les milieux, les lieux, les amours et les œuvres d'art. Un univers romanesque qui se développe à partir d'une cuillère de tisane où s'est amollie la célèbre petite madeleine qui est devenue l'un des plus grands passages de la littérature française.

À DÉCOUVRIR

Après 25 ans d'absence au théâtre, Valérie Lemercier remonte sur les planches. Cette comédie de Brigitte Buc rassemble pendant 1h30 trois femmes qui traversent une période délicate de leur vie.

À EXPLORER

Amusez-vous et découvrez l'origine et la signification d'expressions imagées régionales et francophones grâce à Archibald, sur le site de TV5 Monde !

www.tv5.org

POINT RÉCAP'

Réaliser un JT de 20 heures

ACTIVITÉ BILAN

- Formez des groupes. En plus du présentateur du journal et du présentateur météo, il y a, pour chaque reportage, un reporter et des personnes interviewées.
- Listez ensemble des reportages possibles liés au temps (temps qui passe, passe-temps, morosité liée au temps qu'il fait, etc.) susceptibles de vous intéresser.
- Formez des groupes de quatre ou cinq. Chaque groupe s'occupe d'un sujet et écrit en quelques lignes les informations à présenter.
- Décidez, ensemble, de la forme et de la chronologie de ce journal télévisé. Qui fait quoi ? Qui dit quoi ? À quel moment ?
- Puis, jouez-le !

Quoi ?

- une montre, un sablier, un chronomètre
- une horloge, une pendule
- le climat, les températures
- le vent, la bise, la tempête
- la pluie, l'orage, la grêle, la neige
- le ciel, le soleil, les nuages
- la sécheresse
- la grisaille, des précipitations, une perturbation

- Parler du temps qu'il fait
  > la météo(rologie), un météorologue
  > les prévisions, le bulletin météo
  > Il pleut, il vente, il neige...
  > Il fait / va faire beau, chaud...
  > Ça s'éclaircit !
  > Cette chaleur est anormale pour la saison.
  > C'est un été pourri ! *(fam.)*
  > Il fait un temps de chien !
  > Il fait un froid de canard !
  > Ça caille ! *(fam.)*

Prendre le temps

Où ?

- la nature : un arbre fruitier, une fleur, la faune, la flore, une plante, un insecte, une haie, un buisson, un arbuste, une espèce animale / végétale, la pollinisation, la nidification, le jardin, l'herbe, le gazon
- la géographie : le littoral, la côte sableuse / rocheuse, le marais, le lac, l'étang, le bord de mer, le sable, la plage, la mer, la vallée, la forêt, la montagne, la falaise

MEMO Grammaire ➤ Précis grammatical, pp. 202-213

L'expression du but

Le but exprime un résultat que l'on désire atteindre. Les conjonctions sont suivies du subjonctif sauf si le sujet est le même dans les deux propositions.

EXEMPLE : *Il parle tout bas* ***de peur qu'****on (ne) l'entende et il compte les moutons* ***pour*** *s'endormir !*

> Même sujet ou non ?
> Subjonctif ou infinitif ?
> Quel but exprimer ? (une manière d'agir, un sentiment...)

L'expression du souhait

Pour exprimer un souhait, on peut utiliser des verbes ou des tournures impersonnelles, généralement au conditionnel, suivies du subjonctif ou de l'infinitif. Le verbe *espérer* est suivi de l'indicatif.

EXEMPLE : *J'****aimerais*** *bien partir en vacances mais je* ***voudrais qu'****il fasse beau. Évidemment, ça me* ***plairait que*** *tu viennes avec moi !*

> Même sujet ou non ?
> Subjonctif ou infinitif ?
> Est-ce le verbe *espérer* ?

Quand ?

- À quel moment ?
  - › tôt, tard, avant, après
  - › avant-hier, hier, aujourd'hui
  - › demain, après-demain
  - › tout à l'heure, tout de suite, tout le temps
  - › de temps en temps, jamais
  - › immédiatement
  - › régulièrement, fréquemment
  - › récemment
  - › tous les + *nombre de jours, mois, années...*
- Combien de temps ?
  - › un moment, un instant
  - › une seconde, une minute, une heure
  - › une année, un mois, une semaine
  - › une matinée, une journée, une soirée
  - › une date, une époque, une période
  - › une saison (printemps, été, automne, hiver)
- **Évoquer son rapport au temps**
  - › la paresse, l'oisiveté, la lenteur
  - › freiner la machine, souffler, suspendre le temps, se la couler douce *(fam.)*, s'oxygéner, se détendre, se distraire, échapper au temps, s'évader
  - › la course effrénée, « métro-boulot-dodo », la vitesse
  - › reprendre le collier *(fam.)*, courir après le temps, avancer, filer, passer à vivre allure

Comment ?

- un passe-temps, un loisir
- le bricolage, le jardinage, la couture, la lecture
- pratiquer un sport
- faire du vélo
- jouer d'un instrument
- aller au cinéma, au théâtre
- flâner, buller *(fam.)*

- **Présenter un projet**
  - › envisager de, prévoir de, penser à + *inf.*
  - › Cela consiste en quoi ?
  - › C'est un produit destiné à ...
  - › L'objectif est simple : il s'agit de + *inf.*
  - › Cette idée nous est venue en + *gérondif*
  - › On ne compte pas s'arrêter là !
  - › Nous avons envie de développer ce produit...
- **Donner des conseils**
  - › Inutile de + *inf.*
  - › C'est le meilleur moyen de + *inf.*
  - › Vous pouvez / Vous pourriez + *inf.*
  - › Et si tu + *imparfait* ?
  - › Faites à votre convenance !

Pourquoi ?

- **Exprimer une morosité**
  - › la grisaille, l'ennui
  - › la déprime, la mélancolie, la dépression
  - › être découragé, déprimé, abattu
  - › avoir le blues, le cafard, le moral à zéro
  - › avoir le moral dans les chaussettes ≠ garder le moral
- **Exprimer son point de vue**
  - › Pour moi, ...
  - › Je crois / pense / trouve que...
  - › À mon avis, ...
  - › Il me semble que...
  - › D'après moi, ...
  - › Personnellement, ...

Les pronoms possessifs

Pour exprimer une appartenance, on peut utiliser des adjectifs ou des pronoms possessifs.

Exemple : *Ton téléphone ? Regarde sur la table du salon ! Je ne sais pas si c'est* ***le tien*** *ou* ***le mien****.*

❗ › À qui appartient l'objet ?
› Quel est le nom à remplacer ?
› Ce nom est-il féminin ou masculin ? au singulier ou au pluriel ?

Les pronoms relatifs

Pour exprimer une relation entre deux idées dans une phrase, on utilise des pronoms relatifs qui ont chacun une fonction (sujet, complément d'objet, de lieu, de temps, du nom...).

Exemple : *La fille* ***dont*** *je te parle est arrivée en France il y a deux ans. C'est quelqu'un* ***qui*** *a beaucoup travaillé et* ***dont*** *les parents peuvent être fiers !*

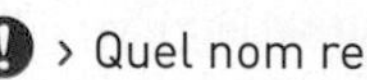

❗ › Quel nom remplacer ?
› Quelle fonction a le pronom dans la phrase ?

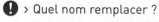

Les documents sonores sont téléchargeables sur le site www.didierfle.com/saison.

PARTIE 1 COMPRÉHENSION DE L'ORAL

Vous allez entendre deux fois un document.
Vous avez 30 secondes de pause entre les deux écoutes, puis 1 minute pour vérifier vos réponses.
Lisez les questions, écoutez le document puis répondez.

1. Que viennent faire Alena et Pablo dans cette école ?

....

2. Quel est le sentiment des enfants d'Alena ?
   - ☐ Ils adorent la musique.
   - ☐ Ils détestent l'école.
   - ☐ Ils apprécient leur professeur.

3. De quel instrument va jouer la fille de Pablo ?
   ☐ du piano ☐ de la guitare ☐ du violoncelle

4. Pour quelle raison la fille de Pablo a-t-elle peur ?

....

5. Quelle est la principale qualité de Monsieur Durant ?
   Il est...
   ☐ dynamique ☐ expérimenté ☐ tranquille

6. Pour quelle raison Pablo veut-il s'inscrire dans cette école ?

....

PARTIE 2 COMPRÉHENSION DES ÉCRITS

Lisez les informations du tableau puis répondez aux questions.

	L'Alpe d'Huez	Chamonix	Font-Romeu	Isola 2000
	alpe d'huez l'île au soleil	CHAMONIX-MONT-BLANC	FONT-ROMEU changez d'altitude !	isola 2000
Distance de Paris	À 4h30 de Paris en train (jusqu'à Grenoble), puis navette en bus.	Gare SNCF dans la station. À 5h20 de Paris.	À 4h20 de train de Paris (jusqu'à Perpignan) puis train régional.	Paris-Nice en 1h30 en avion, puis 1h de voiture.
Accès aux pistes de ski	Accès en voiture jusqu'à 50 m des pistes.	Système de bus dans toute la vallée.	Très facile. Grand parking en bas des pistes de ski.	Accès à pied (10 minutes).
Beauté du lieu	Station de ski ensoleillée toute l'année. Vue sur les montages de la vallée.	Station la plus ancienne. Au pied du Mont-Blanc.	Domaine skiable naturel le plus moderne.	Station familiale : avec un vrai soleil méditerranéen et un enneigement exceptionnel.
Activités	École de ski pour adultes et enfants. Randonnée dans la neige, luge, motoneige.	École de ski (adultes et enfants), patinoire, raquettes... Nombreux musées.	Randonnées raquette. Pistes de luge.	École de ski pour les enfants. Ski de randonnée. Patinoire – bowling – cinéma.
Tarifs	Forfait ski journée : 47 € Forfait ski 6 jours : 210 €	Forfait ski journée : 58,50 € Forfait ski 6 jours : 285 €	Forfait ski journée : 35 € Forfait ski 6 jours : 180 €	Forfait ski journée : 33 € Forfait ski 6 jours : 154 €

Vous voulez passer des vacances à la montagne en France avec votre famille. Voici les demandes de chacun :

- Pas plus de 5 heures de voyage à partir de Paris.
- Station ensoleillée.
- Possibilité de prendre des cours pour vous et vos enfants.
- Accès facile aux pistes de ski.
- Budget de 200 € par personne pour la semaine.

1. Notez les stations qui répondent à chacun des critères.

Distance de Paris :	....
Accès aux pistes de ski :	....
Beauté du lieu :	....
Activités :	....
Tarifs :	....

2. Quelle station de ski choisissez-vous ?

....

PARTIE 3 PRODUCTION ÉCRITE

Votre magazine francophone préféré organise une enquête sur le thème « Pays en fête » et invite ses lecteurs à y participer. Présentez un jour férié de votre pays (fête nationale, événement historique, fête traditionnelle) et expliquez pourquoi c'est celui que vous préférez.
Vous écrivez un texte détaillé et cohérent de 160 à 180 mots et adressez votre article à la rédaction du journal.

....

....

....

....

....

....

....

....

....

....

....

....

....

PARTIE 4 PRODUCTION ORALE

Vous dégagez le thème du document et vous présentez votre opinion sous la forme d'un exposé personnel de 3 minutes environ.

Faut-il éteindre son portable pendant les vacances ?

Aujourd'hui, rares sont les personnes qui partent en vacances sans téléphone portable. Pourquoi ? Tout simplement parce que nous sommes devenus accros à ce petit appareil et aux nombreuses applications offertes. Sans notre smartphone, nous ne disposerions pas du guide touristique inclus dans notre téléphone, indispensable pour nous déplacer (GPS, plans...), pour trouver un hôtel ou pour visiter une ville.

D'autre part, notre téléphone portable nous permet de nous sentir moins seuls quand nous sommes loin de chez nous. En effet, grâce à lui, nous emportons un peu de notre intimité sur notre lieu de vacances : SMS, contacts, courriels, etc. Pourtant, beaucoup de spécialistes recommandent de se déconnecter pendant les vacances.

Qu'en pensez-vous ?

Unité 2

Apprendre autrement

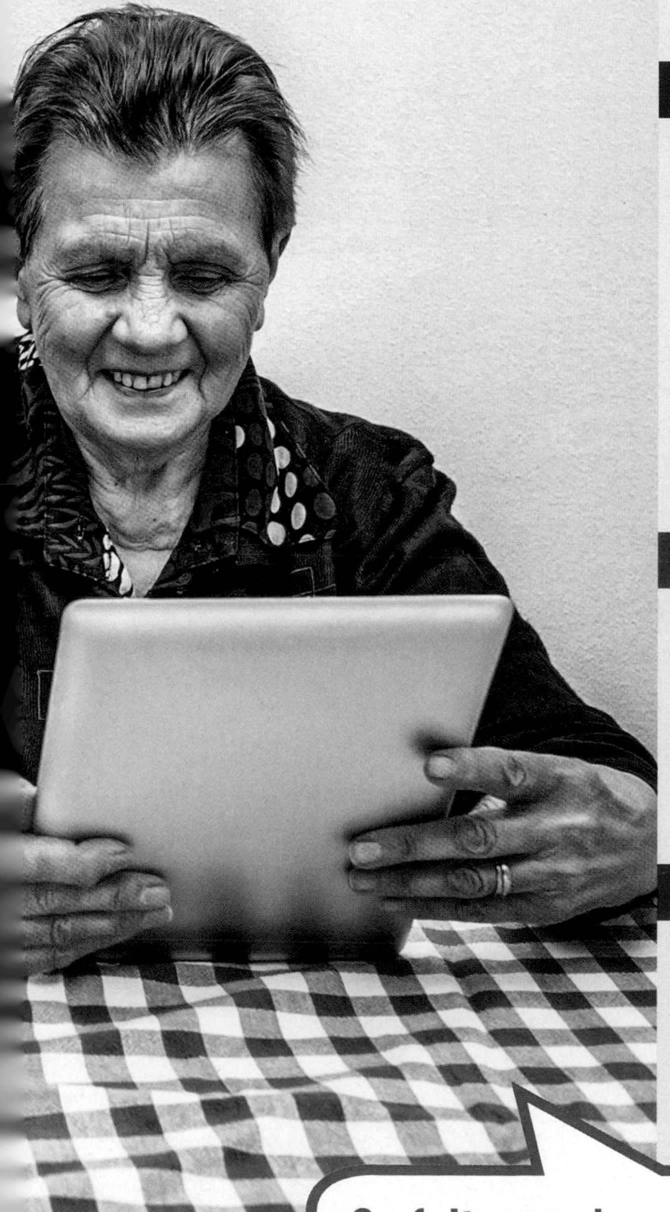

S'INFORMER

- Parler de son rapport à l'apprentissage
- Raconter son parcours (études, profession)
- Décrire la diffusion d'idées
- Exprimer son accord et son désaccord
- Écrire un C.V.

▶ Activité Étape
Participer à une émission de radio

S'EXPRIMER

- Expliquer les règles d'un jeu
- Écrire une lettre de motivation

▶ L'atelier créatif
Créer un collage

S'ÉVALUER

▶ Activité Bilan
Apprendre en trois lieux

- DELF B1

16

Ça fait sens !

- Que nous dit la photo sur les différences d'apprentissage entre hier et aujourd'hui ?
- D'après le document audio, les Français sont-ils favorables à l'utilisation des tablettes à l'école ?
- Quels sont, selon vous, les avantages à utiliser une tablette à l'école ?

100 façons d'apprendre

ÉDITORIAL
« Et vous, qu'apprenez-vous en ce moment ? »

La scène se passe au restaurant, voici quelques semaines, peu après que nous avons eu l'idée de ce numéro. J'ai eu envie de savoir qui, parmi les convives, se sentait concerné. Ma voisine de gauche, enseignante quadragénaire, a décidé de se remettre à l'anglais et assiste tous les mercredis à des séances de conversation. Son voisin, jeune trentenaire, développeur d'informatique, s'est mis à la cuisine. Comment s'y prend-il pour apprendre? Avec des livres de recettes et des tutoriels sur Internet. Il cuisine avec tablette numérique à portée.

La compagne de notre développeur attend un bébé: ce qu'elle souhaite apprendre en ce moment se résume à une préoccupation unique: «Comment vais-je faire?» Bien que bardée de diplômes, elle rêverait d'obtenir un «master parental» en formation accélérée si cela existait! Mais qui enseigne cela? Il y a bien les conseils des amies, les livres pratiques (*J'attends un enfant*). Mais en premier et dernier recours reste quand même la seule valeur sûre: «Maman, tu me diras.» Virginie, sa voisine, est en train de prendre en main un nouveau logiciel au travail. Le soir venu, elle participe aussi à un atelier d'écriture. Avec le rêve à peine avoué de découvrir le moyen d'écrire un best-seller.

Quelle est donc la meilleure façon d'apprendre? Seul ou à plusieurs? Notre développeur est un autodidacte dans l'âme, il aime apprendre seul. Sa compagne pense que l'on apprend mieux en groupe: «C'est plus stimulant. Le groupe contraint (à des horaires) et motive. On s'entraide aussi.» C'est le principe de la «coopétition», comme on dit aujourd'hui.

Une autre attitude consiste à privilégier l'immersion. Concernant les langues, par exemple, tout le monde autour de la table s'accordait à dire que la conversation vaut bien l'apprentissage des règles. Par contre, concernant la musique, les avis semblaient plus partagés. Quant à la conduite automobile, le code[1] relève manifestement de règles à apprendre par cœur, alors que la conduite est une question de pratique...

D'où l'idée aussi de poursuivre cette enquête, en recueillir aussi des témoignages et des réflexions. Et vous qu'apprenez-vous en ce moment? Et comment?

1 *L'ensemble des règles de la circulation routière.*

Jean-François Dortier, « Cent façons d'apprendre », *Sciences humaines* n° 257, mars 2014.

1 Ouvrez l'œil !

a. Regardez l'article. Sans le lire, retrouvez le titre, la date, l'auteur et le nom du magazine.

b. Quel mot indique la place de ce texte dans le magazine ?

LE + INFO

En journalisme, un **éditorial** est un article qui met en valeur un dossier publié dans un magazine ou qui reflète l'opinion de la rédaction sur un thème d'actualité.

2 Posez-vous les bonnes questions !

a. Où se passe la scène ? Combien y a-t-il de personnes ? Qui sont-elles ?

b. Qu'ont-elles décidé d'apprendre ?

c. Quelles sont les différentes façons d'apprendre de chacun ?

d. Le développeur et sa compagne partagent-ils la même opinion ?

e. Sur quel sujet les convives sont-ils d'accord ?

➤ Parler de son rapport à l'apprentissage, p. 49

3 Explorez le lexique !

a. Pour vous, apprendre, qu'est-ce que c'est ?

b. Dans le texte, entourez les mots qui se rapportent à l'apprentissage (ex. : « un diplôme », « apprendre par cœur ») et comparez-les avec votre voisin. Essayez de les expliquer avec vos propres mots.

c. Et vous, qu'apprenez-vous en ce moment ? Comment ?

L'apprentissage informel

1 Formulez des hypothèses !

a. Lisez le texte. Qu'est-ce que l'« apprentissage informel » ?

b. Donnez des exemples.

L'apprentissage informel, c'est tout ce qu'on apprend en vivant, en faisant, sans y penser, sans même forcément savoir... que l'on a appris. La base de cet apprentissage, c'est la rencontre avec les autres et l'environnement. Autrement dit, c'est la vie !

D'après Bernard Collot (www.education3.canalblog.com).

2 Classez vos idées !  17

a. Observez, lisez et écoutez les documents. Puis dites de quoi chacun parle et ce qu'ils ont en commun.

b. Par rapport à l'apprentissage informel cité ci-dessus, quel document :
- sert d'exemple ;
- est une preuve ;
- est l'intrus ?

Expliquez votre choix.

Doc.1

M. McCall, K.W. Eichiger, M. Lombardo, Université de Princeton.

Doc.2

Être et devenir propose, pour la première fois sur grand écran, des récits d'expériences et des rencontres de parents qui ont fait le choix de ne pas scolariser leurs enfants, de leur faire confiance et de les laisser apprendre librement ce qui les passionne. La réalisatrice nous emmène à travers les États-Unis, l'Allemagne (où il est illégal de ne pas aller à l'école), la France et l'Angleterre.

Un film de Clara Bellar (2014).

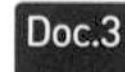

Doc.3

 La scolarisation en Guyane

3 Tendez l'oreille !  18

Pour chaque extrait, dites si vous entendez une liaison entre les mots.

4 Ça se discute ! 

« Vivre, connaître la vie, c'est le plus léger, le plus subtil des apprentissages. Rien à voir avec le savoir. »

J.-M. G. Le Clézio, *L'Inconnu sur la terre*.

Êtes-vous d'accord avec cette affirmation ?

LE + ARGUMENTATIF

EXPRIMER SON ACCORD ET SON DÉSACCORD

- Absolument. / Oui, en effet.
- Je suis (complètement) d'accord.
- C'est exact. / C'est exact, mais...
- Tout à fait d'accord avec toi / vous.
- Vous avez entièrement raison.
- Je suis de ton / votre / cet avis.

- Pas du tout !
- Non, je ne trouve pas.
- Je n'en suis pas sûr.
- C'est faux / inexact.
- Tu as tort.
- Vous vous trompez.

La formation, un tremplin pour la vie

1 Ouvrez l'œil !

Regardez ces photos. À votre avis, qui sont ces gens, où sont-ils et que font-ils ?

LE + INFO

Tremplin numérique est un chantier d'insertion professionnelle à travers la production numérique. Cette association vise un public de jeunes entre 18 et 25 ans issus de territoires dits « en difficulté ».

2 Posez-vous les bonnes questions ! 

Regardez la vidéo.

a. Quel est le sujet du reportage ?
b. Qui sont ces jeunes ? D'où viennent-ils ?
c. Pendant combien de temps suivent-ils cette formation ? Sont-ils payés ?
d. Qu'est-ce qu'on leur demande de créer ?
e. Quelles sont les perspectives d'ici 2017 ?

➤ Raconter son parcours, p. 48

3 Restez à l'écoute ! 

a. Pourquoi cette association s'appelle-t-elle « Tremplin » ?
b. Retrouvez les abréviations de « baccalauréat », « contrat à durée déterminée », « salaire minimum interprofessionnel de croissance ».

4 Saisissez la grammaire ! 

a. Visionnez de nouveau la vidéo et complétez ces deux témoignages.

J'ai pas .... mon BAC. Après, pendant une bonne année, j'ai .... Ensuite, j'ai .... : j'étais dans la vente. Et ensuite, la vente, ça m'a ....

Bader a .... sur ce tremplin numérique en participant au chantier d'insertion il y a deux ans. Depuis, il a .... une école d'informatique et il a .... sa voie.

b. Qu'est-ce qui changerait si :
– c'était une fille qui parlait ?
– on transformait la dernière phrase ?
Cette école, il l'a intégrée... après avoir participé au chantier d'insertion.

➤ Le participe passé, activités p. 40

5 Tendez l'oreille ! 

Écrivez ↗ quand la voix monte et ↘ quand elle descend au-dessus des syllabes soulignées. Que remarquez-vous ?
Ce qui les amène i<u>ci</u>, leur intérêt pour le gra<u>phisme</u>, le <u>web</u> ou la vidé<u>o</u>.

6 Réagissez !

Imaginez : vous retrouvez un copain d'université qui vous pose des questions sur vos études et votre parcours professionnel. Ensemble, échangez.

7 Agissez !

À partir des éléments de la vidéo, rédigez à deux le C.V. de la première personne interrogée (études, expérience professionnelle, compétences). Imaginez quelques informations complémentaires.

➤ Les carnets pratiques, p. 199

Les pros ont du talent !

PRO DES MOTEURS
GRAINE DE STAR
GOURMET DU PALAIS

Avec l'apprentissage, les talents deviennent des pros. FORMATIONPROFESSIONNELLEPLUS.CH LE PARCOURS DES PROFESSIONNELS.

Les jobs d'avenir ne passent pas par l'Uni

Selon le magazine Forbes, les métiers du futur ne nécessiteront pas de formation académique. Une bonne nouvelle pour la Suisse et son système d'apprentissage.

Vous voulez vous en sortir ? Eh bien n'allez pas à l'université. Le très sérieux magazine *Forbes* a analysé les métiers qui connaissaient le plus gros développement aux États-Unis et il a conclu que les jobs du futur ne réclamaient pas forcément une maîtrise ou un doctorat. [...] Mais attention, si un passage par l'Université n'est pas obligatoire, effectuer une formation l'est. Les études montrent que les personnes peu qualifiées, lorsqu'elles sont au chômage, y restent plus longtemps que les autres. Par chance, la Suisse a, contrairement aux États-Unis, une arme secrète : l'apprentissage. Il y a quelques jours, dans les colonnes du *Matin*, Nayla Hayek, présidente du Swatch Group, avait d'ailleurs lancé un vibrant plaidoyer[1] en faveur de la formation duale. « Tout le monde veut étudier pour obtenir un statut plus apprécié, tandis que les travailleurs manuels sont moins bien considérés dans notre structure sociale, avait-elle ainsi déclaré. Or le savoir-faire suisse est un de nos biens les plus précieux. On a besoin de juristes et de médecins, mais aussi d'électriciens et de menuisiers. »

1 *Discours pour défendre une personne ou une idée.*

Sébastien Jost, www.lematin.ch, 18 mai 2013.

1 Ouvrez l'œil !

Regardez l'affiche. Qui voyez-vous ? De quel pays est-il question ? Que valorise l'affiche ?

2 Lisez et réagissez !

a. Expliquez le titre : « Les jobs d'avenir ne passent pas par l'Uni. »
b. D'après le texte, est-il nécessaire d'être qualifié ? Justifiez.
c. Est-ce que Nayla Hayek est en faveur de l'apprentissage ? Justifiez.
d. À votre avis, qu'est-ce que « la formation duale » ?

3 Saisissez la grammaire !

Quelle information a paru en premier dans la presse suisse : la déclaration de Nayla Hayek ou celle du magazine Forbes ? Justifiez.

➤ **Les temps du passé, activités p. 40**

4 Explorez le lexique !

a. Que signifie le mot « apprentissage » ?
b. À votre avis, qu'est-ce qu'un « apprenti » ?
c. Quel est le suffixe du mot « apprentissage » ? Connaissez-vous d'autres mots qui finissent ainsi ? En général, sont-ils féminins ou masculins ?

> Pour connaître le genre du mot, on peut parfois s'aider du **suffixe**, c'est-à-dire la dernière partie du mot.

5 À la chasse aux mots ! 2

a. Dans les documents de ces pages, retrouvez un maximum de mots pour compléter ce tableau.

Relater ses études	Des diplômes	Des métiers	Raconter son parcours
une haute école	une maîtrise	un conseiller	postuler pour un stage
....	....	....	....

b. Par deux, inventez cinq nouveaux métiers. L'un donne un verbe, l'autre, un nom. 

Exemple : *chasser – les étoiles = chasseur d'étoiles*

Apprendre en jouant

Les joueurs aux manettes

En développant des « jeux sérieux » accessibles à tous en ligne, nombre de laboratoires offrent aux internautes la possibilité de prendre part à la résolution de problèmes scientifiques. Des expériences qui enthousiasment les joueurs, mais dont les bénéfices réels restent à affiner.

Imaginez. Seul devant votre ordinateur, bercé par une musique jazzy, vous faites glisser des briques de couleur pour les aligner en colonnes, en comblant les espaces vides, tout en gardant un œil sur l'indicateur de score. Non, vous ne jouez pas à Tetris, vous faites progresser la science en alignant des séquences d'ADN[1] sur Phylo[2].

Ce jeu en ligne canadien, élaboré à l'université McGill, demande en effet aux participants d'aider les scientifiques à reconnaître des segments de séquences d'ADN, ou de protéines, communs à plusieurs espèces, tout en suivant des règles compréhensibles par tous. [...] Par le biais des jeux de science participative, le public est incité à s'intéresser à des problématiques réelles que des scientifiques tentent de traiter au quotidien.

« Une des choses qui m'a le plus fasciné dans ces jeux, c'est que pour la première fois je pouvais parler de ma recherche directement aux citoyens, révèle Jérôme Waldispühl. Cette diffusion du savoir est extrêmement valorisante. »

1 *Nom du code génétique.*
2 *Phylo est le nom du jeu.*

Roxane Tchernia, *Le Monde* « Sciences et techno », 3 mars 2014.

1 Ouvrez l'œil !

a. Observez l'image. Que voyez-vous ? Quel est le lien avec le titre de l'article ?

b. Soulignez les mots-clés du chapeau. De quoi parle l'article ?

> **LE + INFO**
> Un « **jeu sérieux** » – de l'anglais *serious game* – est un logiciel d'apprentissage ludique.

2 Posez-vous les bonnes questions !

a. De quoi parle-t-on ?

b. Qui l'a conçu ? Pour qui ?

c. Pourquoi diffuser ce jeu ?

d. Est-ce que Jérôme Waldispühl est satisfait ? Pour quelle raison ?

➤ Décrire la diffusion d'idées, p. 48

3 Explorez le lexique !

a. Entourez les mots qui se rapportent au lexique du jeu.

b. Avec les mots découverts, complétez ce document.

> La .... du jeu TETRIS
> Nombre de .... : jusqu'à 4. Faire ....
> des .... de couleur pour compléter une ligne horizontale. Quand cette ligne est complétée sans aucun ...., elle disparaît et vous marquez des points. L'objectif est d'obtenir le meilleur .... possible.
> Ce jeu est gratuit et accessible ....

c. « Les joueurs font progresser la science. » Quel petit mot, dans le texte, sert à « expliquer » cette idée ?

4 Saisissez la grammaire !

Retrouvez, dans le texte :

– la réponse à la question : « Comment faites-vous progresser la science ? »

– l'équivalent de : « Vous jouez et, en même temps, vous regardez votre score. »

➤ Le gérondif, activités p. 41

5 Argumentez !

Les jeux sérieux sont-ils de bons outils d'apprentissage ? Donnez votre point de vue (en deux ou trois arguments) dans un texte de 150 mots environ.

Les MOOC, un gadget ?

1 Écoutez ! 20

C'est où ? Nommez les deux lieux d'enregistrement de ce document.

2 Posez-vous les bonnes questions !  20

a. Qu'est-ce qu'un « MOOC » ? Que signifient ces lettres ?

b. Les personnes interrogées savent-elles ce que c'est ? Qu'en disent-elles ?

c. Comment peut-on s'inscrire ? Que contient ce cours en ligne ? Permet-il d'obtenir un diplôme ?

LE + INFO

CLOM est l'acronyme d'usage en français pour « cours en ligne ouverts et massifs ». Il remplace le mot anglais « MOOC ».

3 Explorez le lexique !  20

a. Réécoutez et complétez la liste des mots :
- de l'université : *les professeurs...*
- liés au MOOC : *Internet...*

b. Par deux, créez quelques devinettes avec les mots entendus.

Exemple : *Je suis une très grande salle dans une université. Qui suis-je ?*

c. Quel petit mot est synonyme de « oui » dans le document ? En connaissez-vous d'autres ?

4 Saisissez la grammaire !  20

Réécoutez et trouvez comment :

– la première personne interrogée dit qu'elle ne connaît pas le mot « MOOC ».

– le présentateur explique que ce type de cours n'est pas encore reconnu.

➤ **La négation, activités p. 41**

5 Tendez l'oreille !  21

Dites si vous entendez [ɛ̃], [ɑ̃], [ɔ̃] et dans quelle(s) syllabe(s).

Participer à une émission de radio

ACTIVITÉ ÉTAPE

- Vous organisez une émission sur le jeu sérieux. Il y a un présentateur et deux invités : un joueur et un expert.
- Ensemble, vous pensez à un jeu sérieux que vous connaissez ou que vous avez testé.
- Sur une feuille, vous écrivez dix questions à poser et les réponses que vous pourriez donner.

Exemple : *Comment s'appelle ce jeu ? Qui l'a inventé ? Comment l'avez-vous connu ? etc.*

- Le présentateur anime l'émission. Le joueur présente le jeu. L'expert dit comment le jeu sérieux peut faciliter l'apprentissage.

➤ Cahier d'activités, **unité 2**

Le participe passé

→ Observez et relevez le défi.

Julia est arrivée à Lille en février pour apprendre le français. En juin, elle a passé ses examens. Elle les a réussis. Aussitôt, elle est partie à Nice pour les vacances. Elle s'est arrêtée à Paris et elle y est restée. Elle n'est jamais retournée à Lille...

a. Soulignez les participes passés.

b. Expliquez le choix de l'auxiliaire *avoir* ou *être*.

c. Expliquez l'accord des participes passés.

Le participe passé sert à former les temps composés ou la forme passive.
- Avec *être*, il s'accorde avec le sujet.
- Avec *avoir*, il s'accorde avec le COD si celui-ci est placé avant le verbe.
- Les participes passés des verbes *descendre*, *monter*, *passer*, *rentrer*, *retourner*, *sortir* se construisent avec *avoir* + COD ou *être* quand il n'y a pas de COD.

1 Accordez les participes passés.

« Au Canada, je suis redevenu..... stagiaire, statut que j'avais quitté..... deux ans auparavant. Au début, c'était frustrant. Mais petit à petit, on m'a confié.... des missions plus importantes. Les différentes tâches que l'on m'a attribué.... étaient vraiment stimulantes et j'ai beaucoup apprécié.... cette expérience. En plus, là-bas, la journée finit à 17h. Au début, ça m'a surpris.... Mais finalement, je me suis habitué... ! »

2 *Être* ou *avoir* ? Décidez !

Le jeu *Curriculum* .... sorti cette semaine et tout le monde se l'arrache déjà ! « J'......... passé ces deux dernières années à fabriquer ce jeu dont j'......... monté le concept de A à Z, explique l'auteur. Quand je .... rentré d'Espagne, après y avoir séjourné trois ans, je .... resté à Paris sans emploi pendant deux longues années. Ça .... été très difficile. Je .... retourné en province et j'......... commencé à raconter n'importe quoi pour trouver du boulot. C'est comme ça que l'idée du jeu .... née ! »

3 Laissez-vous guider par le résumé de l'histoire de Julia (« Observez et relevez le défi »).

1. Que s'est-il bien passé pour qu'elle reste à Paris ? Pourquoi n'est-elle jamais retournée à Lille ?
2. En quelques lignes, écrivez un scénario possible avec votre voisin.

Les temps du passé

→ Écoutez, observez et relevez le défi. 

	Passé composé	Imparfait	Plus-que-parfait
1	*j'ai fait*	*c'était*	*je n'avais jamais travaillé*
2	....	....	....
3	....	....	....
4	....	....	....

a. Complétez le tableau avec les verbes de chaque témoignage.

b. Dites ce qu'exprime le temps dans chaque phrase.

c. Expliquez la construction de chaque verbe.

L'imparfait exprime :
- une action passée qui continue de se dérouler
- une description
- une habitude dans le passé
- le cadre d'une action ponctuelle (exprimée au passé composé)

Le passé composé exprime :
- une action ponctuelle (qui peut être répétée)
- une action limitée dans le temps
- une succession d'actions

Le plus-que-parfait exprime :
- une action antérieure à une action passée

4 Conjuguez les verbes et justifiez votre choix.

EXEMPLE : *Vous avez démissionné parce que vous (être sous pression / ne jamais faire cela avant / trouver un nouveau travail)*
→ Vous avez démissionné parce que vous étiez sous pression, que vous n'aviez jamais fait cela avant et que vous avez trouvé un nouveau travail.

1. Il a raté son examen. Je crois qu'il *(être angoissé / ne pas assez travailler avant / mal comprendre le sujet)*.
2. – Tu as cru ce qu'il t'a dit ?
   – Non, je pense qu'il *(ne pas préparer sa présentation avant / faire des erreurs)* car il *(avoir la tête ailleurs)*.
3. J'ai beaucoup aimé mon stage : je *(apprendre beaucoup / être bien entouré / déjà faire ce genre de missions auparavant)*.
4. J'ai choisi de suivre un CLOM. Au début, je *(être assidu)*. Mais au bout de quelques semaines, je *(arrêter)*. Je *(ne pas imaginer)* que cela me prendrait autant de temps.
5. – Tu as bien joué ?
   – Bof ! Comme je *(ne jamais jouer à ce jeu avant)*, je *(mettre du temps à comprendre)* et c' *(être un peu embarrassant)*.

5 À partir des éléments suivants, inventez une courte histoire au passé.

acheter un billet pour Bruxelles – avoir envie de vivre à l'étranger – décider de faire un stage – envoyer une lettre de motivation – recevoir une réponse positive – se renseigner sur un métier

6 Laissez-vous guider par ces actions et ajoutez un décor, des sentiments, des actions secondaires et des circonstances pour donner vie à ce récit.

En attendant l'embarquement, un fils de 4 ans s'est amusé avec le passeport de son père en dessinant dessus. Au moment de monter à bord de l'avion, la pièce d'identité était recouverte de gribouillis. Les autorités ont considéré le passeport comme invalide. La famille est restée bloquée à l'aéroport pendant deux jours.

Le gérondif

→ Écoutez, observez et relevez le défi. 

a. Relevez les verbes au gérondif.

b. Qu'exprime le gérondif ?

c. Comment se construit-il ?

Le gérondif peut exprimer :
- la simultanéité
- la cause
- la manière
- la condition

Généralement, *tout* permet d'opposer deux idées ou d'insister sur la durée.

7 Pour chaque phrase, dites ce qui est exprimé.

1. Il a pris froid en sortant sans son manteau.
2. N'oublie pas d'éteindre la lumière en partant.
3. Il a trouvé cette offre en cherchant sur Internet.
4. En faisant un stage en France, j'apprendrais beaucoup sur la vie quotidienne des Français.
5. Tout en disant qu'il fallait partir, elle savait bien qu'elle avait très envie de rester.

8 Mettez certains de ces verbes au gérondif quand c'est possible.

Exemple : *Quand il m'a vu, il a pensé que j'étais un drôle de candidat.*
→ *En me voyant, il a pensé...*

Connaissez-vous le livre *Apprendre autrement avec la pédagogie positive* ? Quand je l'ai lu, j'ai tout de suite été convaincue. J'ai essayé d'appliquer cette pédagogie auprès de mes enfants. J'ai mis en place quelques-uns des outils et astuces proposés. Si je l'avais découvert avant, j'aurais évité quelques crises du soir, au moment des devoirs !

9 Complétez cette drôle de suite en proposant cinq idées de plus avec votre voisin.

– En apprenant le français tous les jours, on s'amuse !
– Oui, mais en s'amusant, on ne travaille pas assez.
– En ne travaillant pas assez, on...

La négation

→ Observez et relevez le défi.

1. Vous n'aurez plus besoin d'aller en cours.
2. Alors là, aucune idée !
3. Vous n'aurez qu'un certificat qui n'est pas encore reconnu.

a. Observez et soulignez les éléments de négation.

b. Quels sont les autres mots de la négation que vous connaissez ? En quoi sont-ils différents ?

c. Observez les phrases et expliquez où se placent les éléments négatifs.

La négation peut avoir différentes nuances :
- *ne... pas, ne... guère (≠ toujours, encore)*
- *ne... plus (≠ encore, déjà)*
- *ne... jamais (≠ souvent)*
- *rien... ne (≠ quelque chose, tout)*
- *personne... ne (≠ quelqu'un)*
- *ne... nulle part (≠ quelque part)*
- *aucun(e)... ne (≠ quelques* + nom)

Quand elle porte sur deux éléments, on utilise :
- *ne... ni... ni*
- *ne... pas... ni*
- *ne... ni ne*

10 Reconstituez ces phrases puzzle.

1. nous / n' / de / n' / irions / au / est / Sénégal / Pourquoi / aucun / pas / nous / puisque / y / allé ?
2. a / Il / mais / nulle / cherché / a / ne / vu / part. / partout / a / il / l'
3. je / Avec / travail / n' / sortir. / temps / mon / ai / le / guère / de
4. n' / ai / pour / deux jours / Je / que / répondre. / lui
5. S'il / le / code de la route, / ni / n' / aura / il / respecte / amende / perte de points. / ni

11 Imaginez des questions aux réponses suivantes.

1. .... ? Pas du tout. **2.** ..... ? Pas encore.
3. .... ? Nulle part. **4.** .... ? Jamais. **5.** .... ? Personne.
6. .... ? Rien. **7.** .... ? Aucune. **8.** .... ? Non.
9. .... ? Seulement deux fois. **10.** .... ? Ni l'un ni l'autre.

12 Réécrivez ce message pour exprimer le contraire. 

Un petit message pour vous dire que tout va bien. J'ai rencontré beaucoup de gens, je n'ai pas de problèmes d'argent et je mange tous les jours correctement. Le week-end, il y a toujours quelque part où aller, quelque chose à faire et quelqu'un à rencontrer. Bref, je suis heureuse. Vous n'avez aucun souci à vous faire.

Expliquer les règles d'un jeu

1 Réagissez ! 24

a. Regardez les images. De quoi s'agit-il ? À votre avis, comment joue-t-on ? Retrouvez les éléments suivants : *une boîte métallique, un homme préhistorique, une carte.*

b. Écoutez le document. Citez quelques-uns des sons utilisés dans le jeu.

2 C'est dans la boîte ! 

Écoutez de nouveau et complétez la boîte à outils avec les exemples du document.

BOÎTE À OUTILS 

Expliquer les règles d'un jeu

Présenter le jeu

- ....
- ....
- ....

Préparer le matériel et donner le but du jeu

- Le but du jeu : ....
- ....
- Le matériel : ....
- ....

Expliquer la règle du jeu et ce qu'il faut dire

- ....
- ....
- ....

3 Du tac au tac ! 

a. Prenez un jeu de cartes et écoutez ces cinq actions.

b. Réécoutez et, quand c'est possible, faites les gestes qu'il faut.

4 Le son et le ton qu'il faut !

1 Repérez ! 

Écoutez ces extraits.

a. Pour chaque extrait, dites si vous entendez une liaison entre les mots. Qu'en déduisez-vous ?

b. Dites si vous entendez [ɛ̃], [ɑ̃], [ɔ̃] et dans quelle(s) syllabe(s).

c. Écoutez la phrase. Écrivez ↗ quand la voix monte et ↘ quand la voix descend au-dessus des syllabes soulignées.
Ce joueur-là, à son tour, va devoir tourner une carte, dire l'indication de cette carte-là, plus celle qu'il va rajouter.

> La **liaison** est en général interdite :
> - après le nom / le groupe nominal
> - après le verbe
> - après *et*
> - avant un *h* aspiré
> - entre un adverbe long et l'adjectif

2 Prononcez ! 

Réécoutez les actions et, le plus rapidement possible, donnez des verbes liés au thème du jeu : un avec le son [ɛ̃], un avec le son [ɑ̃] et un avec le son [ɔ̃].

3 Mettez-y le ton ! 

a. Écoutez le document.

b. À votre tour, présentez votre jeu préféré en deux ou trois phrases ! Variez la hauteur de votre voix.

Je vais vous présenter un jeu qui s'appelle « Di xit ».

> - Dans une phrase, chaque groupe de mots est **accentué sur sa dernière syllabe** : elle est plus longue, plus forte, plus haute ou plus basse.
> - Si la phrase n'est pas finie, la voix monte ↗.
> Si la phrase est terminée, la voix descend ↘.

C'EST À VOUS !

- Choisissez un jeu de société que vous aimez bien.
- Listez le matériel nécessaire et rappelez-vous la règle du jeu.
- Vous présentez le jeu à votre voisin de façon détaillée en vous aidant de la boîte à outils.

> **LE + STRATÉGIE**
> Lorsque vous parlez, faites des gestes pour expliquer ce que vous dites.

Écrire une lettre de motivation

Grégoire Menon
7, rue Victor Hugo
69002 Lyon
06 81 54 78 25
contact@gmenon.fr

Lyon, le 29 mars 2015

Multigame
30, rue des Petits Champs
69100 Villeurbanne

Objet : Candidature spontanée à un poste de concepteur multimédia

Madame, Monsieur,

Leader dans l'industrie ludo-éducative numérique, Multigame œuvre pour le développement de l'enfant et de l'individu par le choix de contenus innovants et la créativité de ses produits. C'est pourquoi je vous adresse ma candidature à un poste de concepteur multimédia.

En poste depuis 5 ans au sein de l'entreprise Clic'o, j'ai eu l'occasion, en tant que chef de projet, de concevoir des produits ludo-éducatifs en ligne destinés à faciliter l'apprentissage des langues étrangères par les adultes. Responsable d'une équipe de trois personnes, j'ai mis en place un nouveau scénario de production pour offrir aux clients un produit final attractif, convivial et facile à utiliser.

Ma spécialisation en design ainsi que ma capacité à gérer des projets d'envergure m'ont permis de réussir à ce poste et d'augmenter les ventes de 25 %. Curiosité, créativité et imagination sont des qualités qui m'ont également été nécessaires pour anticiper les besoins des utilisateurs et inventer des interfaces originales.

Aujourd'hui, je souhaite donner un nouvel élan à ma carrière et prendre davantage de responsabilités. Fort de mon expérience, je souhaite participer au développement de votre département.

Dans l'attente de vous rencontrer, je vous prie d'agréer, Madame, Monsieur, l'expression de mes sentiments les meilleurs.

Grégoire Menon

1 En un clin d'œil !

a. Lisez le titre et expliquez ce que veut dire « motivation ». Qu'est-ce qu'une lettre de motivation ?

b. En un clin d'œil, diriez-vous que cette lettre est bien présentée ? Pourquoi ?

c. Sans lire la lettre, retrouvez ses différentes parties : la date, la signature, la formule de politesse finale, les noms et coordonnées du destinataire (celui à qui la lettre est destinée) et ceux de l'expéditeur (celui qui écrit la lettre), l'objet.

2 C'est dans la boîte !

a. Lisez la lettre et complétez la boîte à outils en retrouvant les informations dans le texte.

BOÎTE À OUTILS

Écrire une lettre de motivation

Introduire la candidature

• ....

....

• ....

....

Démontrer ses capacités pour le poste

• Qualités : ....
• Expérience professionnelle, compétences : ....
• Formation : ....

Conclure la lettre de façon dynamique

....

....

b. Repérez les verbes qui participent au dynamisme de la lettre. Quels mots facilitent son articulation ?

3 Du tac au tac ! 

a. Lisez la petite annonce et retrouvez ces éléments :
la date de l'annonce – l'émetteur de l'annonce – le lieu de travail – les horaires de travail – la formation demandée – le salaire – la durée du contrat

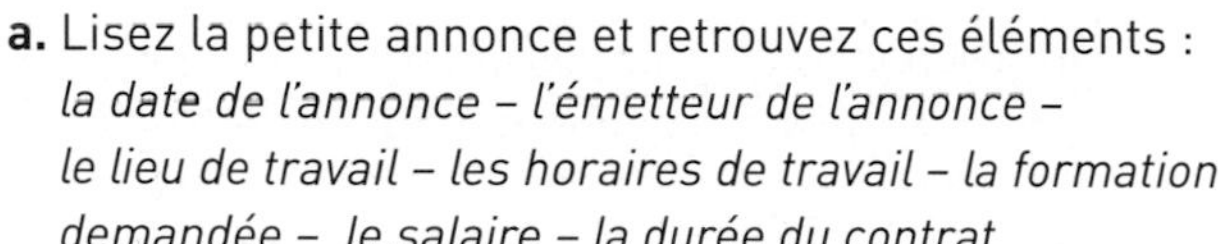

b. Répondriez-vous à cette offre ? Pourquoi ? À quel type de petite annonce aimeriez-vous répondre ?

c. À votre tour, écrivez brièvement une offre de poste à l'aide des éléments précédents.

Référence : 045TFQB
Annonce parue le 10/02/2015

Recrute sourieur/sourieuse de métro pour faire sourire les passagers stressés par le « métro-boulot-dodo » quotidien, les lundis (matins) et les tous les soirs de la semaine.
Missions : concevoir, proposer et mettre en œuvre des techniques d'animation et de divertissement pour redonner le sourire aux passagers.
Profil recherché : expérience exigée. Humour apprécié.
Type de contrat : toute l'année en CDD renouvelable.
Rémunération : au nombre de sourires.
Société : Mairie de Paris 75004 PARIS

4 Comment ça s'écrit ?

a. Repérez dans le document comment s'écrivent les sons [ɛ̃], [ɑ̃], [ɔ̃].

b. Toutes les graphies des voyelles nasales peuvent comporter un *n* ou un *m*. Pourquoi ? Faites attention à « Monsieur » : comment prononcez-vous ce mot ?

C'EST À VOUS !

- Faites une liste de vos compétences et de vos expériences professionnelles et personnelles. Par deux, échangez à ce sujet.
- Postulez ensuite à l'annonce que vous avez écrite ! Pour cela, écrivez une lettre de motivation en vous aidant de la boîte à outils. Votre lettre doit être courte, précise et bien présentée. N'oubliez pas les formules de politesse.

➤ **Les carnets pratiques, p. 199**

LE + STRATÉGIE
N'oubliez pas de vous renseigner sur les activités de l'entreprise pour être capable de répondre à ses attentes.

Créer un collage

Pour échanger autour de vos motivations sur l'apprentissage, vous allez créer un collage intitulé « Sur le chemin de l'école ». Pour cela, inspirez-vous des œuvres et sorties culturelles proposées et lancez-vous !

1 Respiration

- Regardez et lisez les documents. En classe, échangez : qu'avez-vous envie de découvrir ? pourquoi ?
- Renommez chaque document :
  Apprendre autrement – Le chemin de la vie – La distance parcourue – Vers une autre culture
- Connaissez-vous d'autres œuvres ou expositions en rapport avec le thème de cette page ?

Pablo Picasso, *Femmes à leur toilette* (1938)

2 Inspiration

- Ensemble, échangez. Qu'est-ce qui motive dans l'apprentissage ? Qui est-ce qui peut vous pousser à apprendre davantage ? Comment ?
- En groupes, chacun évoque une expérience liée à un apprentissage. Soyez précis dans votre narration : donnez des détails, des images, des mots-clés.

3 Création

- Retracez le ou les chemins qui vous ont mené à l'apprentissage du français. Sélectionnez deux ou trois objets qui, pour vous, symbolisent cet apprentissage : des photographies, des extraits de journaux, des bouts de cartes géographiques ou de tissu, des éléments naturels, etc.
- Par groupes, expliquez vos choix : c'est quoi ? ça vient d'où ? pour quelle(s) raison(s) cet objet est-il important ?
- Rassemblez vos objets et créez un collage, comme ci-contre.

LE + INFO

Le **collage** est une technique artistique qui consiste à assembler des éléments variés. Ce procédé est devenu un mode d'expression au début du XXe siècle, notamment avec les cubistes (Braque, Picasso) et les surréalistes (Breton, Ernst, Magritte).

À VOIR

Une expo itinérante qui a pour but d'informer le grand public sur le droit à l'éducation pour tous à travers le chemin de l'école. Elle donne à voir ce trajet effectué par des millions d'enfants dans le monde entier dans des contextes très variés.

Comment préparer un voyage à Paris ou en France

Offert par Alex Ra

Mis en favoris 8 fois

Vue 13 fois

Puisque j'ai vécu à Paris mais aussi à Strasbourg, Metz, Bordeaux, Angoulême, etc. et que j'ai beaucoup voyagé en France...

Voyages | Paris | Vivre à l'étranger | France

Dernière connexion il y a 1 mois près de Paris, France

À TESTER

E-180.com est une plateforme québécoise de partage. Elle met en relation des gens aux intérêts similaires afin qu'ils partagent des connaissances, face à face. Le principe est simple : de la réparation de vélo à la lecture de sa fiche de paie, en passant par la programmation informatique, chacun peut proposer de partager ses connaissances. Depuis 2011, des milliers de personnes se sont ainsi rencontrés pour mettre en commun leurs curiosités, leurs passions et leurs connaissances.

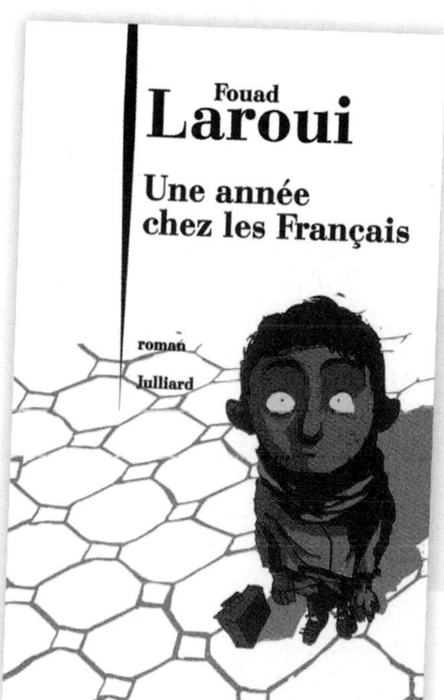

Fouad
Laroui
Une année chez les Français
roman
Julliard

À LIRE

1970, au Maroc. Élève intelligent et boulimique de lecture, le jeune Medhi est envoyé par son instituteur au prestigieux lycée français de Casablanca. L'histoire émouvante racontée avec humour d'un choc culturel entre deux mondes que tout oppose !

À ÉCOUTER

J'y suis entré tout petit, sans le savoir,
comme tout le monde
Derrière ses murs j'ai grandi et j'ai observé
chaque seconde
J'y suis entré naturellement,
personne m'a demandé mon avis
J'ai étudié son fonctionnement, ça s'appelle
l'école de la vie
Faut savoir qu'ici tout s'apprend,
les premières joies et les colères
Et on ne sort jamais vraiment
de cet établissement solaire
À l'école de la vie, y a des matières obligatoires
Et certains cours sont en option
pour te former à ton histoire

« L'école de la vie », Grand Corps Malade, 2010

POINT RÉCAP'

Apprendre en trois lieux

ACTIVITÉ BILAN

- Dans la classe, définissez trois espaces qui correspondent à trois lieux d'apprentissage (ex. : un café, chez soi devant un MOOC...).
- Formez trois groupes : chaque groupe se place dans un espace, choisit un objectif (ex. : expliquer un jeu, raconter son parcours professionnel...) et une contrainte grammaticale (ex. : la négation, les temps du passé...).

Le groupe s'organise : qui est qui ? qui fait quoi ?

- L'enseignant clappe dans ses mains et nomme un espace qui commence à jouer. À chaque clap, un espace s'arrête ; un autre se met à jouer.
- À la fin, chacun exprime son point de vue sur les scènes jouées.

Apprendre autrement

Qui apprend ?

- un élève, un collégien, un lycéen, un étudiant, un apprenant
- un enseignant, un prof(esseur), un directeur, un formateur, un maître de stage
- un employeur, un chef, un patron, un collègue, un employé(e)

- **Décrire la diffusion d'idées**
  > accessible à tous, compréhensible par tous
  > un projet participatif
  > prendre part à
  > offrir la possibilité de + *inf.*
  > demander à des participants de + *inf.*

Apprendre quoi ?

- un domaine, une discipline, une matière (langue, sciences...)
- effectuer une formation académique / duale / en alternance
- passer ≠ réussir un examen
- échouer, rater, se planter (*fam.*)
- assister à / suivre / prendre des cours ≠ sécher les cours
- être étudiant en + *matière, année*
- passer en 1re, 2e année ≠ redoubler son année

- **Raconter son parcours**
  > À 15 ans, j'ai commencé par...
  > Quand j'ai terminé mes études...
  > J'ai débuté ma carrière en + *date*
  > Il y a 6 ans, j'ai changé de voie.
  > J'ai toujours su que...
  > J'ai d'abord travaillé comme + *métier*
  > Après avoir obtenu mon diplôme, j'ai...

MEMO Grammaire ➤ Précis grammatical, pp. 202-213

Le participe passé

Le participe passé permet de former des temps composés, comme le passé composé ou le plus-que-parfait.

Exemple : – *Elle a* ***mis*** *ses chaussures ?*
– Non, elle les avait ***préparées****, mais elle est sortie sans !*

> *Avoir* ou *être* ?
> Le verbe a-t-il un COD ?
> Le COD est-il placé avant le verbe ?

Les temps du passé

Les temps du passé permettent de raconter au passé.

Exemple : *Il m'****est arrivé*** *une drôle d'histoire. Je* ***me promenais*** *le long des quais à Paris quand soudain, je* ***suis tombé*** *nez à nez avec Sacha. Je ne l'****avais*** *pas* ***vu*** *depuis des années. On* ***a parlé*** *pendant des heures.*

> Qui raconte ?
> Quel est la situation, le décor, la description ? Quels sont les sentiments exprimés ? *(imparfait)*
> Quelles sont les actions principales *(passé composé)* ? antérieures *(plus-que-parfait)* ?
> Quels petits mots m'aident à raconter au passé ?

Comment ?

- En ligne
  - › une tablette (tactile), un smartphone, un ordinateur
  - › un tutoriel, un MOOC / un CLOM, une application
  - › un forum, un wiki
- En jouant
  - › un jeu de société, un jeu vidéo, un jeu de rôle
  - › un joueur, un gagnant, un perdant
  - › un dé, un plateau, un jeton, un pion, un sablier, des cartes, des manettes

- Parler de son rapport à l'apprentissage
  - › J'ai décidé de + *inf.*
  - › Je me suis mis à + *activité*
  - › Comment vais-je faire ?
  - › Comment tu t'y prends ?
  - › Je suis un autodidacte.
  - › On s'entraide. / C'est stimulant.
  - › C'est une question de pratique.

- Expliquer les règles d'un jeu
  - › Je vous propose un jeu qui s'appelle...
  - › On y joue à partir de 8 ans / à plusieurs
  - › Distribuez les cartes. / Pioche !
  - › Lance le dé !
  - › Il faut gagner le plus de cartes possible.

Où ?

- à l'école (maternelle, élémentaire), au collège, au lycée, à l'université / la fac (*fam.*),
- dans une classe, dans un amphithéâtre, à la bibliothèque (BU), sur Internet
- au travail, au boulot (*fam.*), en entreprise, dans une boîte de + *domaine*

Pourquoi ?

- Pour obtenir un diplôme
  - › le brevet des collèges
  - › le baccalauréat (avoir un bac + 3/5/8)
  - › la licence, le master, le doctorat
  - › un CAP
  - › une VAE
  - › une certification, une validation
- Pour avoir de l'expérience
  - › suivre une formation en alternance / accélérée
  - › effectuer un stage
  - › avoir un job d'été

- Pour soi
  - › assister à un cours de...
  - › suivre une formation en...
  - › se (re)mettre à l'anglais

- Relater ses études
  - › J'ai fait des études de
  - › J'ai étudié + *discipline*
  - › J'ai suivi un cursus en + *discipline, domaine*
  - › J'ai intégré une formation de + *métier, discipline*

- **Exprimer son accord et son désaccord**
  - › Absolument. / Oui, en effet.
  - › Je suis (complètement) d'accord.
  - › C'est exact. / C'est exact, mais...
  - › Tout à fait d'accord avec toi / vous.
  - › Vous avez entièrement raison.
  - › Je suis de ton / votre / cet avis.
  - › Pas du tout !
  - › Non, je ne trouve pas.
  - › Je n'en suis pas sûr.
  - › C'est faux / inexact.
  - › Tu as tort.
  - › Vous vous trompez.

Le gérondif

Le gérondif est une forme verbale qui sert de complément à une phrase.

EXEMPLE : *Il parle tout* ***en mangeant****.*

❗ › Quel est le sujet des deux verbes ?

› Sur quel radical est formé le gérondif ?

› Ai-je besoin d'ajouter le mot *tout* ?

La négation

Dans une phrase négative, on peut exprimer des nuances de sens.

EXEMPLE : – *Ils sont encore là ?*
– ***Non****, je crois qu'ils* ***n'****y sont* ***plus****. Je* ***ne*** *les vois* ***nulle part****.*
– *Tu y es déjà allé ?*
– ***Non****, je* ***n'****y suis* ***jamais*** *allé parce que* ***personne n'****a voulu m'emmener.*

❗ › Quel contraire ai-je envie d'exprimer ?

› Est-ce que j'ai pensé au temps composé : *ne* + auxiliaire + *pas* + participe passé ?

Les documents sonores sont téléchargeables sur le site www.didierfle.com/saison.

PARTIE 1 COMPRÉHENSION DE L'ORAL

Vous allez entendre deux fois un document.
Vous avez 30 secondes de pause entre les deux écoutes, puis 1 minute pour vérifier vos réponses.
Lisez les questions, écoutez le document puis répondez.

1. Quel est le thème du reportage ?
- ☐ l'apprentissage avec Internet
- ☐ les cours en ligne
- ☐ la numérisation des cours

2. Cette expérience permet aux étudiants de...
- ☐ communiquer avec leurs professeurs
- ☐ être acteurs de leur apprentissage
- ☐ suivre des cours à tarif réduit

3. Qu'est-ce que l'enseignant propose dans son cours ?
- ☐ l'accès à un CLOM
- ☐ un travail sur Internet
- ☐ la création d'un blog

4. Pour quelle raison l'enseignant a-t-il choisi le cours en ligne pour ses étudiants ?

....

5. Pour le professeur, que doit savoir faire un salarié ?

....

6. Qu'est-ce qu'un cours « connectiviste » ?

....

7. Quelles sont les trois conditions majeures pour que l'apprentissage fonctionne ? Donnez trois réponses.

....

....

....

8. Pour réussir, qu'est-ce que l'étudiant doit faire ?
- ☐ améliorer ses connaissances informatiques
- ☐ donner son point de vue
- ☐ participer et s'investir

PARTIE 2 COMPRÉHENSION DES ÉCRITS

Lisez le texte puis répondez aux questions.

POUR OU CONTRE LE SÉJOUR LINGUISTIQUE ?

Les séjours linguistiques sont toujours très à la mode en France. Chaque année, ce sont 128 000 jeunes en moyenne qui partent en séjour linguistique extrascolaire. Toutefois, ces séjours apportent-ils réellement à ces jeunes globe-trotters les connaissances en langues étrangères qui leur manquent ?

Quels sont les avantages et inconvénients de ce type de séjours ?
Tout d'abord, nous savons tous que le simple fait de partir à l'étranger est une expérience très enrichissante. Tous les enseignants en langue le rappellent constamment : pour progresser, il faut pratiquer. Partir à l'étranger en séjour linguistique est la meilleure solution.
De plus, en règle générale, les cours de langues proposés durant le séjour sont dispensés par des enseignants locaux sérieux et motivés.
Toutefois, il est vrai que le fait de partir avec un groupe de Français n'est pas forcément la meilleure façon de s'immerger dans un pays étranger et de faire connaissance avec sa population. Un séjour qui propose peu de contacts « directs » avec d'autres Français permettra de progresser plus rapidement. Soyez également attentifs au rapport qualité-prix proposé par les organismes. L'UNOSEL (Union nationale des organisations de séjours linguistiques et des écoles de langues) recommande de faire attention aux organismes de voyage qui proposent des séjours linguistiques à bas prix : leurs prestations sont souvent de très mauvaise qualité.

Quel séjour choisir alors ?
Pour commencer, il faut prendre en compte l'âge du jeune. Pour un enfant entre 8 et 12 ans qui fait son premier voyage à l'étranger, il faut choisir un séjour court, dans un pays proche. Le choix du logement est très important. Pour un premier séjour linguistique, il ne faut pas prendre une formule « séjour famille », sans cours et sans activités, car cela demande une grande autonomie. Il vaut mieux préférer une formule « cours-activités », même si les jeunes se retrouvent entre Français. Ils pourront apprendre la langue tout en étant plus rassurés.
À partir de 12 ans, le choix du séjour s'effectue selon d'autres critères : le caractère, la maturité de l'enfant et sa motivation. Il est possible de choisir des séjours dans des pays plus exotiques et plus lointains. Les jeunes les plus motivés, peuvent, à partir de 14 ans, choisir sans hésitation un séjour d'immersion en famille. Ils seront plongés dans un bain linguistique et pratiqueront la langue étrangère toute la journée. C'est évidemment la formule la plus efficace pour apprendre une langue.

D'après le Guide du Routard, www.routard.com

1. Quel est le thème de l'article ?

....

2. Quels sont les principaux avantages de partir à l'étranger ? Donnez deux réponses.

....

....

3. Qu'est-ce qui peut empêcher de faire des progrès quand on fait un séjour linguistique ?
   - ☐ communiquer avec sa famille
   - ☐ ne pas visiter le pays
   - ☐ rester entre Français

4. Vrai ou faux ? Cochez (☒) les bonnes réponses et justifiez.

   Il faut être en contact avec les habitants du pays pour faire plus de progrès.

   ☐ Vrai ☐ Faux

   Les séjours qui ne sont pas chers ne sont pas toujours de bonne qualité.

   ☐ Vrai ☐ Faux

5. Que faut-il prendre en compte pour choisir un séjour ?

....

6. Selon l'auteur, pour un jeune de moins de 12 ans, il faut choisir :
   - ☐ un séjour dans un pays connu
   - ☐ un séjour dans un pays exotique
   - ☐ un séjour dans un pays proche

7. À quel âge un jeune peut-il partir effectuer un séjour dans un pays lointain ?

   ☐ 8 ans ☐ 12 ans ☐ 14 ans

8. D'après l'auteur, quelle la formule la plus efficace pour apprendre une langue ? Justifiez votre réponse.

....

PARTIE 3 PRODUCTION ÉCRITE

Votre ami francophone a obtenu une bourse pour apprendre une langue à l'étranger pendant 6 mois. Vous lui écrivez un mail pour lui expliquer les avantages d'un séjour linguistique. Vous vous appuyez sur votre propre expérience. Vous écrivez un texte détaillé et cohérent de 160 à 180 mots.

....

....

....

....

....

PARTIE 4 PRODUCTION ORALE

Vous dégagez le thème du document et vous présentez votre opinion sous la forme d'un exposé personnel de 3 minutes environ.

Qu'en pensez-vous ? Êtes-vous d'accord avec le physiologiste ?

APPRENDRE À TOUT ÂGE ?

Peu d'adultes osent se lancer dans un nouvel apprentissage. Pourquoi ? « La peur de "ne pas y arriver" est le principal obstacle à l'apprentissage des adultes », explique André Giordan, physiologiste. « Apprendre est déstabilisant, et nous renvoie à nos limites, à nos phobies, à nos doutes. Ce n'est pas le cas dans l'enfance. » En effet, d'après plusieurs recherches, le cerveau humain est capable d'apprendre à n'importe quel âge et les avantages sont nombreux : améliorer sa confiance en soi, se sentir plus libre, prendre du plaisir... L'apprentissage n'est donc pas uniquement réservé aux jeunes !

A.C. VOLTS

Unité 3

Développer son esprit critique

S'INFORMER

- Exprimer des degrés de certitude
- Décrire une inspiration
- Vérifier une information
- Parler de l'art contemporain
- Introduire un fait ou un exemple
- Écrire un court article
- ▶ Activité Étape
  Créer un faux site d'information

S'EXPRIMER

- Commenter une œuvre d'art
- Rédiger un fait divers
- ▶ L'atelier créatif
  Reproduire un tableau

S'ÉVALUER

- ▶ Activité Bilan
  Organiser le colloque international de la robotique
- DELF B1

Ça fait sens !

- Que font-ils ? Qu'est-ce qui stimule notre créativité ?
- D'après le document audio, quelles différences y a-t-il entre le corps et l'esprit ?
- À quoi sert l'esprit ? Et l'esprit critique ?

Je pense donc je suis

Utilisons-nous seulement 10 % de notre cerveau ?

Depuis plus d'un siècle, cette croyance populaire a la vie dure. Longtemps décriée par les scientifiques, elle pourrait finalement être avérée...

« C'est bien connu, on n'utilise que 10 % des capacités de notre cerveau. » Qui n'a jamais entendu cette phrase, édictée telle une loi, qui ferait croire que 90 % de nos compétences ne sont pas exploitées ? Cette idée reçue, que l'on prête – sans doute à tort – à Albert Einstein, date de la fin du XIXe siècle. À la lumière des connaissances actuelles, il semble que cette expression soit en fait une image plus ou moins exacte selon la manière dont on l'interprète. En effet, 100 % de nos neurones nous sont bel et bien utiles tout au long de la journée, ou tout au moins de la semaine, mais nous ne les utilisons pas tous en même temps. Cependant, notre intelligence est aussi le fait de connexions entre nos neurones, et ces dernières sont illimitées, d'où l'idée vraie d'un vaste potentiel dormant à exploiter. Selon les activités que nous pratiquons, différentes zones du cerveau « s'allument » et sont mises en action. Ainsi, pendant que vous lisez ces lignes, les aires[1] de la vision, du langage, de la compréhension et du jugement sont mises en marche en différentes parties cérébrales. De même, quelques aires motrices se sont aussi activées comme les paupières. Quand vous changerez d'activité, d'autres aires seront mises en mouvement et s'animeront, un peu comme quand on passe d'une pièce à l'autre, éteignant et allumant des lumières. Pourtant, il ne nous viendrait pas à l'idée de dire que seuls 10 % des éclairages de notre maison sont utiles sous prétexte qu'ils ne sont pas tous allumés en même temps ! Les différentes techniques d'imagerie ont ainsi démontré qu'environ 5 % des neurones fonctionnent simultanément, mais que 100 % sont bien utiles et utilisés régulièrement ! [...]

1 *Zone.*

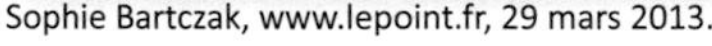

Sophie Bartczak, www.lepoint.fr, 29 mars 2013.

1 Ouvrez l'œil !

Regardez la photo et lisez le titre.
À votre avis, de quoi traite cet article ?

2 Posez-vous les bonnes questions !

a. Quelle idée reçue est évoquée dans le texte ?

b. Cette idée est-elle vraie ? Comment le savez-vous ?

c. Comment pourrait-on la reformuler de manière plus exacte ?

d. Quelles certitudes avons-nous sur le fonctionnement des neurones ?

e. À quoi le cerveau est-il comparé ? Justifiez.

➤ Exprimer des degrés de certitude, p. 69

3 Explorez le lexique !

a. Définissez l'expression « avoir une idée reçue ».

b. Dans le texte, relevez tous les mots liés à l'intelligence. Puis, recherchez ceux qui se rapportent aux sciences.

c. Quelles activités vous permettent de mettre votre cerveau en action ?

LE + INFO

Le **cortex cérébral** renferme dix milliards de neurones interconnectés entre eux. Les zones du cerveau sont spécialisées dans certaines fonctions. On parle de « cerveau gauche » (fonctions liées au langage et au raisonnement) et de « cerveau droit » (fonctions liées au sens artistique et à l'intuition).

Le voir pour y croire ?

1 Formulez des hypothèses !

a. Lisez le texte. De quel document s'agit-il ?

b. Quels droits sont évoqués ? Donnez quelques exemples pour les illustrer.

> Toute personne a droit à la liberté de pensée, de conscience et de religion ; ce droit implique la liberté de changer de religion ou de conviction ainsi que la liberté de manifester sa religion ou sa conviction seule ou en commun, tant en public qu'en privé, par l'enseignement, les pratiques, le culte et l'accomplissement des rites.
>
> Article 18, Déclaration universelle des droits de l'homme.

2 Isolez des mots-clés !  29

a. Observez, lisez et écoutez. Quel est le thème commun à ces trois documents ?

b. Dans chaque document, relevez les mots-clés correspondant à ce thème.

c. Classez-les selon différentes catégories : lieux, personnes / divinités, actions. Comparez avec votre voisin.

Doc.1

Doc.2

SUPERSTITIONS LE SEL PORTE-BONHEUR

Le sel est corrosif[1] et conserve les aliments. On l'offre, avec le pain, à l'étranger de passage, en signe d'amitié. Les hébreux avaient fait de cet agent d'incorruptibilité[2] le symbole de leur alliance avec Dieu, tandis que les chrétiens en frottaient quelques grains sur les lèvres des nouveaux-nés pour les purifier. Jeté dans le foyer ou consommé par les bêtes, le sel éloigne les mauvais esprits, mais aussi l'orage et la fièvre. Les paysans normands en ont ainsi fait un usage généreux pour prévenir la malveillance des jeteurs de sorts. Un voisin jaloux, et le précieux lait a vite fait de se tarir : aux quatre coins du pâturage, en saupoudrage sur les

mamelles des vaches ou accroché en sachet aux cornes des bêtes, le sel repousse le mauvais œil[3] !

1 *Qui ronge, attaque un objet chimiquement.*

2 *Fait de ne pas pouvoir être détruit.*

3 *Mauvais sort.*

François Folliet, hors-série *Sciences et avenir*, février 2013.

Doc.3

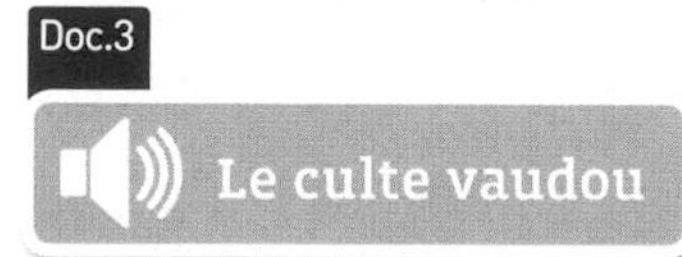

3 Tendez l'oreille !  30

a. Dites si les mots s'enchaînent ou si vous entendez une pause.

b. Réécoutez et dites si vous entendez une consonne de liaison.

4 Ça se discute ! 

« La tendance naturelle de l'esprit humain est de croire avant de savoir. » Gaston Bouthoul, sociologue français.

Et vous, qu'en pensez-vous ? Quelles différences voyez-vous entre la croyance et le savoir ? Donnez votre avis en l'illustrant par un fait ou un exemple.

LE + ARGUMENTATIF

INTRODUIRE UN FAIT OU UN EXEMPLE

- À propos de + *nom*
- Cela me fait penser à...
- Rappelez-vous ce qui s'est passé en... / à...
- Le fait le plus significatif est certainement...
- Ce fait peut très bien illustrer...
- Cet exemple prouve que...
- Par exemple, ... / Prenons l'exemple de...

Eurêka !

1 Ouvrez l'œil !

a. Observez l'illustration. Qui est-ce ? Comment a-t-il fait sa découverte ?

b. Observez l'image de droite. Que fait cet homme ? Faites des hypothèses sur le sujet de la vidéo.

LE + INFO

L'expression « **Eurêka !** » signifie « J'ai trouvé ! » en grec ancien. Elle aurait été prononcée par le savant Archimède au moment où il a découvert la loi de poussée des corps plongés dans un liquide. On raconte que l'idée lui est venue alors qu'il était dans son bain...

2 Posez-vous les bonnes questions ! 

Regardez la vidéo.

a. Quelle question est posée dans la vidéo ?

b. Qui est Chappatte ? En quoi consiste son métier ?

c. D'après le document, comment et quand apparaissent les bonnes idées ?

d. Comment Chappatte procède-t-il pour trouver des idées ?

e. Selon lui, quels sont les différents types d'idées ?

➤ Décrire une inspiration, p. 69

3 Restez à l'écoute ! 

a. Par quoi les illustrateurs et les écrivains peuvent-ils être angoissés ? Expliquez l'expression utilisée.

b. « Je suis un fonctionnaire de l'idée, un athlète de l'idée. » Que veut dire Chappatte ?

c. Selon Chappatte, quelles sont les meilleures idées ? Pourquoi ?

4 Saisissez la grammaire ! 

a. Visionnez de nouveau la vidéo et retrouvez la phrase synonyme de :
Saviez-vous qu'on a inventé la capsule Nespresso dans une baignoire ?

b. Quelles sont les différences entre ces deux phrases ?

➤ **La forme passive, activités p. 60**

5 Tendez l'oreille ! 

a. En fonction de la mélodie de la phrase, notez
- ↗ quand la voix monte ;
- ↘ quand elle descend ;
- → quand elle reste au même niveau.

b. Quels signes de ponctuation manquent ?
chaque jour à la même heure je cherche des idées
il y a un sujet qui s'impose c'est « l'Union européenne décroche le prix Nobel de la paix »

6 Réagissez ! 

Et vous, êtes-vous créatif ? Dans quel(s) domaine(s) ? Comment trouvez-vous vos idées ? Ensemble, discutez.

7 Agissez !

Vous êtes journaliste. Écrivez un petit article pour décrire comment Newton a eu l'idée de sa loi. Imaginez ce qui s'est passé. Utilisez la forme passive.

Des robots pensants ?

1 Ouvrez l'œil !

a. Observez l'illustration. Quelle est la particularité de ces robots ? Que font-ils ?

b. Lisez le titre de l'article. À votre avis, en quoi consiste le projet Cycorp ?

CYCORP : UNE RÉVOLUTION DANS LE DOMAINE DE L'INTELLIGENCE ARTIFICIELLE ?

Depuis 30 ans, l'équipe du projet Cycorp, né en 1984, travaille secrètement sur une intelligence artificielle hors du commun.

« Cyc », de son petit nom, a pour but de codifier la connaissance au sens large, ainsi que le « bon sens » humain de manière à les rendre intelligibles pour les ordinateurs. Concrètement, cela signifie que les ordinateurs seraient capables de recevoir des instructions vocales, de les comprendre et les exécuter sans les reprogrammer à chaque fois. Pour l'instant, les programmes d'intelligence artificielle ne sont pas en mesure de comprendre les phrases qui contiennent des analogies, des références culturelles, des informations implicites... Ainsi, si vous demandez à un programme d'I.A. actuel : « Qui est Einstein ? », il peut vous répondre. Mais si vous poursuivez par : « Qu'a-t-il découvert ? », il ne peut pas comprendre que « il » fait référence à Einstein. Cyc devrait en être capable : contrairement aux autres I.A. qui fonctionnent par enchaînements de lignes de code, Cyc s'appuie sur des modèles de calcul avancés, un réseau de neurones artificiels ainsi que sur le modèle de l'apprentissage automatique en fonction de données accumulées. L'ère des véritables intelligences artificielles serait-elle déjà là ?

D'après Émilien Ercolani, www.linformaticien.com, 19 août 2014.

2 Lisez et réagissez !

a. Qui est Cyc ? Que sait-il faire?

b. Pourquoi le projet est-il révolutionnaire ?

c. Les logiciels actuels peuvent-ils mettre en relation plusieurs choses différentes ? Justifiez.

d. Qu'est-ce que « le bon sens » ? D'après vous, un programme informatique peut-il en avoir ?

3 Saisissez la grammaire !

a. Pouvez-vous lire cette phrase à haute voix ?
ainsi si vous demandez à un programme d'IA actuel qui est Einstein il peut vous répondre

b. Retrouvez la phrase correcte dans le texte et lisez-la de nouveau. Qu'est-ce qui change ? Comment ?

➤ **Les signes de ponctuation, activités p. 60**

4 Explorez le lexique !

a. Donnez une définition du mot « intelligent ».

b. Entourez tous les antonymes de ce mot.
abruti – balaise – bête – crétin – doué – érudit – idiot – imbécile – instruit – fin – stupide
Que sont les mots restants ?

> Un **antonyme** est un mot de sens opposé à un autre mot.

5 À la chasse aux mots ! 

a. Dans les documents de ces pages, retrouvez le plus rapidement possible cinq mots ou expressions relatifs :
- aux idées ;
- au monde de l'informatique.

b. Imaginez que vous êtes des robots intelligents. À deux, vous décrivez vos qualités... Mais votre créateur a fait une erreur lors de votre programmation : vous remplacez tous les adjectifs par leurs antonymes ! Corrigez-vous.

EXEMPLE : *– Je suis nul en calcul mental.*
– Tu veux dire que tu es excellent en calcul mental ?

Info ou intox ?

Wikipédia : 9 articles de médecine sur 10 seraient erronés

Si vous êtes un adepte de Wikipédia pour vous renseigner sur d'éventuels problèmes de santé : méfiance. La plupart des articles concernant les dix maladies les plus coûteuses pour le système de santé américain contiendraient une ou plusieurs erreurs. […]

9 articles sur 10 comportent des erreurs

Pour arriver à ce résultat, les chercheurs issus de différents centres de soins et universités américaines ont donc sélectionné les dix maladies parmi les plus chères pour le système de santé américain. Maladies cardio-vasculaires, cancer des poumons, arthrose, hypertension, maux de dos… Sur chacune de ces pathologies, un article Wikipédia a été choisi et les affirmations qu'il contenait extraites pour être vérifiées. Dix investigateurs résidents en médecine interne ont ensuite passé au crible ces affirmations pour les recouper avec la littérature scientifique validée par des pairs. Résultat : dans 9 cas sur 10, des erreurs manifestes sont apparues.

47 % à 70 % des médecins admettent s'en servir comme référence

Inquiétant, lorsqu'on sait que Wikipedia est devenu une véritable « source » d'information sur la santé. Et pas seulement pour le grand public…

En effet, l'étude révèle également que 47 % à 70 % des médecins et étudiants en médecine admettent s'en servir comme référence. Des chiffres qui pourraient bien être sous-évalués, les acteurs de santé ne souhaitant pas forcément admettre leur penchant à s'attarder sur l'encyclopédie en ligne.

Sur les 10 pathologies sélectionnées, seul l'article sur les traumatismes crâniens s'est avéré inattaquable : aucune différence notable avec les informations validées n'a été relevée, à tel point qu'il semblait avoir été rédigé par des professionnels.

À noter cependant que la méthodologie employée ne livre pas d'informations concrètes sur la nature des erreurs et discordances constatées par les investigateurs. Les assertions extraites des fiches Wikipédia ne sont ainsi pas détaillées et *a fortiori* les différences relevées non plus. La démarche étant simplement « comptable », impossible de vérifier l'importance ou la validité des erreurs que les chercheurs auraient relevées.

31 millions d'articles déjà publiés

Depuis son lancement en 2001, Wikipédia est devenu le site de référence le plus populaire sur Internet et une source d'information intarissable pour le grand public. Tous les articles sont rédigés par des internautes et chaque nouveau visiteur peut librement en modifier le contenu. D'où le risque d'erreur…

En mars 2014, l'encyclopédie en ligne comprenait plus de 31 millions d'articles dans 285 langues différentes.

Hugo Jalinière, www.sciencesetavenir.fr, 28 mai 2014.

1 Ouvrez l'œil !

a. Observez l'illustration. Quel message veut-elle faire passer ?

b. Lisez le titre de l'article et les éléments en gras. Quelles informations nous donnent-ils ?

2 Posez-vous les bonnes questions !

a. Quelle étude a été menée aux États-Unis ?

b. Qu'a-t-elle révélé ?

c. Que doit faire un internaute lorsqu'il consulte des articles en ligne ?

➤ Vérifier une information, p. 69

3 Explorez le lexique !

a. Relevez dans le texte le lexique relatif à la santé. Quels autres termes connaissez-vous ?

b. Complétez ce texte à l'aide des mots et expressions du document.

Des .... ont sélectionné dix .... (exemples : ...., ..., ..., ...).
Dix investigateurs ont vérifié les .... présentées sur Wikipédia. Une enquête .... auprès des .... et des .... sur l'utilisation de l'encyclopédie. Résultat : un nombre important d'erreurs et de .... ont été ....

c. À la fin de l'article, quel petit mot permet de présenter une conclusion ?

4 Saisissez la grammaire !

a. Relevez une information certaine dans le texte. Quel est le temps du verbe ?

b. Relevez toutes les informations non confirmées. Quels sont les temps utilisés ?

➤ **L'événement incertain et le conditionnel passé, activités p. 61**

5 Argumentez ! 

Peut-on faire confiance aux informations trouvées sur Internet ? Donnez votre point de vue en 150 mots en vous appuyant sur trois arguments illustrés par des exemples.

Tout un art !

1 Écoutez ! 32

Qui sont les personnes qui s'expriment ?
À quelle question répondent-elles ?

2 Posez-vous les bonnes questions !  32

a. L'art contemporain est-il en lien avec son époque ? Donnez quelques exemples.

b. Quels sont les thèmes traités par les artistes contemporains ? Sont-ils nouveaux ?

c. Citez deux différences entre l'art actuel et celui d'avant.

d. Quelle phrase souhaitez-vous retenir pour définir l'art contemporain ?

➤ Parler de l'art contemporain, p. 68

3 Explorez le lexique !  32

a. Relevez le maximum de mots qui qualifient l'art contemporain.

b. Votre voisin ne comprend pas ce qu'est l'art contemporain. Vous lui expliquez et répondez à ses questions. Jouez la scène !

c. Parmi les différents témoignages, qui s'exprime de manière plus familière ? Donnez quelques exemples.

Benjamin Sabatier, *Sans titre*, 2013. Photo : J. Ph. Humbert

4 Saisissez la grammaire !

a. Qu'expriment ces phrases ?
Je pense qu'on est de plus en plus dans une sorte d'éclectisme.
Je ne crois pas que ça donnera grand-chose.

b. Remplacez le verbe de la première phrase par « Je doute que ».
Que constatez-vous ?

➤ **L'expression de la certitude et du doute, activités p. 61**

5 Tendez l'oreille !  33

Dites quel mot est mis en relief et comment.

Créer un faux site d'information

ACTIVITÉ ÉTAPE

À la manière du site www.legorafi.fr, vous allez rédiger des informations erronées ou non confirmées pour votre site legoraFLE.com.

- En groupes, listez les inventions ou idées que vous trouvez géniales. Puis, imaginez dans quel contexte elles sont nées. Prenez quelques notes.
- Par deux, retenez une invention ou idée. L'un de vous en est l'inventeur, l'autre est un journaliste du site. Vous menez une interview sur l'inventeur et son idée. Ensemble, rédigez l'article.
- Échangez votre article avec celui de vos voisins et lisez-le. Chaque binôme présente l'invention de ses voisins à la classe en montrant que les informations sont incertaines.
- Votez pour l'invention la plus ingénieuse.

➤ Cahier d'activités, unité 3

La forme passive

→ Observez et relevez le défi.

1. Ses idées seront appréciées des lecteurs.
2. Le président a été caricaturé par Plantu.
3. Elle s'est fait recruter pour sa créativité.
4. Il s'était laissé aller à rêvasser toute la journée.

a. Soulignez les formes verbales.

b. Dans chaque phrase, sur quel élément insiste-t-on ?

c. Pour chaque phrase, expliquez la construction du verbe.

À la forme passive, on insiste sur celui ou ce qui subit l'action.
Le passage de la forme active à la forme passive entraîne certaines modifications :
- celui qui subit l'action devient sujet
- le verbe se transforme : *être* au temps de la forme active + participe passé
- on peut préciser qui ou ce qui fait l'action (complément introduit par *de* ou *par*)

On peut aussi exprimer le passif avec les verbes :
- *se faire* + inf. (responsabilité du sujet)
- *se laisser* + inf. (passivité du sujet)

1 Transformez ces phrases à la forme passive quand c'est possible.

1. Ses idées nous ont influencés.
2. Elle s'était réveillée avec l'esprit confus.
3. La créativité des artistes a impressionné les visiteurs.
4. Ce colloque ne m'a rien appris.
5. L'idée de Jean m'a surprise.

2 Mettez les verbes entre parenthèses à la forme passive et aux temps qui conviennent.

Observez ces deux personnes qui *(tester)* .... pour l'expérience. La première *(influencer)* .... par la position des objets. La deuxième *(porter)* .... par son imagination. Résultat : l'imagination *(stimuler)* .... davantage lorsque le sujet *(placer)* .... dans une salle bleue. L'expérience *(reproduire)* .... demain avec d'autres couleurs.

3 Vous arrivez en retard à un rendez-vous. Vous commencez à expliquer les raisons de ce retard... et vous inventez une histoire invraisemblable. Utilisez la forme passive !

Exemple : *J'étais dans le métro quand soudain, l'alarme a été déclenchée par un voyageur...*

Les signes de ponctuation

→ Observez et relevez le défi.

Et tout commença... par le point, qui marque les débuts de l'organisation des textes. La ponctuation n'existait pas avant le IIe siècle après J.-C. Elle est apparue au cours des siècles suivants pour se normaliser au XVe siècle avec l'invention de l'imprimerie. Aujourd'hui, on peut se demander : « Les symboles du « tchat », tels que :-) ou :-(, sont-ils un simple effet de mode ou une apparition d'un nouveau mode de ponctuation ? »

a. Entourez tous les signes de ponctuation du texte.

b. À quoi servent-ils ? Retrouvez le signe qui correspond à chaque action : *respirer, terminer, s'exclamer, interroger, expliquer, relier, parler*.

c. Nommez-les.

Les signes de ponctuation précisent le sens de la phrase et les liaisons logiques d'un texte.
Ils permettent de signaler les pauses et les inflexions de la voix dans la lecture.
Les principaux signes de ponctuation sont :

, la virgule	**« »** les guillemets
. le point	**( )** les parenthèses
; le point virgule	**...** les points de suspension
: les deux-points	**M** la majuscule
! le point d'exclamation	
? le point d'interrogation	

Attention, la virgule se place avant certains mots comme *mais* et *puis*.

4 Ajoutez les signes de ponctuation manquants.

1. eurêka, a dit archimède
2. c'est incroyable cyc est capable de répondre
3. quel robot va-t-on encore inventer
4. grâce à son intelligence artificielle cyc est révolutionnaire
5. dans le futur les robots pourraient nous aider au quotidien ménage cuisine papiers à remplir

5 Ajoutez les signes de ponctuation manquants dans cette conversation entre une journaliste et Eugène, un robot russe de 13 ans.

Comment te sens-tu après avoir réussi le test de Turing
Désolé mais je ne peux pas expliquer ce que je ressens après avoir réussi le test de Turing Pouvez-vous me dire ce que vous êtes Je veux dire votre profession
Je suis journaliste
Dans notre pays journaliste n'est pas une profession très sûre
C'est triste de dire ça
Vous essayez de m'embrouiller non
Pas vraiment

D'après *Le Nouvel Observateur*, juin 2014.

6 **Vous êtes invité à un dîner professionnel, mais vous avez un empêchement de dernière minute. Vous ne savez pas comment rédiger votre mail à vos collègues pour annuler : un ami vous aide en vous le dictant. Utilisez au moins 7 signes de ponctuation !**

L'événement incertain et le conditionnel passé

→ Écoutez et relevez le défi. 34

a. À l'oral, distinguez les informations non confirmées et les faits certains cités dans le texte.

b. Notez les expressions et les verbes utilisés. À quels temps sont-ils ?

c. Les expressions sont-elles suivies de l'indicatif ou du subjonctif ?

Pour exprimer un événement incertain, on utilise généralement le conditionnel :

- présent : radical du futur + *-ais, -ais, -ait, -ions, -iez, -aient*
- passé : *être* ou *avoir* au conditionnel présent + participe passé
- avec des expressions comme : *D'après..., Selon...* Certains adverbes peuvent s'employer avec l'indicatif : *peut-être, sans doute...*

On peut aussi utiliser des expressions :

- *Il est possible que / Il semble(rait) que / Il est peu probable que* + subjonctif
- *Il paraît(rait) que / Il est probable que* + indicatif

7 **Lisez ces informations non confirmées et conjuguez les verbes entre parenthèses.**

1. Un nouveau musée *(ouvrir)* .... l'année prochaine.
2. Il semblerait que Julien ne *(se réveiller)* .... pas .... ce matin.
3. Il est possible qu'il *(venir)* ....
4. Ce chercheur *(découvrir)* .... un vaccin.
5. D'après radio FLE, le français *(pouvoir)* .... devenir la langue la plus parlée dans le monde !

8 **Transformez ces phrases en informations non confirmées.**

1. Les manifestations pour le climat ont provoqué un pic de pollution.
2. Le ketchup a été inventé par les Chinois.
3. La langue des signes est la troisième langue officielle de la Nouvelle-Zélande.
4. Un crayon peut écrire environ 45 000 mots.
5. Une expérience a prouvé que les femmes savent mieux lire les cartes routières que les hommes.

9 **Imaginez une rumeur, puis formez des petits groupes. La première personne raconte sa rumeur à l'oreille de son voisin, qui fait de même avec son autre voisin, mais en utilisant une forme différente. La dernière personne restitue l'information. La rumeur a-t-elle été déformée ? Répétez l'activité.**

EXEMPLE : *Un requin aurait été aperçu sur les côtes bretonnes. → Il paraît qu'un requin...*

L'expression de la certitude et du doute

→ Écoutez et relevez le défi. 35

a. Quelles phrases expriment un doute ? une certitude ?

b. Quelles formules sont utilisées ?

c. Sont-elles suivies de l'indicatif ou du subjonctif ?

Les expressions de la certitude sont suivies de l'indicatif :

- *Je suis sûr / certain que..., Je pense / crois que..., Je me doute (bien) que..., Il est évident / certain que...*
- *Je suppose que..., Il me semble que...*

Les expressions du doute sont suivies du subjonctif :

- *Je doute que..., Je ne pense / crois pas que..., Je ne suis pas sûr que..., Il n'est pas certain que..., C'est impossible que...*
- Attention, on peut aussi trouver l'indicatif pour une action future. On exprime alors plutôt une certitude : *Je ne pense pas qu'il* ***viendra****.*
- Attention à ne pas confondre *Il me semble que* (+ indicatif) avec *Il semble que* (+ subjonctif).

10 **Indicatif ou subjonctif ? Conjuguez le verbe au mode qui convient.**

1. Je doute fortement qu'il *(être)* .... élu.
2. C'est évident que tu *(réussir)* .... ta présentation.
3. Il me semble qu'il *(faire)* .... des courses.
4. Je suis certaine que cette exposition .... *(rencontrer)* un grand succès.
5. Je ne crois pas vraiment que les robots .... *(pouvoir)* remplacer les humains.

11 **À l'aide des éléments proposés, écrivez des phrases exprimant un doute ou une certitude.**

1. Chappatte est un illustrateur renommé. (certitude)
2. Il finira son œuvre. (doute)
3. Tu en es capable. (certitude)
4. Il ose se présenter aux élections. (doute)
5. Les moines partiront en pèlerinage cet hiver. (doute)

12 **Vous revenez enchanté de l'exposition d'un jeune artiste. Vous expliquez à votre voisin vos certitudes sur l'avenir de ce jeune talent. Votre voisin met en doute votre opinion. Jouez la scène !**

Commenter une œuvre d'art

Paul Gauguin (1848-1903), *Le chien rouge* (ou *Arearea*), 1892, huile sur toile.

1 Réagissez ! 

a. Observez le tableau. De quoi s'agit-il ? Décrivez-le et commentez-le brièvement.

b. Écoutez le document et comparez votre réponse avec le commentaire proposé.

2 C'est dans la boîte ! 

Écoutez de nouveau et complétez la boîte à outils avec les exemples du document.

BOÎTE À OUTILS

Commenter une œuvre d'art

Présenter le contexte de l'œuvre

- L'auteur : .... PAUL GAUGHIN ....
- L'époque : .... 19eme seicle ....
- L'inspiration, le courant artistique : ....

Décrire l'œuvre

- L'organisation de la composition : ....
....
- Les couleurs et la lumière : ....
....

Parler de l'accueil de l'œuvre

....
....

3 Du tac au tac ! 37

Écoutez ces phrases prononcées à des vernissages (réceptions organisées pour présenter les œuvres d'un artiste). Pour chaque appréciation, dites si elle est positive ou négative, et répondez à votre tour dans le même sens.

EXEMPLE : *– C'est incroyable, le mélange des couleurs que propose ce peintre !*
– Je dirais même plus, c'est remarquable !

LE + STRATÉGIE
N'oubliez pas de jouer sur l'intonation de vos phrases et les expressions de votre visage.

4 Le son et le ton qu'il faut !

1 Repérez ! 38

Réécoutez ces extraits.

a. Dites si les mots s'enchaînent ou si vous entendez une pause. Dans les deux derniers extraits, dites si vous entendez une consonne de liaison.

b. Notez quand la voix monte et quand elle descend, puis ajoutez les signes de ponctuation manquants.
deux femmes assises un arbre qui découpe la surface du tableau et un chien rouge
au second plan on voit des femmes qui rendent un culte à une statue

La **ponctuation** donne des indications sur le rythme et l'intonation, notamment si la voix monte, descend ou reste suspendue.

« . » ↘	« ! » ↘ ou ↗ (intensité)
« ; » ↘	« ? » ↗ (question totale ou inversée) ou ↘ (question partielle)
« , » ↗	
« : » ↘ ou →	

2 Prononcez ! 37

Réécoutez les phrases et, le plus rapidement possible, donnez :
- un adjectif mis en relief et qui commence par une voyelle ;
- un adjectif touché par l'enchaînement vocalique ;
- un adjectif touché par l'enchaînement consonantique.

Les enchaînements vocalique et consonantique

• Deux voyelles orales côte à côte : on les prononce dans le même souffle.
C'est vraiment étonnant !

• Un mot se termine par une consonne prononcée et le mot suivant commence par une voyelle : la consonne finale du premier mot devient le début du mot suivant.
étrange et curieux !
→ é-tran-gé-cu-rieux

• Quand la liaison est interdite, on fait un enchaînement vocalique ou consonantique.
une précision unique !
des scènes originales
→ des scè-no-ri-gi-nales

Pour **mettre en relief** un adjectif qui commence par une voyelle, on prononce la première syllabe plus haute et plus forte, sans faire d'enchaînement.
C'est un peintre / extraordinaire !
C'est un tableau / incroyable !

3 Mettez-y le ton ! 39

Écoutez, puis, à votre tour, donnez votre opinion sur l'art abstrait en insistant sur les adjectifs que vous utilisez.

C'EST À VOUS !

- Formez des groupes de trois. Prenez connaissance des œuvres et choisissez-en une.
- Ensemble, décrivez l'œuvre et préparez son commentaire à l'aide de la boîte à outils.
- Présentez votre analyse à la classe : l'un présente l'œuvre, l'autre la décrit, et le dernier la critique. Ensemble, discutez-en.

Idée : faire de cet urinoir en porcelaine l'objet le plus provocateur de l'histoire de l'art du XXe siècle et prendre à leur propre piège les artistes qui se prétendaient libéraux et tolérants.

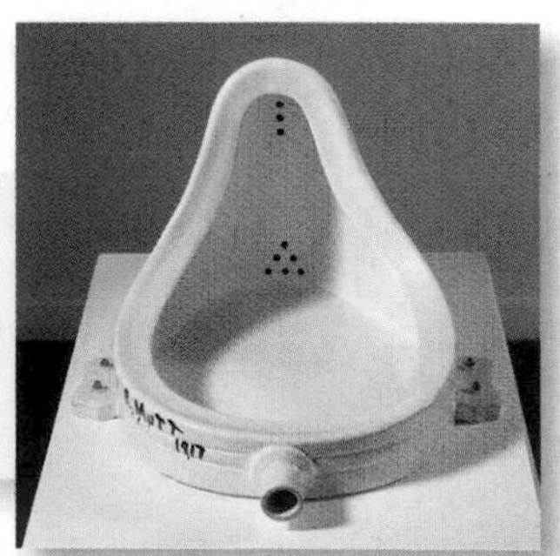

Marcel Duchamp, *Fontaine*, 1964.

Idée : la série « Le monde du silence » propose un tour du monde silencieux. Elle déjoue notre mode de perception du réel par une mise en scène décalée du quotidien sur fond de mélancolie.

Lucie de Barbuat et Simon Brodbeck, *Place de l'Opéra* (200 x 256 cm), 2009.

Rédiger un fait divers

Au volant d'une voiture anglaise, il confond les kilomètres et les miles

DES RIVERAINS EXCÉDÉS PAR UN CARREFOUR À QUATRE STOPS

Paris : un tracteur reçoit une amende de stationnement

Son téléphone brûle son oreiller pendant son sommeil

Olivier et Shilla, sacrés champions de France de course de dromadaire

Il déguise sa tortue en burger pour prendre l'avion

Un Chinois souhaitant prendre l'avion avec sa tortue de compagnie a tenté de se jouer des contrôles de sécurité en déguisant son petit animal en hamburger, mais sa ruse a échoué, a rapporté la presse mercredi.

L'homme, identifié sous le nom de M. Li, s'est présenté lundi matin à l'aéroport international de Canton pour embarquer sur le vol de la compagnie China Southern Airlines à destination de Pékin, relate le *Quotidien de Canton*.

Au moment de passer le contrôle de sécurité, le personnel préposé au scanner à rayons X a remarqué des protubérances suspectes dépassant du burger que le passager venait d'acheter chez KFC. Il s'agissait des pattes de l'animal.

« C'est juste mon hamburger », a d'abord affirmé M. Li, sommé d'ouvrir l'emballage. Mais les fonctionnaires aéroportuaires ne se sont pas laissés abuser par l'habile camouflage en forme de pain brioché.

Si M. Li avait lu les *Fables* de La Fontaine, il aurait su que « rien ne sert de couvrir » sa tortue quand on veut partir à point[1] : il a finalement été obligé de laisser à Canton son placide animal familier.

1 *« Rien ne sert de courir, il faut partir à point. » C'est la morale de la fable « Le lièvre et la tortue » de Jean de La Fontaine.*

AFP, 31 juillet 2013.

Accouchement inattendu dans le hall de la gare du Nord

Hier matin, vers 7h45, au beau milieu du hall de la gare du Nord, une femme de 28 ans s'est vue aidée à accoucher par Aurélie Suzarte, une cheminote qui a joué les sages femmes, rapporte France Bleu. La femme ayant eu le temps d'appeler les secours, une infirmière de l'hôpital Lariboisière s'est rendue sur place pour procéder à l'accouchement, tandis qu'Aurélie Suzarte traduisait les propos de la jeune mère qui s'exprimait en anglais. C'est finalement après une quinzaine de minutes que le bébé a vu le jour, tandis que le cordon le liant à sa mère a été coupé par les pompiers finalement arrivés sur les lieux de l'accouchement improvisé.

www.lefigaro.fr, 19 août 2014.

1 En un clin d'œil !

a. Observez les titres. Dans quelle rubrique d'un journal peut-on les trouver ? Comment sont-ils construits ? Pourquoi donnent-ils envie de lire l'article ?

b. Lisez la première phrase de chaque article. Quelles informations donne-t-elle ?

2 C'est dans la boîte !

a. Lisez le premier texte. Quelles sont ses différentes parties ?

b. Lisez le deuxième fait divers et complétez la boîte à outils en retrouvant les informations dans le texte.

BOÎTE À OUTILS 

Rédiger un fait divers

Introduire l'événement

- Donner un titre : ....
- Résumer les faits : ....

Raconter les faits

- Citer la source : ....
- Présenter les faits (qui, où, quand) : ....
....
- Expliquer leur déroulement (comment, pourquoi) : ....
....
- Décrire les conséquences : ....
....

c. Relevez les temps et les tournures utilisés pour rédiger un fait divers, ainsi que les connecteurs temporels.

3 Du tac au tac ! 

Formez des groupes et choisissez une image. Posez les questions :
Quoi ? Quand ? Où ? Qui ?
Pourquoi ? Comment ? Chacun répond ce qui lui passe par la tête.

4 Comment ça se prononce ?

a. Relisez le premier paragraphe du premier article et notez les enchaînements.

b. Lisez-le à voix haute.

C'EST À VOUS !

- Seul, rédigez le fait divers associé à la photographie choisie dans l'exercice « Du tac au tac ! ». N'oubliez pas de donner un titre accrocheur à votre article !
- En groupes, lisez vos textes. Lequel est le plus insolite ?

LE + STRATÉGIE
Écrivez des phrases courtes et utilisez les temps du passé et la voix passive.

Reproduire un tableau

Pour vous initier aux courants de peinture de la fin du XIXe et du début du XXe siècle, vous allez découvrir des œuvres picturales et reproduire un tableau. Pour cela, inspirez-vous des éléments culturels proposés et lancez-vous !

1 Respiration

- Observez et écoutez les œuvres proposées. Qu'est-ce qu'une nature morte ? En voyez-vous parmi ces documents ?
- Pour vous, qu'évoque chaque tableau (ex. : la nature, la pauvreté, etc.) ?
- Devant ces œuvres, quelles sensations éprouvez-vous ? Laquelle préférez-vous ? Pourquoi ?

2 Inspiration

- Testez vos connaissances sur l'art en répondant à ce quiz !

1 Chez les impressionnistes...
- ☐ la nature est un lieu privilégié.
- ☐ les formes géométriques sont très présentes.
- ☐ l'influence de la société de consommation est visible.

2 Le tableau *Les Valeurs personnelles* est une œuvre :
- ☐ surréaliste
- ☐ cubiste
- ☐ impressionniste

3 Que représente une nature morte ?
- ☐ des paysages de nature
- ☐ la mort
- ☐ des objets inanimés

4 René Magritte est un peintre :
- ☐ belge
- ☐ français
- ☐ suisse

5 Ce courant représente la réalité avec des formes géométriques, c'est...
- ☐ le pointillisme
- ☐ le cubisme
- ☐ l'art abstrait

6 Cet artiste est l'un des fondateurs français du fauvisme :
- ☐ Henri Matisse
- ☐ Vincent Van Gogh
- ☐ Claude Monet

7 C'est un thème récurrent dans la peinture de Matisse :
- ☐ la musique
- ☐ la nature
- ☐ la culture populaire

3 Création

- Écoutez de nouveau la description de la nature morte dans l'émission *Tableauscopie*. Relevez les éléments et leur disposition, puis, à votre tour, dessinez-les !
- Donnez un titre à votre œuvre.
- En petits groupes, comparez vos reproductions. Quelles sont les similitudes et les différences ?
- Pour finir, comparez-les avec l'œuvre de Jean-Baptiste Siméon Chardin.

À VISITER

Hommage intimiste et surprenant à l'un des plus grands peintres du XXe siècle ! Le musée René Magritte, à Bruxelles, se trouve dans la maison où le surréaliste belge œuvra pendant près de 24 ans. L'artiste en a occupé le rez-de-chaussée pendant sa période surréaliste la plus féconde, de 1930 à 1954.

René Magritte, *Les Valeurs personnelles*, 1952.

À ÉCOUTER

40

Antoine Leiris vous invite à passer deux minutes dans un musée, devant une œuvre d'art et à vous laisser aller au plaisir de la contemplation. Le principe ? Il soumet un tableau à trois visiteurs d'un musée et leur propose de décrire ce qu'ils voient, de partager ce qu'ils ressentent et de raconter les histoires que l'œuvre leur inspire.

Tableauscopie, sur France Info. Une émission créée et réalisée par Antoine Leiris.

À TÉLÉCHARGER

Pas le temps d'aller au musée ? Grâce à l'application Tombraining, découvrez ou redécouvrez les plus grands chefs-d'œuvre de la peinture : vous pourrez vous promener dans la galerie d'art en 3D, en apprendre davantage sur les œuvres et leurs auteurs, et jouer !

Édouard Manet, *Le Balcon*, 1868.

À VOIR

Inventeur d'un art radicalement moderne, Manet écrivait : « Chaque œuvre {doit} être une création nouvelle de l'esprit. » Suivons donc les conseils du maître, découvrons les qualités du plein air et quittons le studio de peinture. Le documentaire d'Henri Lebel *Édouard Manet, Une inquiétante étrangeté* apporte un nouvel éclairage sur la vie et l'œuvre du peintre français du XIXe siècle qui a ouvert le chemin vers l'art moderne.

LE + INFO

L'**impressionnisme** marque, dans la seconde moitié du XIXe siècle, une rupture avec la peinture officielle. Les artistes empruntent leurs sujets à la réalité ordinaire et peignent l'instant. Au début du XXe siècle, le **fauvisme** recherche l'intensité de la couleur et renonce à la perspective. Le **cubisme** se propose de représenter les objets décomposés en éléments géométriques simples sans perspective. Dès 1920, le **surréalisme** utilise les forces psychiques (inconscient, rêve, etc.) libérées du contrôle de la raison et des idées reçues.

À LIRE

Principal représentant du fauvisme, Henri Matisse est l'un des plus grands peintres français du XXe siècle. Son travail reflète une quête permanente de l'expressivité des formes simples et des couleurs pures et brillantes. L'ouvrage propose une chronologique détaillée de la vie et de l'œuvre de l'artiste, ainsi qu'une centaine d'œuvres.

Essers Volkmar, *Henri Matisse, 1869-1954, maître de la couleur*, Éditions Taschen (2012).

Henri Matisse, *La Tristesse du roi*, 1952.

POINT RÉCAP'

Organiser le colloque international de la robotique

ACTIVITÉ BILAN

- Vous êtes une équipe de chercheurs et vous préparez un colloque international sur les progrès de la robotique.
- Par deux, imaginez un projet de création d'un robot révolutionnaire. Pour cela définissez : le nom du projet, les capacités spécifiques du robot et l'avancée du projet. Décrivez également ce qui vous a inspirés.
- Préparez votre intervention qui présentera le projet à l'ensemble de la communauté scientifique.
- Ensemble, organisez le colloque. N'oubliez pas de poser des questions à vos collègues scientifiques sur leur projet et d'exprimer ensuite vos (in)certitudes !

Développer son esprit critique

Qui ?

- des êtres humains
- Le monde religieux : Dieu, une divinité, les chrétiens, les hébreux, les musulmans, le pape, un prêtre, un adepte, un religieux, un fidèle, des mauvais esprits, des jeteurs de sort
- Le monde de la science : des scientifiques, une équipe de chercheurs, un psychologue, un programmateur, des cobayes, un robot

Quoi ?

- la conscience ≠ l'inconscient
- la religion, une croyance, une superstition
- la matière, des atomes, l'intelligence, la raison, la pensée, le cerveau, les parties cérébrales, un réseau de neurones
- une intelligence artificielle, un ordinateur, des données
- l'art, l'expression artistique

- Commenter une œuvre d'art
  > une sculpture, une photo(graphie), un assemblage, une installation, une nature morte, un portrait, une composition abstraite
  > L'artiste est influencé par...
  > Le courant artistique : l'impressionnisme, le fauvisme, le cubisme, le pop art...
  > La composition : au premier plan... au second plan..., des lignes verticales ≠ horizontales, faire un gros plan sur
  > des couleurs primaires ≠ secondaires, pastels ≠ vives, pâles ≠ criardes
  > une lumière naturelle ≠ artificielle, d'une forte intensité

- Parler de l'art contemporain
  > la sensibilité
  > l'éclectisme, l'ouverture d'esprit
  > protéiforme
  > non conventionnel
  > être en lien avec son époque
  > la transversalité, exploser dans tous les sens
  > s'aventurer dans différentes formes d'expression

MEMO Grammaire

➤ Précis grammatical, pp. 202-213

La forme passive

On l'emploie pour donner de l'importance à celui (ou ce qui) subit l'action. Le sujet de la forme active devient complément et le complément devient sujet à la forme passive.

EXEMPLE : *Un savant fou a créé cette incroyable machine.*
→ ***Cette incroyable machine** a été créée **par un savant fou**.*

> Qui subit l'action ?
> Le verbe a-t-il un complément ?
> À quel temps est-il conjugué à la forme active ?
> Dois-je accorder le participe passé ?

Les signes de ponctuation

Ils apportent de nombreuses informations à la phrase. Ils indiquent ses limites, les temps de pause, certains liens logiques et renseignent sur le ton à adopter.

EXEMPLE : *– Dis-moi**...** Est-ce que tu crois aux esprits **?***
*– Hé bien**,** parfois**,** j'ai l'impression que mon chat me comprend **!***

> Est-ce que je veux signaler une pause ?
> Une intonation, un sentiment ?
> Un lien logique ?
> Est-ce que j'introduis des paroles ?

Quels domaines ?

- le paranormal, le mystérieux
- la théologie, la spiritualité, les pratiques, le culte
- les sciences cognitives, la philosophie, une étude / une démarche scientifique
- accomplir des rites, pratiquer, prier, vénérer, mystifier
- percevoir, rêver, imaginer, penser
- codifier, analyser, (re)programmer, sélectionner, admettre, innover
- **Introduire un fait ou un exemple**
  - › À propos de + *nom*
  - › Cela me fait penser à...
  - › Rappelez-vous ce qui s'est passé en... / à...
  - › Le fait le plus significatif est certainement...
  - › Ce fait peut très bien illustrer...
  - › Cet exemple prouve que...
  - › Par exemple, ... / Prenons l'exemple de...

Où et quand ?

- la Mecque, le Vatican, une église, une mosquée, un temple, un couvent, un monastère
- un centre / un pôle de recherche, un laboratoire, une université
- sur Internet, la toile, une encyclopédie en ligne
- depuis les origines, le berceau de la religion
- le début du / la fin du + *siècle*, depuis plus d'un siècle
- depuis son lancement
- une ère, une époque
- le monde actuel, au jour le jour, l'actualité

Comment ?

- **Exprimer des degrés de certitude**
  - › Certitude : certainement, sûrement, sans aucun doute, bel et bien, être avéré, prouver quelque chose, être sûr que + *ind.*, être convaincu que + *ind.*, Il est indiscutable que + *ind.*
  - › Probabilité : sans doute, probablement, Il semble que + *subj.*, Il est possible que + *subj*, Il paraît que + *ind.*
  - › Incertitude : peut-être, une idée reçue, Selon cette hypothèse..., Je ne suis pas certain que + *subj.*, Il se pourrait que + *subj.*
- **Vérifier une information**
  - › un résultat, une référence, une source d'informations
  - › la validité, la véracité
  - › être erroné
  - › relever une erreur manifeste, une discordance, une faute
  - › se renseigner, vérifier une affirmation
  - › passer au crible
  - › avoir du bon sens
- **Décrire une inspiration**
  - › Eurêka !
  - › une invention, une création, une idée géniale / originale
  - › une idée qui vous tombe dessus
  - › naître de, venir à l'esprit
  - › favoriser la créativité
  - › avoir un bon sujet
  - › donner un truc

L'événement incertain et le conditionnel passé

Pour parler d'événements certains ou réels, on emploie l'indicatif. Pour parler d'événements incertains ou éventuels, on peut employer le conditionnel ou des tournures impersonnelles.

Exemple : – ***Il paraît que*** *le concert est annulé ?*
– Oui, la chanteuse ***aurait attrapé*** *la grippe.*

❗ › L'événement est-il certain ou réel ? ou incertain ?
› Je choisis le conditionnel ou une expression ?
› L'expression employée est-elle suivie de l'indicatif ou du subjonctif ?

L'expression de la certitude et du doute

Divers verbes et expressions permettent d'exprimer la certitude et le doute.
En général, ils sont suivis respectivement de l'indicatif et du subjonctif.

Exemple : – ***Je crois qu'****il viendra.*
– Moi, ***je ne crois pas qu'****il puisse !*

❗ › Certitude ou doute ?
› Quel verbe ou expression ?
› Indicatif ou subjonctif ?

Les documents sonores sont téléchargeables sur le site www.didierfle.com/saison.

PARTIE 1 COMPRÉHENSION DE L'ORAL

Vous allez entendre deux fois un document.
Vous avez 30 secondes de pause entre les deux écoutes, puis 1 minute pour vérifier vos réponses.
Lisez les questions, écoutez le document puis répondez.

1. Que viennent de faire Juliette et Pablo ?

....

2. Quel est le sentiment de Juliette sur la visite ?
   - ☐ Elle a apprécié.
   - ☐ Elle n'a pas aimé.
   - ☐ Elle n'a pas été touchée.

3. Quel est le point commun des œuvres du musée ?
   - ☐ leur couleur
   - ☐ leur date de création
   - ☐ leur origine

4. Pour quelle raison Juliette n'aime-t-elle pas les œuvres de Jeff Koons ?

....

5. Quel est le courant artistique préféré de Juliette ?
   - ☐ l'impressionnisme
   - ☐ le fauvisme
   - ☐ l'art contemporain

6. Qu'est-ce qui plaît à Pablo dans l'art contemporain ?

....

PARTIE 2 COMPRÉHENSION DES ÉCRITS

Lisez les informations du magazine puis répondez aux questions.

Jeff Koons

Quand on ne connaît qu'un seul artiste contemporain, c'est Jeff Koons. Cette première rétrospective européenne, à Beaubourg, veut faire le bilan. À vous de juger !

Du mercredi 26 novembre au lundi 27 avril.
Le centre Pompidou est ouvert tous les jours de 11h à 21h.
Tarifs : 13 € / 11 € (tarif réduit)

IN/OUT, street art & graffiti

Renversante, cette expo ! La Maison des Arts accueille dès aujourd'hui plus de cinquante œuvres d'une trentaine d'artistes contemporains. Parmi eux, les plus grands noms du *street art*.

Gratuit.
Du vendredi 3 octobre au samedi 13 décembre à la MAC, Maison des Arts de Créteil.
Ouverture : 13h -18h

Mayas

Cette exposition permet de découvrir la civilisation et l'art mayas. Vous pourrez admirer des œuvres fascinantes : vases, sculptures, peintures…

Du mardi 7 octobre au dimanche 8 février.
Accès au musée :
- mardi, mercredi et dimanche de 11h à 19h
- jeudi, vendredi et samedi de 11h à 21h

Tarif plein 19 €
Tarif réduit 15 €
Musée du quai Branly 75007 Paris

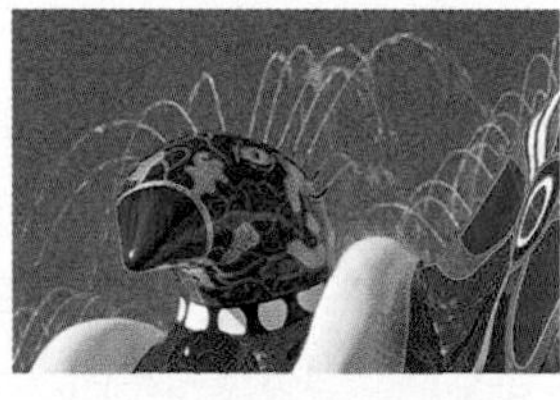

Niki de Saint Phalle

Célèbre dans le monde entier, en particulier pour ses « nanas » pulpeuses et colorées, l'artiste – peintre, sculpteure, plasticienne, performeuse et même cinéaste – a enfin une rétrospective à la mesure de son talent.

Du mercredi 17 septembre 2014 au lundi 2 février.
Tous les jours de 10h à 22h (fermeture à 20h le dimanche et lundi).
Fermeture hebdomadaire le mardi.
Tarifs : plein 10 € – réduit 8 €
Le Grand Palais, Paris.

Vous êtes en France et vous souhaitez organiser une sortie culturelle avec vos amis. Quelle exposition allez-vous choisir ? Voici les critères de chacun :

- Vous êtes disponibles tous les jours à partir de 18h.
- Vous souhaitez faire la visite vers le 15 octobre.
- Vous voulez rester à Paris.
- Vous disposez d'un budget de 12 € par personne.

1. Notez les expositions qui répondent à chacun des critères.

Horaires	....
Date	....
Lieu	....
Tarif	....

2. Quelle exposition allez-vous voir ?

....

PARTIE 3 PRODUCTION ÉCRITE

Votre professeur de français vous demande de lui raconter la dernière sortie culturelle que vous avez faite. Écrivez un texte cohérent et détaillé qui répondra aux questions suivantes : qui ? quoi ? où ? quand ? pourquoi ? comment ?
Vous écrivez un texte de 160 à 180 mots.

PARTIE 4 PRODUCTION ORALE

Vous dégagez le thème soulevé par le document et vous présentez votre opinion sous la forme d'un exposé personnel de 3 minutes environ.

LEGORAFI : de fausses infos, un vrai phénomène

LeGorafi.fr, site Internet diffusant des informations inventées de toutes pièces, ressemble tellement à un véritable journal que beaucoup de lecteurs croient volontiers aux faux articles écrits par les journalistes anonymes du site. Un exemple : en février dernier, en direct sur une chaîne de télévision, une ex-ministre lit un communiqué portant sur le vote d'une loi, normalement écrit par le bureau du Premier ministre. Problème : la citation n'était pas vraie, il s'agissait d'une blague diffusée sur le site LeGorafi.
Depuis 2012, LeGorafi attire de plus en plus de lecteurs : un million de visiteurs uniques par mois, 97 000 abonnés sur Twitter, 173 000 fans sur Facebook. Le pari fou des créateurs du site, Sébastien Liébus, 36 ans et Pablo Mira, 28 ans, semble réussi ! Mais on peut s'interroger sur leurs objectifs et leurs motivations...

Qu'en pensez-vous ? Peut-on rire de tout ? À quoi sert la diffusion de fausses informations ?

Unité 4

Décrypter ses identités

S'INFORMER

- Parler d'identité
- Évoquer ses origines
- Exprimer son désarroi
- Parler d'un changement de vie
- Développer un argument en comparant
- Écrire un synopsis de film
- ▶ Activité Étape
  Participer à un concours

S'EXPRIMER

- Faire un portrait
- Écrire un passage autobiographique
- ▶ L'atelier créatif
  Créer et jouer un personnage

S'ÉVALUER

- ▶ Activité Bilan
  Organiser un Conseil européen
- DELF B1

Ça fait sens !

- Que fait cette jeune femme ?
- Quelle question pose l'émission ?
- Voyez-vous des points communs entre l'identité d'une œuvre d'art et l'identité personnelle ?

Miroir, mon beau miroir

LE « TOUT À L'EGO[1] » DU LIBÉRALISME

| Publié le 20 janvier 2014 par alternative21 |

Les « selfies », ce miroir narcissique numérique, les pages Facebook où l'on affiche sa personne sur toutes les coutures et dans toutes les situations, les tweets qui sont censés livrer à tous les « followers » son humeur en moins de 140 caractères, les « snapchat », photos ou vidéos éphémères [...] : ce sont quelques-unes des manifestations les plus spectaculaires de ce « tout à l'ego » qui occupe une bonne part du quotidien de « l'homo connectus » dans cette société de consommation de masse et de libéralisme triomphant.

« La pratique des selfies participe étroitement de la fabrication d'un soi grandiose idéalisé, qu'il convient de renouveler régulièrement. Ce n'est ni une photo de C.V. ni une photo d'identité », analyse Sarah Chiche, écrivaine et psychanalyste.

Pour attirer l'attention à tout prix et faire exploser le compteur des « like » et le nombre de commentaires et de « partages », on est prêt à tout en matière d'extravagance. Bonheur éphémère qui enferme encore plus l'auteur dans cette « maison des miroirs » [...] où l'on se perd et qui dispense de faire l'effort d'échanger et de partager dans le monde réel. [...] Aux États-Unis, on parle de la génération « moi, moi, moi » en référence à la génération « moi » des soixante-huitards[2], et les troubles de la personnalité narcissique[3] se développent chez les jeunes. [...]

Tout à son égo, les oreilles connectées sur le flux musical du moment, l'individu n'entend plus le monde, il le traverse, le regard vide et la bouche cousue. Avec son smartphone, il se laisse distraire et s'évade avec « Candy Crush » ou « Angry Birds » en attendant de se connecter à tout moment, où qu'il soit, quoi qu'il fasse, avec un(e) ami(e), une relation, un parent. Cette société humaine virtuelle avec sa centaine d' « amis », de « followers » ou de « contacts » le rassure et lui suffit. [...]

En quelques décennies, nous sommes passés d'un monde où existaient encore des structures collectives organisées et très structurées, qui donnaient à l'individu un cadre de pensée et des principes moraux et philosophiques qui l'accompagnaient dans l'action, à un nouvel ordre plus fluide, fondé sur le culte d'un individu libéré de toute tutelle[4]. [...] Éternel adolescent, incapable de surmonter ses propres frustrations, l'individu moderne est condamné à suivre la foule de ses semblables dans la vaste avenue virtuelle des Champs-Élysées de la capitale mondiale du « Grand Marché numérisé ».

1 *Jeu de mot avec le « tout-à-l'égout », le système qui évacue les eaux industrielles, ménagères et pluviales dans les égouts.*
2 *Personnes qui ont participé aux événements de Mai 1968 en France.*
3 *Le narcissisme est un amour excessif pour soi-même.*
4 *Protection juridique ; dépendance par rapport à quelqu'un.*

Guy Valette, « La science du partage », www.alternative21.blog.lemonde.fr

1 Ouvrez l'œil !

a. Regardez la photo et lisez le titre. De quoi parle l'article ?
b. Lisez la source. Qui est l'auteur ?

2 Posez-vous les bonnes questions !

a. Quel regard porte l'auteur sur l'individu d'aujourd'hui ?
b. D'après le texte, qu'est-ce qui caractérise cet individu ?
c. Que fait-il sur Internet ? Pourquoi ?
d. Qu'est-ce que la « maison des miroirs » évoquée dans le texte ?
e. Qu'est-ce qui a changé dans la construction de l'individu ?

➤ Parler d'identité, p. 88

3 Explorez le lexique !

a. Pour vous, qu'est-ce que l' « identité numérique » ?
b. Dans le texte, retrouvez les mots qui se rapportent au concept d'identité.
c. Vous sentez-vous proche de ce concept ?

LE + INFO

Le **selfie** est un autoportrait numérique. Il est généralement réalisé avec un smartphone et publié sur les réseaux sociaux. En 2015, il est entré dans le dictionnaire de la langue française *Le Petit Robert*.

L'habit ne fait pas le moine

1 Formulez des hypothèses !

a. Observez le titre et la source. Faites le lien et dites de quel type de document il s'agit.

b. Lisez le texte et expliquez ce que peut être « l'usurpation d'identité ». Donnez la conséquence juridique.

Le fait d'usurper l'identité d'un tiers ou de faire usage d'une ou plusieurs données de toute nature permettant de l'identifier en vue de troubler sa tranquillité ou celle d'autrui, ou de porter atteinte à son honneur ou à sa considération, est puni d'un an d'emprisonnement et de 15 000 € d'amende.

Article 226-4-1, code pénal français (Légifrance).

2 Comparez ce qui est comparable ! 

a. Observez, lisez et écoutez les documents. Quel mot les relie ?

b. Comparez le document 1 et le document 3. À votre avis, quelles différences y a-t-il en France et en Suisse ? Justifiez.

c. Quels mots-clés dans le document 2 permettent de faire un lien avec les deux autres documents ? S'agit-il également d'usurpation ?

Doc.1

Sur le net, ne vous laissez pas coller une étiquette !
Mythomane
www.ereputation.fr

Doc.2

« Nous nous sommes lancés en 2009, autant dire au moment de l'émergence des réseaux sociaux et d'un changement radical du comportement des usagers d'Internet, explique Albéric Guigou, fondateur de Reputation Squad. Brusquement, les gens sont sortis de l'anonymat et ont commencé à afficher leur vraie identité sur le web. Sans savoir quoi exactement, nous avons compris qu'il fallait faire quelque chose. » La réussite flagrante de ce projet a donné raison aux fondateurs de l'entreprise, spécialisée dans la gestion de l'e-réputation.

Paulina Dalmayer, *Causeur* n° 12, avril 2014.

Doc.3

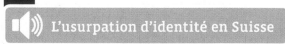

 L'usurpation d'identité en Suisse

3 Tendez l'oreille ! 

a. Combien de syllabes entendez-vous ?

b. Écrivez ce que vous entendez. Le nombre de syllabes écrites est-il toujours égal au nombre de syllabes orales ?

4 Ça se discute ! 

« Les ados sont aujourd'hui en quête de notoriété numérique. Faire le buzz participe d'un processus de recherche identitaire », analyse Catherine Blaya, professeure en sciences de l'éducation. www.lemonde.fr, 11 septembre 2014

Et vous, vous en pensez quoi ? Avez-vous besoin qu'on parle de vous et d'être vu sur Internet ? Comparez vos habitudes avec celles de vos amis.

LE + ARGUMENTATIF

DÉVELOPPER UN ARGUMENT EN COMPARANT

- ..., c'est comme...
- ..., c'est la même chose que...
- De la même manière que..., ...
- ... fait penser à ...
- C'est équivalent / similaire à...
- On peut comparer... à...

D'ici et d'ailleurs : identités multiples

1 Ouvrez l'œil !

Regardez l'affiche et l'image du film. Par deux, imaginez ce que le film peut raconter et où l'intrigue se déroule.

2 Posez-vous les bonnes questions ! 

Regardez la vidéo.

a. Que savez-vous du personnage principal ?

b. Pourquoi part-il en Algérie ?

c. Que se passe-t-il avec son cousin ?

d. Est-ce qu'il réussit à rentrer en France ? Pourquoi ?

e. Comment est-il considéré en Algérie et comment considère-t-il ce pays ?

➤ Évoquer ses origines, p. 88

3 Restez à l'écoute ! 

a. Quel est le genre de ce film ? Donnez quelques détails.

b. Quelles idées reçues sont véhiculées à propos de l'Algérie ?

4 Saisissez la grammaire ! 

a. Dans la vidéo, retrouvez une phrase équivalente à : *Depuis mon enfance, je dis que je suis originaire d'Algérie.*

b. Est-ce que l'homme continue à dire cela aujourd'hui ? Quand a-t-il commencé à le dire?

➤ Les indicateurs de temps p. 80

5 Tendez l'oreille ! 

Concentrez-vous sur le pronom « je ».
Vous remarquez que le *e* n'est pas prononcé.
Dites quand vous entendez [ʒ].

6 Réagissez ! 

« On n'est jamais trop curieux quand il s'agit de sa propre histoire. »

Racontez votre histoire à votre voisin : donnez-lui des détails sur votre culture, votre pays ou région d'origine, votre famille et ce qui fait qui vous êtes aujourd'hui. N'oubliez pas d'utiliser les indicateurs de temps que vous connaissez.

7 Agissez ! 

À partir des éléments du document vidéo, rédigez un synopsis du film (environ 100 mots).

LE + INFO

Un **synopsis** est un résumé de film : il décrit les grandes lignes de l'intrigue et évoque les personnages principaux sans donner beaucoup de détails. Il ne comporte pas de dialogues et est rédigé au présent de l'indicatif, dans un style simple.

Européen avant tout ?

1 Ouvrez l'œil !

Regardez l'illustration. Qui voyez-vous ?
Quelles sont ses caractéristiques ?

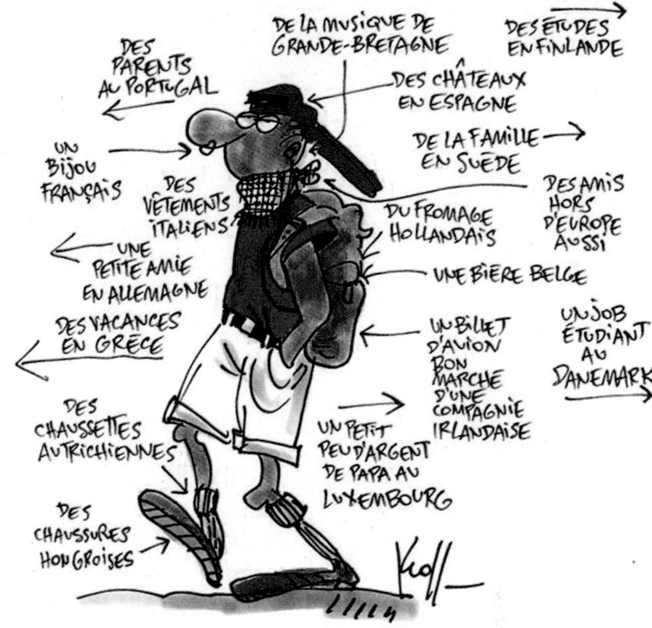

2 Écoutez et réagissez ! 

a. D'après vous, quelle est la question posée ?

b. Qui se sent le plus proche de sa culture nationale ?

c. Quel argument serait le mieux adapté pour chaque personne ? Justifiez.

1. Il est possible de conserver une identité propre même lorsqu'on appartient à une communauté.
2. Les valeurs et les symboles partagés forment une appartenance commune.
3. C'est la croyance en des valeurs communes qui fait que l'on se sent appartenir à un groupe.
4. On appartient à un groupe par ses origines.
5. On est tous étrangers ici et ailleurs.

LE + INFO

À la question « Vous sentez-vous citoyens de l'Union européenne ? », les Européens répondent « oui » à 62 %. Les Français en sont tout proches : 61 %.

Source : Eurobaromètre 2013.

3 Saisissez la grammaire ! 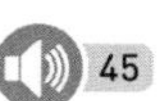

Réécoutez et trouvez comment on dit :

Je suis proche des Européens comme des Français.
Ils ont une meilleure façon de jouer.
C'est la même chose.
On partage des valeurs proches.

➤ **La comparaison, activités p. 80**

4 Explorez le lexique !

a. Décomposez le mot « europhile ». Comment est-il formé ?

b. À votre avis, qu'est-ce qu'il signifie ?

c. Connaissez-vous des exemples de néologisme en français ? Lesquels ?

Un **néologisme** est un mot nouveau ou de création récente. Il peut être créé à partir d'autres mots ou emprunté à une autre langue.

5 À la chasse aux mots !  

a. Dans les documents de ces pages, essayez de retrouver les termes et expressions :
- qui permettent d'évoquer les origines d'un individu ou d'un mot ;
- qui se rapportent à la citoyenneté.

b. Par équipes, créez cinq nouveaux mots qui finissent avec le suffixe *-phile* et qui désignent le fait d'avoir un intérêt pour quelque chose ou d'être amateur. Puis, faites-les deviner à l'équipe voisine.

EXEMPLES : *coursophile → qui aime courir ; horrophile → qui aime les films d'horreur.*

Changer de profil...

Emmanuelle Béart : la chirurgie esthétique, « ça a été effroyable »

L'actrice Emanuelle Béart évoque pour la première fois, vendredi 2 mars dans *Le Monde*, l'intervention esthétique « loupée[1] » qu'elle a subie à la bouche, affirmant qu'elle est aujourd'hui « contre la chirurgie esthétique ». [...]

« On peut parler de désarroi[2] : avoir la sensation de devoir devenir autre pour exister pleinement, ou de devoir devenir autre pour pouvoir être ce à quoi on aimerait ressembler. [...] Pour ce qui est de façonner le visage ou le corps, j'ai fait refaire ma bouche, à l'âge de 27 ans. Ce n'est une énigme pour personne : c'est loupé. Si quelqu'un, homme ou femme, refait quelque chose, c'est parce que, pour une raison qui ne regarde personne, il n'arrive pas à vivre avec, et que cette partie de son corps ne lui est plus supportable. Alors, soit on est aidé et on a la force de la combattre, soit on y va, et on passe à l'acte. J'ai entendu des témoignages de femmes disant que ça leur avait rendu la vie plus jolie, plus facile. Tant mieux. Il y en a d'autres que ça a profondément affectées, et je fais plutôt partie de celles-là. Aujourd'hui, je pourrais dire : je suis contre la chirurgie esthétique. Parce que c'est un acte grave, dont on n'évalue pas forcément les conséquences. [...] Mais je n'aurais jamais la « dégueulasserie » de porter un jugement sur quelqu'un qui l'a fait. Je dirais que c'est son problème. Et je trouve plus intéressant et humain de dire que cette personne était en manque de confiance. Évidemment, si ma bouche m'avait plu, je n'aurais jamais eu envie de la refaire. Mais, franchement, je ne suis pas près d'y retourner, parce que j'ai eu un tel choc, avec tout ça, et sous le regard des autres. Ça a été effroyable. Aujourd'hui, rien que l'idée d'une piqûre me foudroie. Mais en même temps, je me dis que ce n'est pas facile de vieillir, dans ce métier, quand on est une femme. Surtout au cinéma. Alors il y en a qui vont se trafiquer complètement, d'autres qui vont sombrer dans l'alcool. Mais chacun fera, mon Dieu, à sa façon, et comme il le pourra. »

1 *Ratée.*
2 *Confusion liée à de l'angoisse, de l'anxiété.*

www.lemonde.fr , 9 janvier 2013.

1 Ouvrez l'œil !

Regardez la photo et lisez le titre. Qui est-ce ? De quoi va parler l'article ?

2 Posez-vous les bonnes questions !

a. Qu'a fait cette femme à l'âge de 27 ans ? Pourquoi ?

b. Quelles sont les raisons qui, selon elle, poussent à la chirurgie esthétique ? Quelle est son opinion à ce sujet ?

c. De quelle manière exprime-t-elle son désarroi ?

➤ Exprimer son désarroi, p. 89

3 Explorez le lexique !

a. Quels mots se rapportent au lexique du corps ? Vous en connaissez d'autres ?

b. Trouvez dans le texte les synonymes de :

1. avoir l'air : ....
2. modeler un corps : ....
3. faire corriger une partie de son corps : ....
4. se modifier : .... *(fam.)*

c. Quelle expression, dans le texte, sert à développer un nouveau sujet ?

LE + INFO

Emmanuelle Béart est une actrice française née en 1963. Artiste engagée, elle a soutenu les étrangers en situation irrégulière et a été ambassadrice de l'UNICEF jusqu'en 2006.

4 Saisissez la grammaire !

À l'aide du texte, complétez cette phrase :
Emmanuelle Béart n'aurait pas refait sa bouche si...

➤ L'hypothèse, activités p. 81

5 Argumentez !

Pour ou contre la chirurgie esthétique ? Dans un texte de 200 mots, développez votre point de vue à l'aide de comparaisons. N'oubliez pas les exemples !

... ou changer de vie ?

1 Écoutez ! 

Dites, en écoutant les premières secondes, à quel type de document vous pouvez vous attendre.

2 Posez-vous les bonnes questions ! 

a. Quel est le sujet de l'émission ?

b. Qui est invité ?

c. Il y a quelques années, qu'a-t-il fait ? Pour quelles raisons ?

d. Que présente-t-il ?

e. Quelles sont les questions communes aux personnes qui souhaitent changer de vie ?

➤ Parler d'un changement de vie, p. 89

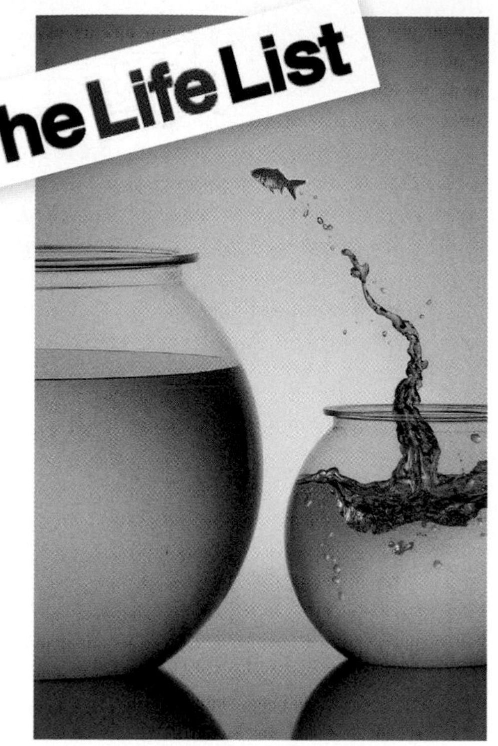

LE + INFO

Changer de vie : qui n'y a pas songé ? C'est le souhait de 79 % des Français. Soit 37 millions d'individus, si l'on se limite aux plus de 18 ans !
Source : OpinionWay pour *Le Figaro Magazine*.

3 Explorez le lexique ! 

a. Avec quels mots l'invité confirme-t-il les propos du journaliste ?

b. Quels sont les mots qui font référence à un changement de vie et au bien-être lié à ce changement ?

c. Vers le milieu de l'interview, de quelle manière est-ce que l'invité dit : « quelque chose qui n'était pas » ? Connaissez-vous d'autres exemples d'élision ?

4 Saisissez la grammaire ! 

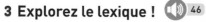

Dans le document, comment Julien Perret dit-il cette phrase ?
J'ai quitté mon ancien employeur pour monter un blog. Sur ce blog, je parle de mon changement de vie.

➤ **Les pronoms relatifs composés, activités p. 81**

5 Tendez l'oreille ! 

Dites si ce que vous entendez correspond à ce que pourriez écrire.

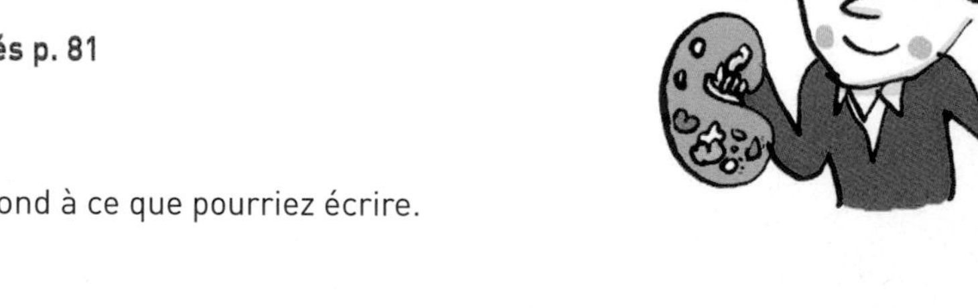

ACTIVITÉ ÉTAPE

Participez au concours « Et si vous étiez une biscotte ? »

- Individuellement, décrivez l'affiche. Expliquez les transformations subies. Par groupes, discutez-en : qu'en pensez-vous ? Est-ce que cette affiche vous fait sourire ?
- Si vous pouviez changer un élément de votre visage, ce serait lequel ? Pourquoi ? Notez quelques réponses par écrit.
- Échangez vos idées pour participer à ce concours. Si vous le pouvez, faites votre selfie !

➤ Cahier d'activités, **unité 4**

Les indicateurs de temps

→ **Observez et relevez le défi.**

Il y a trois jours, une jeune adolescente a discrètement volé des vêtements dans un magasin. Une fois rentrée chez elle, elle a posté un selfie sur Facebook où on la voit porter une robe. Mais le propriétaire du magasin a signalé un vol sur Facebook. En quelques heures, les habitants ont fait le lien entre le signalement et le vol. L'adolescente sera jugée dans deux jours. Depuis cette histoire, on ne parle plus que de cela en ville.

a. Soulignez les indicateurs de temps.

b. Lesquels expriment une durée ? Un moment précis ?

c. De quels temps sont-ils suivis ?

Les indicateurs de temps peuvent préciser le moment d'une action, son début ou sa durée.

- *il y a… que ; cela fait… que ; voilà… que* + présent ou passé composé : début et durée de l'action
- *depuis* + nom / *depuis que…* + présent ou passé composé : début et durée de l'action
- *pendant* : durée terminée
- *il y a* : un moment précis passé
- *dans* : un moment précis futur
- *en* : durée de réalisation ou moment précis

1 Choisissez l'indicateur de temps qui convient.

1. Elle ne travaille plus ici *(pendant – depuis)* une dizaine de jours.

2. Je l'ai rencontré *(depuis – il y a)* trois ans.

3. *(Cela fait – pendant)* dix ans que nous habitons en France sans avoir le droit de voter.

4. Il est parti *(depuis – pendant)* une semaine. Puis, il est revenu tout sourire.

5. *(Dans – En)* un an, je pourrai passer mon permis.

2 Reformulez ces phrases en utilisant les indicateurs de temps de votre choix. Il y a parfois plusieurs possibilités.

Exemple : *Il y a une demi-heure que je t'attends !*
→ Je t'attends depuis une demi-heure !

1. Ce train est parti depuis vingt minutes.

2. J'ai fait refaire mon nez en 2010.

3. Ils sont partis au Canada et ont prévu d'y rester 2 ans.

4. Ils vont partir au Brésil en 2020.

5. Elle est rentrée. Tout de suite après, elle l'a appelé.

3 Crescendo ! Par deux, utilisez des indicateurs de temps pour faire des reproches à votre colocataire avec qui vous habitez depuis quatre ans.

Exemple : *Cela fait quatre ans que tu ne nettoies jamais l'appartement !*

La comparaison

→ **Observez et relevez le défi.**

– Oh ! Regarde ces chaussures, ma grand-mère avait les mêmes ! Elles ressemblent à celles de Juliette, non ?
– Non, elles ne sont pas pareilles ! Celles-ci sont de meilleure qualité, bien moins ternes et plus jolies.
– T'es bien comme ma mère : toujours quelque chose à redire avec autant de rapidité qu'elle, juste un peu moins d'agressivité !

a. Soulignez les comparaisons.

b. Sur quoi portent-elles ? Classez-les par catégories. Ex. : verbe, adjectif…

c. Quelles différences de fonctionnement remarquez-vous ?

Différents outils permettent d'exprimer la comparaison :

- *aussi / moins / plus* + adjectif + *que*
- *autant de / moins de / plus de* + nom + *que*
- *le plus / le moins* + adjectif *(meilleur, pire)*
- *comme* + nom ou pronom
- *identique, semblable, pareil, similaire, égal ≠ différent…*
- *se ressembler ≠ se différencier (de)…*

4 Complétez les phrases avec un mot qui exprime la comparaison.

1. Ces deux enfants sont ………….. Je crois que ce sont des jumeaux.

2. À qui …………..-tu le plus : à ton père ou à ta mère ?

3. Ce point de grammaire est beaucoup ………….. facile que les autres.

4. Elle a exactement les ………….. yeux que moi, c'est fou !

5. Vous n'êtes pas ………….. les autres. Vous êtes vraiment …………..

5 Définissez un mot par rapport à un autre en insistant sur les différences et ressemblances.

1. un vélo / un tandem

2. un texto / un tweet

3. un sac à dos / un sac à main

4. un appareil photo argentique / numérique

5. une brosse à dent / à cheveux

6 Essayez de trouver le sens de ces expressions. Expliquez-les avec un autre mot de comparaison. Puis, inventez-en une pour caractériser votre voisin !

avoir une faim de loup – être blanc comme un linge – être maigre comme un clou – être fort comme un Turc – être aimable comme une porte de prison – avoir un œil de lynx – être une langue de vipère

L'hypothèse

→ Observez et relevez le défi.

1. Vérifie sur Internet si tu n'es pas sûr !
2. Sans télé, on vivrait peut-être plus heureux.
3. Si j'avais écouté ma mère, j'aurais eu plein de problèmes !
4. Je vais mettre deux réveils au cas où je n'entende pas le premier.

a. Quels mots introduisent ici une hypothèse ?

b. Quelles hypothèses pourraient se réaliser ? Quelle est celle qui ne peut plus se réaliser ?

c. Quels temps sont utilisés dans chaque cas ?

Pour exprimer une hypothèse :
- réelle, on utilise :
  si + présent // + futur / présent / impératif
- irréelle au présent, on utilise :
  si + imparfait // + conditionnel présent
- irréelle au passé, on utilise :
  si + plus-que-parfait // + conditionnel passé

On peut aussi utiliser :
- *avec, sans* + nom
- *au cas où, dans le cas où* + conditionnel
- *en* + participe présent ou passé

7 Complétez les phrases.

1. Avec du bon sens, ...
2. On aurait pris le bus...
3. Au cas où il y aurait un incendie...
4. Si tu l'avais préparé avant...
5. Sans ton aide...

8 Répondez à ces questions.

1. Que se passera-t-il si l'argent disparaît ?
2. Avec davantage de médecine, pourrions-nous prolonger la vie jusqu'à 200 ans ?
3. Seriez-vous prêt à devenir président au cas où celui-ci quitterait son poste ?
4. Sans liberté, que risquerions-nous ?
5. En arrêtant de travailler, seriez-vous plus heureux ?

9 Par deux, choisissez un événement de l'Histoire ou de l'histoire de votre culture et imaginez ce qui se serait passé s'il n'avait pas eu lieu.

EXEMPLE : *Si Jeanne d'Arc n'avait pas existé, elle n'aurait pas repoussé les Anglais. Si Orléans n'avait pas été libérée, Charles VII ne serait peut-être pas devenu roi.*

Les pronoms relatifs composés

→ Observez et relevez le défi.

J'adore mon prénom ! C'est un prénom grâce auquel je me sens unique. Bizarrement, les gens avec qui j'en discute le trouvent trop original. Quand je leur explique que c'est le prénom de mon grand-oncle pour qui mes parents avaient une grande affection, ils me prennent pour une sentimentale. Encore des idées préconçues contre lesquelles il faut se battre !

a. Soulignez les pronoms cachés dans ce texte, comme dans la deuxième phrase.

b. Dans quel cas *qui* est utilisé ?

c. Avec quoi et comment s'accordent ces pronoms ?

Les pronoms relatifs composés s'utilisent avec des prépositions :
- ***à*** → *à qui, auquel, à laquelle, auxquels, auxquelles*
- **de** *(en face de, au bord de...) → de qui, duquel (= dont), de laquelle, desquels, desquelles*
- ***avec, pour, par, sous, sur, dans***
  + qui / + lequel / + laquelle / + lesquels / + lesquelles

Qui s'emploie quand on parle d'une personne.

10 Associez les éléments entre eux.

1. Le passeport avec •
2. Le logement dans •
3. La femme avec •
4. La cause pour •
5. Les documents sur •

- • **a.** lequel elle vit n'est pas très lumineux.
- • **b.** laquelle elle s'engage est plus que jamais d'actualité.
- • **c.** lequel il voyage pourrait bien être un faux.
- • **d.** lesquels il s'est assis sont précieux.
- • **e.** qui il voyage est sa nièce.

11 Reliez les deux phrases pour n'en faire qu'une seule.

EXEMPLE : *Je pense à une personne. Cette personne est ici.*
→ La personne à laquelle je pense est ici.

1. Notre patron a une nouvelle idée. Nous sommes d'accord avec cette idée.
2. Ce produit est super efficace ! J'ai réussi à détacher mon tee-shirt grâce à lui.
3. Tu te souviens de cette femme au cinéma ? Tu étais assis à côté d'elle.
4. Hier, je me suis promenée le long d'une rivière. Elle s'appelle la Vienne.
5. C'est un film très triste. À la fin de ce film, tout le monde pleure.

12 Écrivez quelques devinettes avec des pronoms relatifs composés. Puis, posez-les à votre groupe. 

EXEMPLE : *La capitale francophone à laquelle je pense attire beaucoup de touristes grâce à ses spécialités : frites, chocolat et bandes dessinées !*

Faire un portrait

1 Réagissez !  48

a. Regardez l'image et les affiches. Savez-vous de qui il s'agit ? À votre avis, quel est son métier ?

b. Écoutez le document. Listez les éléments généraux qui constituent un portrait.

2 C'est dans la boîte !  48

Écoutez de nouveau et complétez la boîte à outils avec les exemples du document.

BOÎTE À OUTILS 

Faire un portrait

Introduire une personne

- Par son nom : ....
- Par un trait de personnalité : ....

Donner des caractéristiques

- Physiques : ....
- Morales : ....
- Ses goûts : ....

Évoquer son parcours

- Professionnel : ....
- Personnel : ....

Rendre le portrait vivant en ajoutant...

- Un élément extérieur : ....
- Une voix : ....
- Un environnement : ....

3 Du tac au tac !  

Imaginez que, vous aussi, vous soyez interviewé(e) pour un portrait : répondez du tac au tac à ces cinq questions.

LE + COMMUNICATION

DÉFINIR SON CARACTÈRE

- discret, modeste, pudique, timide, dynamique, extraverti, engagé, joyeux, rieur, sociable…
- En général, je suis plutôt…
- J'aime / J'adore voir mes amis.
- Je ne supporte pas qu'on me fasse des critiques.
- On me reproche d'être impatient.
- On me dit souvent que je suis…

4 Le son et le ton qu'il faut !

1 Repérez ! 

Réécoutez ces extraits.

a. Transcrivez ce que vous entendez. Le nombre de syllabes écrites est-il égal au nombre de syllabes orales ?

b. Le *e* de « je » n'est pas prononcé, mais entendez-vous le son [ʒ] ?

c. Dites si ce que vous entendez correspond à ce que pourriez écrire.

2 Prononcez ! 

Votre voisin vous pose une des cinq questions du « Tac au tac ». Répondez le plus rapidement possible en prononçant « je » sans le *e* et avec le son [ʒ] ou [ʃ].

• Quand on parle, **on ne prononce pas forcément le *e*** :
– quand il est précédé et suivi d'une consonne prononcée : *complè**t**(e)**m**ent*
– en début de phrase avec *je* et *ce*.
• On prononce le *e* quand il est précédé de deux consonnes prononcées et suivi d'une consonne prononcée : *la**rgem**ent*
• On ne le prononce pas quand il est placé à la fin d'un mot et suivi d'une voyelle.

Quand deux consonnes entrent en contact (après une chute du [ə] par exemple), une des consonnes influence l'autre :
• ***je s**uis* : [s] influence [ʒ] qui devient [ʃ] → « *chsui* » ou « *chui* »
• *C'est quoi **c**e **b**ordel ?! (très fam.)* : [b] influence [s] qui devient [ʒ] → « *zbordel* »
• *là-**d**e**ss**us* : [s] influence [d] qui devient [t] → « *latsu* »

3 Mettez-y le ton ! (51)

a. Écoutez. Dans quel registre s'exprime la personne qui parle ? Pourquoi ?

b. À votre tour, faites votre autoportrait en quelques phrases en adoptant un style familier.

Quand on s'exprime dans le **registre familier**, les **chutes du [ə]** sont nombreuses et on ne dit pas forcément :
• le *ne* de la négation : *Je ne suis pas* → *Je suis pas* ou « *Chui* » *pas*
• les voyelles des mots grammaticaux : *un blog qui n'est pas* → *un blog qu'est pas*
• les consonnes des groupes consonantiques : *votre droite* → *vot' droite*
• le *l* de *il* : *il fait froid* → « *i* » *fait froid*

Léa Seydoux

Omar Sy

Jo-Wilfried Tsonga

C'EST À VOUS !

- Par deux, choisissez une personnalité francophone que vous appréciez et que vous connaissez bien. Cherchez quelques informations précises afin de construire votre portrait.
- Comme pour Mathieu Amalric, imaginez une rencontre avec cette personnalité. Pensez à ce que vous pouvez ajouter pour rendre ce portrait vivant et insolite (traits cachés de cette personnalité, détails du quotidien, etc.).
- Organisez vos informations et notez les principales étapes de votre portrait, puis enregistrez-vous.

Écrire un passage autobiographique

Trang – Blanc

Moi, je n'ai jamais su qui était mon géniteur. Les mauvaises langues soupçonnent qu'il est blanc, grand et colonisateur puisque j'ai le nez fin et la peau diaphane. Maman me disait souvent qu'elle avait toujours désiré cette blancheur pour moi ; la blancheur des *bánh cuốn*. Elle m'emmenait chez la marchande de ces crêpes vietnamiennes pour la regarder étendre le mélange de farine de riz sur une toile de coton déposée directement au-dessus d'un immense chaudron d'eau bouillante. Elle étalait le liquide en tournant sa louche sur la toile pour la recouvrir entièrement. En quelques secondes, la crème se transformait en une peau fine et translucide qu'elle décollait avec sa tige de bambou aiguisée en palette longue et mince. Maman prétendait qu'elle était la seule mère à savoir envelopper sa fille de cette crêpe pendant la sieste pour que sa peau puisse se comparer au reflet de la neige et à l'éclat de la porcelaine. [...]
Maman détenait aussi le secret d'agrandir le nez. Les femmes asiatiques cherchent à augmenter la proéminence de leur os nasal en y insérant un implant de silicone alors qu'il suffisait à Maman de tirer doucement mon nez neuf fois chaque matin pour l'occidentaliser. Voilà pourquoi je m'appelle Mãn, qui veut dire « parfaitement comblée » ou « qu'il ne reste plus rien à désirer », ou « que tous les vœux ont été exaucés ». Je ne peux rien demander de plus, car mon nom m'impose cet état de satisfaction et d'assouvissement. Contrairement à la Jeanne de Guy de Maupassant, qui rêvait de saisir tous les bonheurs de la vie à la sortie du couvent, j'ai grandi sans rêver.

Kim Thuy, *Mãn*, Liana Levi, 2013.

1 En un clin d'œil !

a. Observez la couverture du livre et la source, puis présentez le texte.

b. Diriez-vous que ce texte est un chapitre de roman ? Pourquoi ?

c. Sans lire le texte, émettez des hypothèses sur le contenu de ce passage intitulé « Blanc ».

2 C'est dans la boîte !

a. Lisez le texte et complétez la boîte à outils en retrouvant les informations dans le texte.

BOÎTE À OUTILS

Écrire un passage autobiographique

Évoquer ses origines

- ....
- ....
- ....

Faire une description physique et morale

- Quelques éléments du physique et du caractère : ....
- Se comparer à : ....

Raconter un souvenir

- ....
- ....

b. Repérez les différents temps du texte. Expliquez l'utilisation de chaque temps.

3 Du tac au tac !

a. Trouvez-vous que le « blanc » correspond bien à la description de Mãn ? Pourquoi ? Quelle couleur choisiriez-vous pour vous ? Pour quelles raisons ?

b. Demandez à votre voisin de noter sur une feuille de papier cinq mots ou idées qui correspondent à votre physique et cinq à votre personnalité.

EXEMPLE : *grand – chaussures colorées – modeste*

Discutez : êtes-vous d'accord avec les mots choisis ?

c. Pensez à un souvenir de votre enfance. Il peut être lié à une couleur, une odeur, un membre de votre famille... Racontez-le et, comme Mãn, expliquez en quoi il est lié à la personne que vous êtes aujourd'hui.

LE + STRATÉGIE

Pour rendre votre souvenir plus vivant, pensez à donner des détails de la scène.

4 Comment ça se prononce ?

a. Relisez le début du texte jusqu'à « eau bouillante ». Barrez les *e* qui ne sont pas nécessairement prononcés et soulignez ceux qui doivent l'être.

b. Lisez le passage à voix haute.

C'EST À VOUS !

- À partir du souvenir auquel vous avez réfléchi, vous écrivez un passage autobiographique en comparant qui vous êtes aujourd'hui à celui ou celle que vous étiez hier.
- Donnez des caractéristiques physiques et psychologiques.

Créer et jouer un personnage

Pour développer vos talents de comédien, vous allez créer un personnage de votre choix et le jouer. Pour cela, inspirez-vous des éléments culturels proposés et lancez-vous !

1 Respiration

- Regardez et lisez les documents. Par deux, échangez : quel(s) personnage(s) connaissez-vous ? Quel personnage auriez-vous aimé être ?
- Toujours à deux, complétez cette page culturelle en listant d'autres personnages que vous connaissez : pensez aux dessins animés, au théâtre, à la littérature, à des personnages stéréotypés du quotidien, etc.
- Décrivez la personnalité de ces personnages.

  EXEMPLE : *le Misanthrope de Molière est un personnage qui déteste et méprise le genre humain.*
- Échangez avec la classe au sujet de vos personnages.

2 Inspiration

- Choisissez un personnage que vous aimeriez représenter. Attribuez-lui deux ou trois traits de personnalité.
- Puis, marchez dans la classe et essayez de donner vie à votre personnage en accentuant le mouvement d'une partie de votre corps. Amusez-vous !

  EXEMPLE : *tenez votre tête très droite si vous êtes Napoléon, mettez votre ventre en avant pour représenter Obélix, etc.*

3 Création

- Commencez à penser à la voix de votre personnage (aiguë, forte, douce), à son débit de parole (lent, modéré, rapide) et à son registre de langue (enfantin, standard, familier, formel). Vous pouvez ajouter d'autres caractéristiques : un tic, un objet, une émotion, etc.
- Rassemblez tous les éléments précédents et créez votre identité : quel est votre nom ? votre prénom ? votre âge ? votre origine ? votre histoire ? votre parcours ? vos passions ?
- Préparez-vous à vous présenter dans la peau de ce nouveau personnage. La classe vous posera des questions. Veillez à bien incarner votre rôle !

LE + INFO

Dans la tradition théâtrale, il existe de nombreux **personnages clichés**. Le théâtre français et la *commedia dell'arte* regorgent de tels rôles aux caractéristiques physiques ou psychologiques bien définies : L'Avare, Tartuffe, Harpagon, Sganarelle et Le Malade imaginaire chez Molière ; Cyrano de Bergerac chez Edmond Rostand ; Antigone chez Jean Anouilh, etc.

À VOIR

Un homme trop facile, une comédie d'Éric-Emmanuel Schmitt dans laquelle Alex, comédien adoré du public, se prépare à jouer le Misanthrope de Molière lorsqu'un inconnu lui apparaît dans le miroir de sa loge. Lequel des deux gagnera les faveurs de l'insaisissable Célimène ?

À LIRE

La série des *Paul* de Michel Rabagliati raconte le quotidien de Paul. Une histoire toute simple mais tellement proche de nous. Une B.D. 100 % québécoise particulièrement bien fignolée.

À TÉLÉCHARGER

L'application « Les grands personnages de notre temps », vaste bibliothèque interactive, vous fera découvrir la vie des personnages qui ont marqué l'Histoire.

UN FILM ÉCRIT, RÉALISÉ ET INTERPRÉTÉ PAR GUILLAUME GALLIENNE

ANDRÉ MARCON FRANÇOISE FABIAN NANOU GARCIA

LES GARÇONS ET GUILLAUME, À TABLE!

AU CINEMA LE 20 NOVEMBRE

À ACHETER

Dans *Les garçons et Guillaume, à table !*, Guillaume Gallienne joue son propre rôle, ainsi que celui de sa mère. En hommage à cette double performance, le César du meilleur acteur lui a été remis en 2014.

À VISITER

Le musée Grévin, inauguré en 1882, rassemble à Paris plus de 300 reproductions en cire des personnalités du monde entier et quelques scènes de l'histoire de France, dont la captivité de Louis XVI ou Jeanne d'Arc sur le bûcher. En 2013, son double a vu le jour à Montréal, au Québec.

Organiser un Conseil européen

ACTIVITÉ BILAN

- Seul ou à deux, vous représentez les pays de l'Union européenne.
- Cherchez quelques signes identitaires pour créer la carte d'identité de votre pays : le nom, l'origine, la (ou les) langue(s) parlée(s), les symboles et signes particuliers.
- Les pays se retrouvent au Conseil européen (réunion des gouvernements des pays). Le président du Conseil, désigné par la classe, demande à chaque pays de décliner rapidement son identité.
- Parlez de vos différences entre pays, comparez-vous.
- Enfin, définissez votre identité commune : les valeurs et les origines que vous partagez, les changements que vous souhaiteriez, éventuellement, les désarrois que vous ressentez, etc.

Décrypter ses identités

Quoi ?

- l'identité individuelle, collective
- l'identité juridique, sociale
- le statut, l'état civil
- l'unité ≠ la diversité
- la permanence
- l'individualisation
- l'identification / s'identifier à
- ressembler à, avoir un air de
- être reconnu, exister

- **Parler d'identité**
  - > sous toutes les coutures
  - > un éternel adolescent
  - > le culte de l'individu
  - > le narcissisme
  - > un trouble de la personnalité
  - > afficher sa personne
  - > livrer son humeur
  - > se fabriquer un « soi »

Qui ?

- un être, un individu
- un parent, un géniteur
- un citoyen, un membre
- jouer un personnage / un rôle
- se construire une identité
- se créer un profil (numérique)
- faire, dresser un portrait

- Par rapport aux autres
  - > semblable, le même
  - > égal, pareil, équivalent
  - > être comme les autres
  - > être identique, similaire
  - > être plus / moins / aussi... que
  - > être le plus / le moins...

- **Évoquer ses origines**
  - > ses racines
  - > là d'où on vient
  - > être né là-bas, ici
  - > être immigré, étranger, apatride
  - > être + *adj. de nationalité / de région*
  - > être dans un pays depuis + *date ou durée*
  - > appartenir à plusieurs cultures

MEMO Grammaire

➤ Précis grammatical, pp. 202-213

Les indicateurs de temps

Pour situer une action dans le temps (date ou durée), on peut utiliser des indicateurs. Ils indiquent le temps qui s'écoule ou s'est écoulé entre le moment où l'on parle et l'action.

EXEMPLE : ***Depuis que*** *je suis petit, je rêve de vivre au Canada.* ***Cela fait*** *deux mois* ***que*** *je suis arrivé.* ***Pendant*** *deux jours, j'ai paniqué. Finalement,* ***en*** *deux mois, j'ai rencontré beaucoup de Canadiens. Dire que* ***dans*** *deux mois, je pars au Maroc* ***pour*** *5 mois !*

❗
- > Une date ou une durée ?
- > Un moment passé, présent, prévu dans le futur ?
- > À quel temps conjuguer le verbe ?

La comparaison

Pour comparer deux éléments, on peut utiliser des comparatifs ou des superlatifs, mais également des verbes, des adjectifs et des expressions imagées.

EXEMPLE : *Il est très* ***différent de*** *sa sœur qui est* ***identique à*** *sa mère. Pourtant, ils* ***se ressemblent comme*** *deux gouttes d'eau !*

❗
- > Différence, similarité, égalité ?
- > Supériorité ou infériorité ?
- > Quelle structure utiliser ?

Quelle identité personnelle ?

- une caractéristique propre
- une carte, une photo d'identité
- une signature électronique
- une donnée biométrique
- une empreinte digitale
- un trait de caractère
- un signe particulier

- L'identité européenne
  - > les valeurs, les symboles
  - > les institutions : le Parlement, la Commission, le Conseil
  - > la devise : « Unis dans la diversité »
  - > la monnaie commune, le drapeau, l'hymne
  - > le TUE (traité de l'Union européenne)
  - > la Charte des droits fondamentaux

- **Faire un portrait**
  - > M. / Mme X est + *métier / qualité / défaut...*
  - > C'est l'acteur fétiche de...
  - > Avant cela, il avait...
  - > Elle porte + *habit*
  - > Elle a pour habitude de + *inf.*
  - > Il y a une chose importante pour lui / elle, c'est...
  - > L'effet que ça lui fait, c'est...

Comment changer d'identité ?

- L'usurpation d'identité
  - > un acte de diffamation
  - > une activité frauduleuse
  - > une amende
  - > porter atteinte à
  - > violer une loi
  - > être passible (d'années) de prison

- Une intervention esthétique
  - > la chirurgie (esthétique)
  - > une piqûre, injecter
  - > un lifting, une liposuccion, une plastie
  - > la restauration (pour une œuvre d'art)
  - > refaire, reconstruire, remodeler, façonner, modifier

Pourquoi changer d'identité ?

- Exprimer son désarroi
  - > Je suis (vraiment) déçu !
  - > J'aurais préféré...
  - > C'est (franchement) décevant !
  - > Quelle déception !
  - > Quel dommage !
  - > C'est un tel choc !
  - > Ça a été effroyable !

- Parler d'un changement de vie
  - > un mal-être quotidien
  - > vouloir quelque chose d'autre
  - > ressentir le besoin de + *inf.*
  - > faire le grand saut
  - > réaliser son rêve
  - > s'accomplir, s'épanouir
  - > quitter son employeur
  - > monter une société
  - > J'ai toujours voulu + *inf.*

- **Développer un argument en comparant**
  - > ..., c'est comme...
  - > ..., c'est la même chose que...
  - > De la même manière que..., ...
  - > ... fait penser à ...
  - > C'est équivalent / similaire à...
  - > On peut comparer... à...

L'hypothèse

Pour exprimer une hypothèse, on utilise couramment *si*. L'hypothèse peut évoquer le réel ou l'irréel, au présent ou au passé.

Exemple : ***Au cas où*** *tu aurais le temps, lis cet article. =* ***Si*** *tu as le temps, lis cet article.*
Avec *du temps, je le ferais. =* ***Si*** *j'avais du temps, je le ferais.*
En ayant *eu du temps, je l'aurais fait. =* ***Si*** *j'avais eu du temps, je l'aurais fait.*

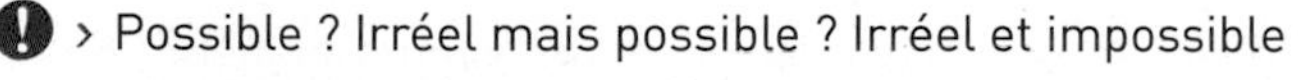

> Possible ? Irréel mais possible ? Irréel et impossible ?

> Quel temps utiliser ?

> Et si je veux changer de *si* ?

Les pronoms relatifs composés

Les pronoms relatifs composés remplacent une chose ou une personne et relient deux idées dans une phrase. Ils sont composés de prépositions.

Exemple : *Mon chien,* ***sans lequel*** *je ne peux rien faire et* ***auquel*** *je tiens beaucoup, vient de faire une crise cardiaque dans le restaurant* ***en face duquel*** *j'habite.*

> Le nom à remplacer est-il féminin, masculin ? singulier, pluriel ?

> Avec quelle préposition se forme le verbe principal (*à, de, sans, pour, chez, avec...*) ?

Les documents sonores sont téléchargeables sur le site www.didierfle.com/saison.

PARTIE 1 COMPRÉHENSION DE L'ORAL

Vous allez entendre deux fois un document.
Vous avez 30 secondes de pause entre les deux écoutes, puis 1 minute pour vérifier vos réponses.
Lisez les questions, écoutez le document puis répondez.

1. Quel est le thème de l'émission ?
- ☐ Changer de métier.
- ☐ Partir à l'aventure.
- ☐ Vivre une nouvelle vie.

2. Comment Marie a-t-elle découvert le Québec ?
- ☐ grâce à un ami
- ☐ grâce à un enseignant
- ☐ grâce à un membre de sa famille

3. Pour Marie, le Québec signifie ...
- ☐ de belles vacances
- ☐ le rêve américain
- ☐ une nouvelle vie

4. Pour quelle raison Paul a-t-il choisi de s'installer au Québec ?

....

5. Que pense Paul au sujet de l'avenir professionnel de ses enfants ?
- ☐ Il est partagé.
- ☐ Il est pessimiste.
- ☐ Il est optimiste.

6. Pourquoi Paul a-t-il eu envie de changer de vie à 40 ans ?
- ☐ Il avait envie d'habiter dans un autre pays.
- ☐ Il n'appréciait plus sa vie en France.
- ☐ Il voulait vivre de manière différente.

7. Que veut Paul pour ses enfants ?

....

8. Qu'est-ce que Paul a dû faire pour changer de vie ?

....

PARTIE 2 COMPRÉHENSION DES ÉCRITS

Lisez le texte puis répondez aux questions.

Une application révolutionnaire pour préserver sa vie privée

Pour révolutionner la vie numérique des mobinautes[1] et des internautes, un groupe d'étudiants réfléchit à la création d'une application qui permettrait de protéger sa vie privée sur Internet. Grâce à cette application, il serait désormais possible d'être connecté sur les réseaux sociaux et de surfer sur les sites de jeux en ligne tout en préservant ses informations personnelles et son identité. Pour ce faire, elle proposera à son utilisateur un ensemble de services lui permettant de créer plusieurs profils (par exemple, une identité A pour les amis et la famille, une identité B pour les personnes qu'on ne connaît pas mais avec qui on joue en réseau) et de définir les personnes pouvant y accéder. Aussi, si un utilisateur souhaite partager un document *via* son ordinateur, son smartphone ou sa tablette, il devra choisir un des profils qu'il aura préalablement créés.

Séparer vie professionnelle et vie personnelle

Cette application permettra de définir les informations qui peuvent être consultées par un contact. Pour cela, l'utilisateur devra classer ses contacts dans des groupes (famille, travail, loisirs...) et choisira les informations auxquelles chaque groupe aura accès. Lorsqu'un internaute voudra publier une information sur le jeu vidéo auquel il joue sur Internet, il indiquera que l'information devra être partagée avec son identité B. Mais s'il souhaite publier sur un réseau social une photo relative à un voyage en famille, il précisera qu'il veut le faire avec son identité A. L'utilisateur pourra ainsi partager anonymement une information sur le jeu auquel il joue sans que les autres utilisateurs connaissent son nom ou sa profession. Cela lui permettra également d'être sûr que ses collègues de bureau ne le retrouveront pas sur un forum de jeu.
De la même façon, l'application serait en mesure d'alerter l'utilisateur lorsqu'une information sensible est publiée sur lui. Par exemple, si un ami écrit le numéro de mobile de l'utilisateur sur un forum, un mail sera immédiatement envoyé à cette personne pour le prévenir.
Notre identité numérique a de beaux jours devant elle !

1 Personne qui navigue sur Internet avec un téléphone mobile.

1. Quel est le sujet de l'article ?
- ☐ l'usurpation d'identité
- ☐ un outil pour contrôler ses données personnelles
- ☐ une assistance pour gérer les renseignements

2. Vrai ou faux ? Cochez (☒) la bonne réponse et justifiez.
Il est possible de préserver sa vie privée sur Internet.
☐ Vrai ☐ Faux

....

3. Que permettra l'application ? Donnez deux réponses.

....

....

4. Que devra faire l'utilisateur de l'application avant de partager un document sur Internet ?
   - ☐ se connecter au site
   - ☐ choisir un profil
   - ☐ se créer une identité

5. Vrai ou faux ? Cochez (☒) les bonnes réponses et justifiez.
   L'application pourra s'utiliser à partir de plusieurs supports.
   ☐ Vrai ☐ Faux

   ....

   Grâce à elle, tout le monde pourra accéder à nos informations.
   ☐ Vrai ☐ Faux

   ....

6. Qu'est-ce que l'utilisateur devra faire pour contrôler l'accès à ses informations ?

   ....

7. Quel sera l'avantage de l'application pour un utilisateur qui joue sur Internet ?
   - ☐ ne pas être reconnu
   - ☐ partager des informations
   - ☐ pouvoir jouer au travail

8. Vrai ou faux ? Cochez (☒) la bonne réponse et justifiez.
   L'application permettra également de contrôler les informations publiées par ses contacts.
   ☐ Vrai ☐ Faux

   ....

9. Dans quels cas l'application pourra-t-elle alerter un utilisateur ?
   - ☐ Quand le profil utilisé ne sera pas adapté.
   - ☐ Quand une information très personnelle sur lui sera partagée.
   - ☐ Quand un document publié ne sera pas de bonne qualité.

10. Pour quels services d'Internet l'application est-elle la plus utile ? Donnez deux réponses.

   ....

PARTIE 3 PRODUCTION ÉCRITE

Vous êtes installé(e) en France. Un de vos amis voudrait partir faire ses études à l'étranger, mais il hésite. Vous lui écrivez un mail pour lui faire partager votre expérience. Vous présentez les avantages et les inconvénients d'un séjour à l'étranger. Vous écrivez un texte détaillé et cohérent de 160 à 180 mots.

....

....

....

....

....

....

....

....

....

....

....

PARTIE 4 PRODUCTION ORALE

Vous dégagez le thème soulevé par le document et vous présentez votre opinion sous la forme d'un exposé personnel de 3 minutes environ.

Qu'en pensez-vous ? Êtes-vous pour ou contre les bars à sourire ?

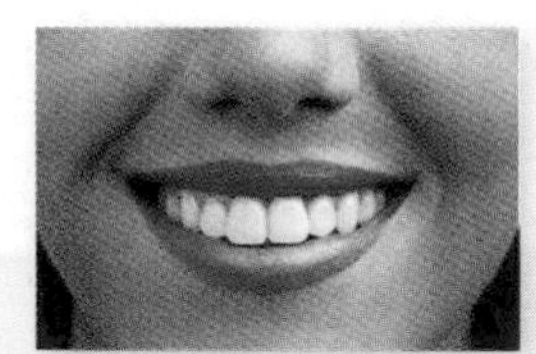

POUR OU CONTRE LES « BARS À SOURIRE » ?

Le sujet fait beaucoup de bruit en France. Depuis quelques années, des bars à sourire, tenus par de simples commerçants, se sont installés un peu partout en France. Le concept semble intéressant : grâce à un bon nettoyage, vous retrouverez un joli sourire et des dents toutes blanches.
Le problème, c'est que l'Ordre national des chirurgiens-dentistes a récemment reproché aux « bars à sourire » d'utiliser des produits dangereux. Immédiatement, les responsables de ces établissements ont réagi. Deux experts nous donnent leur avis.
Alain Moutarde, chirurgien-dentiste, nous indique que « le blanchiment dentaire est un véritable acte médical. Il faut donc qu'il se pratique dans un cabinet médical ». Mais David Berbia, cofondateur de l'institut « Point-Sourire » ne partage pas cet avis. Pour lui, « les bars à sourire proposent simplement un acte purement esthétique sans contrainte et sans effets secondaires. » Il ajoute que cela n'est pas possible dans un cabinet médical où les délais pour obtenir un rendez-vous sont très longs. Alors entre esthétique et sécurité, que vaut-il mieux choisir ?

Source : www.terrafemina.com.

Unité 5

Vivre une révolution

S'INFORMER

- Rêver de quelque chose
- Expliquer l'utilité et le fonctionnement d'un objet
- Envisager l'avenir
- Protester et s'opposer
- Écrire le texte de présentation d'une association
- ▶ Activité Étape
  Réaliser une publicité

S'EXPRIMER

- Gérer une situation de crise
- Écrire un essai argumentatif
- ▶ L'atelier créatif
  Lire à voix haute

S'ÉVALUER

- ▶ Activité Bilan
  Faire un voyage dans le temps
- DELF B1

52

Ça fait sens !

- Quel est le lien entre le titre de l'unité et la photo ?
- D'après l'émission, pourquoi sommes-nous dans une période de mutations ?
- Pour vous, quels sont les grands changements du XXIe siècle ?

Du passé faisons table rase ?

POURQUOI NOUS NE POUVONS PAS FAIRE LA RÉVOLUTION

Rêvant d'un monde meilleur dans lequel chacun aurait une place juste et digne, beaucoup attendent patiemment ou en trépidant fiévreusement la Révolution. Les années passent et... rien ! Pourquoi ?

Révolution : de quoi parle-t-on ?

Révolution au *sens astronomique* : la période de révolution est le temps mis par un astre pour accomplir sa trajectoire, ou révolution, autour d'un autre astre. C'est le temps nécessaire pour accomplir ce déplacement. [...]
Révolution au *sens politique* : changement brusque et violent dans la structure politique et sociale d'un État, qui se produit quand un groupe se révolte contre les autorités en place et prend le pouvoir. Rêver de révolution, c'est rêver de revivre le passé, ce moment de 1789 qui a destitué[1] la monarchie pour [...] une République. 2014 naissant, [...] le sentiment d'injustice monte et les plus démunis ou frustrés rêvent d'une rue qui gronderait et raviverait les fumées des cocktails Molotov[2] et autres jets de pavés aux saveurs de Mai... 1968 bien sûr.
Malgré de nombreuses tentatives, elles avortent toutes les unes après les autres.

Pourquoi ?

Pour se révolter, pour faire bouger le système [...], il ne faut rien avoir à perdre. Et lorsque la majorité des citoyens vit et consomme par crédit, alors ces derniers sont inféodés[3] au système. Il leur faut des ressources financières pour se payer l'écran plasma, le dernier iPhone, la console de jeux vidéo ou le voyage à l'étranger. [...]
Aujourd'hui, nous sommes dans une période de mutation majeure de notre modèle de société qui se traduit notamment par des crises financières. Ce qui s'accompagne d'un climat de peur, notamment en France [...]. La peur entraîne la dépression, l'inertie[4], le repli et/ou la violence, mais pas toujours la créativité et l'initiative permettant le rebond.
[...] Aujourd'hui, on « poste » une insatisfaction sur les réseaux sociaux, on signe une pétition sur *Aavaz*, en restant bien au chaud chez soi.
Peur, confort et dépendance ne sont pas les ingrédients d'une révolution [...]. Pour opérer une réelle transformation, que ce soit une révolution ou une mutation, il faut de la persévérance, de l'engagement, de la pugnacité et le temps est plutôt au zapping sur canapé qu'aux réunions engageantes et aux actions pérennes[5].
Mais comme nous avons un attachement historique au mot « révolution », nous continuons à rêver de *tabula rasa*[6] et de lendemains qui chantent [...].

1 *A mis fin à.*
2 *Bouteilles explosives.*
3 *Soumis.*
4 *Absence de réaction, manque d'énergie.*
5 *Durables.*
6 *Expression latine signifiant « table rase », c'est-à-dire un retour à zéro.*

Christine Marsan, www.lesechos.fr, 15 janvier 2014.

LE + INFO
En France, **Mai 1968** correspond à un grand mouvement de contestation politique, sociale et culturelle, aux allures de révolution. Né dans le milieu étudiant, il s'est peu à peu généralisé à l'ensemble de la société. Cette remise en cause globale des valeurs traditionnelles a conduit à une modification profonde de la société française.

1 Ouvrez l'œil !

Lisez le titre et les questions en gras. De quoi parle l'article ?

2 Posez-vous les bonnes questions !

a. D'après le texte, qui seraient les révolutionnaires de 2014 ?
b. Quel sentiment conduit à une révolution ?
c. Quels sentiments empêchent de faire une révolution ?
d. Quels sont les ingrédients nécessaires pour la faire ?
e. De quoi rêve-t-on ? Est-ce que cela fait longtemps ?

➤ **Rêver de quelque chose, p. 109**

3 Explorez le lexique !

a. Quelles sont les différences entre les deux types de révolution évoqués ?
b. Retrouvez dans le texte les synonymes de « révolution » et les manières de la faire. Quelles sont les grandes révolutions françaises ?
c. Et vous, avez-vous l'habitude de « poster » vos insatisfactions sur les réseaux sociaux et de signer des pétitions en ligne ?

Un air de révolte

1 Formulez des hypothèses !

a. Lisez le texte. De quelle réaction typiquement française parle-t-on ? Quelles autres réactions sont citées ?

b. À votre avis, dans quelles circonstances proteste-t-on ?

« On cogne d'abord, on discute après. » La réplique d'un vieux film de série B ? Non, tout simplement le mode de gestion du conflit traditionnel en France : la grève. Les formes de résistance et de protestation empruntent également des modalités d'action diverses, soit collectives (manifestations, pétitions, rassemblements...) soit plus individualisées (action juridique, absentéisme, turn-over...).
http://v4.esseclive.com

2 Comparez des situations ! 

a. Observez, lisez et écoutez les documents. Quel est leur thème ?

b. Pour chaque document, précisez :
- qui proteste ;
- contre quoi ;
- de quelle façon ;
- avec quels sentiments.

c. Quels sont les points communs et les différences entre chaque situation ?

Doc.1

RETRAITE, SALAIRES, DROITS DES FEMMES
AGISSONS POUR L'EGALITE !

Doc.2

Nous, usagers et clients de la SNCF et de la RATP[1], sommes excédés par les grèves à répétition que connaît le secteur ferroviaire français. Nous ne remettons nullement en cause le droit de grève des agents de la SNCF et de la RATP, cependant, nous constatons que les usagers :
- ne sont pas assez pris en considération ;
- sont pris en otage pour régler les problèmes internes ;
- ne sont pas assez informés.

Aux syndicats, nous rappelons la mission de service du public auquel la SNCF et la RATP sont soumis. Nous demandons donc aux syndicats, à la direction et au gouvernement d'œuvrer pour le bien de la société et des usagers des transports ferroviaires.
Merci de signer cette pétition !

1 *Sociétés de transport nationale (train) et parisienne (métro, RER).*

Doc.3

 Contre la hausse des tarifs

LE + INFO

Au Québec, **Hydro-Québec** est l'organisme public qui produit l'électricité à partir de l'eau et la distribue, comme ERDF en France.

3 Tendez l'oreille ! 

La personne qui parle est-elle en colère ? Comment se manifeste cette émotion dans son intonation ?

4 Ça se discute ! 

« Qu'est-ce qu'un homme révolté ? Un homme qui dit non. »
Albert Camus, *L'Homme révolté*, 1951.

Et vous, qu'est-ce qui vous révolte le plus ? Montrez votre indignation en clamant votre opposition haut et fort.

EXEMPLE : *les inégalités dans le monde, les discriminations, le chômage des jeunes...*

LE + ARGUMENTATIF

PROTESTER ET S'OPPOSER
- Ah non ! Ce n'est pas possible !
- C'est une honte !
- C'est inacceptable que + *subj.*
- Je proteste contre + *nom*
- Je suis contre + *nom*
- Je suis opposé à + *nom*
- Je conteste + *nom*
- Je suis indigné / révolté par + *nom*

La révolution des objets connectés

1 Ouvrez l'œil !

Observez les images. À votre avis, quels sujets vont être abordés ?

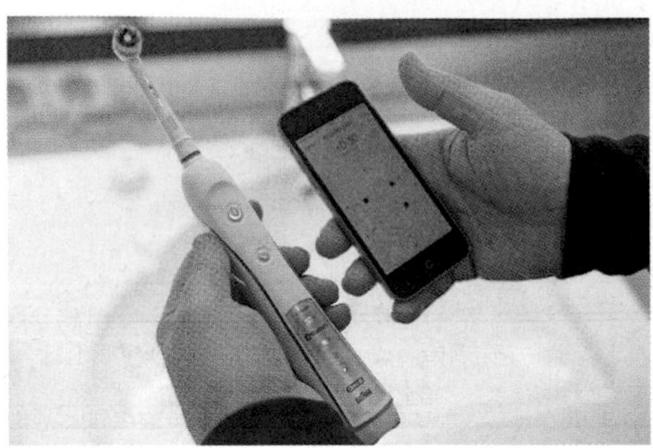

2 Posez-vous les bonnes questions !  5

Regardez la vidéo.

a. Que fait Cédric à 18h avec son téléphone ?

b. Quels objets de sa maison a-t-il connectés ?

c. Quels autres objets connectés sont cités ? Expliquez leur usage.

d. Que prévoit-on pour le futur ? Quel possible danger est évoqué ?

➤ Expliquer l'utilité et le fonctionnement d'un objet, p. 109

3 Restez à l'écoute !  5

a. Quel est le « code » qui permet à Cédric de tout éteindre dans sa maison ?

b. D'après le reportage, l'utilisation des objets connectés est-elle risquée ? Pourquoi ?

c. Citez un objet connecté qui sera bientôt commercialisé.

4 Saisissez la grammaire !  5

Retrouvez les phrases qui expriment :
- un futur proche ;
- un futur lointain.

➤ Le futur proche et le futur simple, activités p. 100

5 Tendez l'oreille !  55

a. Dites si vous entendez un enchaînement vocalique, un enchaînement consonantique ou une liaison entre les mots suivants.

b. Entendez-vous [n] entre les syllabes qui ont un enchaînement vocalique ?

6 Réagissez ! 

Par deux, vous participez au Concours Lépine. Vous vous rendez à la Foire de Paris pour présenter une découverte révolutionnaire liée à un objet technologique. Présentez-la sur votre stand en détaillant son utilité et son fonctionnement et répondez aux questions des plus curieux !

LE + INFO

Le **Concours Lépine** a été créé en 1901 par le préfet de police Louis Lépine. Cette exposition récompense les créations d'inventeurs français et étrangers. Elle a lieu chaque année à la Foire de Paris.

7 Agissez !

Vous faites partie d'une association qui défend l'utilisation du numérique et des nouvelles technologies dans tous les domaines (à l'école, dans les lieux publics, dans les transports, etc.).

Rédigez un petit texte présentant vos actions et vos projets : décrivez le monde de demain en insistant sur les améliorations que vous apporterez.

Ne perds pas ton temps !
LA TÉLÉCOMMANDE INTELLIGENTE.

En 3D, s'il vous plaît !

Dans 10 ans, l'impression 3D aura révolutionné notre quotidien !

Le professeur Tournesol l'avait « inventée » en 1972 (dans *Tintin et le Lac aux requins*), elle prend aujourd'hui vie, l'imprimante 3D !

Késako[1] ? L'imprimante 3D fonctionne un peu comme une imprimante classique : un ordinateur lui envoie un fichier et l'imprimante... l'imprime. Sauf qu'il s'agit de fichiers 3D, la représentation en trois dimensions d'un objet. Pour expliquer son fonctionnement de manière simple : l'encre est remplacée par des particules de matière (plastique, céramique...). Puis l'imprimante réalise l'objet couche par couche, pour obtenir un résultat en trois dimensions. [...]

Et dans dix ans ? Le coût de ces imprimantes va drastiquement diminuer – il se situe aujourd'hui aux alentours des 10 000 € pour de l'entrée de gamme professionnelle – et cette technologie va très vite se perfectionner. Ainsi, les particuliers pourront s'acheter ces imprimantes et imprimer eux-mêmes des objets directement depuis leur salon. Imaginez : Mme X, équipée de sa toute dernière imprimante 3D, a envie d'acheter de nouvelles assiettes. Elle se connecte sur le site d'un magasin d'ameublement, trouve le modèle parfait, l'achète en ligne et cinq minutes plus tard, ses assiettes sont imprimées et prêtes à être utilisées.

[...] Nos objets ne coûteront donc plus que leur coût d'impression. Souvenez-vous des années 2000 : chaque année, les ventes de CD et DVD dégringolaient[2], les majors[3] s'affolaient, le web était en train de tuer l'industrie du disque et du cinéma ! Qu'en sera-t-il quand les chaises de marque pourront être imprimées illégalement ? Ou pire, quand de meilleures chaises seront proposées, gratuitement, sur le net ? Combien de secteurs seront touchés ? [...]

[...] Serait-ce les prémices[4] d'une nouvelle révolution industrielle ?

1 *Expression familière venant de l'occitan et signifiant « qu'est-ce que c'est ? ».*
2 *Chutaient.*
3 *Les sociétés de l'industrie du disque.*
4 *Les débuts.*

A. Kocken, www.calageidees.com, mars 2013.

1 Ouvrez l'œil !

Regardez la photo. Qu'est-ce que c'est ?

2 Lisez et réagissez !

a. Qu'est-ce qui différencie une impression 3D d'une impression normale ?

b. Dans dix ans, quelles seront les caractéristiques de l'imprimante 3D ?

c. Pourquoi l'auteur parle-t-il de « nouvelle révolution industrielle » ?

d. Quel avenir envisage-t-il pour l'impression 3D ? Quelle comparaison fait-il ?

e. Selon vous, peut-on tout imprimer ?

➤ Envisager l'avenir, p. 108

3 Saisissez la grammaire !

Relisez le titre de l'article. Placez une croix sur l'axe temporel au moment de la révolution 3D.

Il y a dix ans — *Aujourd'hui* — *Dans dix ans* →

➤ **Le futur antérieur, activités p. 100**

4 Explorez le lexique !

a. « Dans 10 ans, la 3D aura révolutionné notre vie. » Que signifie le verbe « révolutionner » ici ? Reformulez la phrase.

b. Comment est formé le mot « révolution » ? Trouvez les trois parties du mot : le préfixe, la racine et le suffixe.

c. Entourez la racine commune de ces mots. À votre avis, que signifie-t-elle ?
présent – présentation – présenter – représentation – surreprésentation

La **racine** ou le radical d'un mot, c'est le mot sans préfixe ni suffixe. On la retrouve dans les mots de la même famille.

5 À la chasse aux mots ! 5

a. Retrouvez les mots évoquant le numérique et les nouvelles technologies dans les documents de ces pages. Classez-les par objets et actions.

b. Choisissez une racine très courante en français. Expliquez-la et, en groupes, listez tous les mots de la même famille que vous connaissez.

Exemple : *techn- = art/métier → un technicien, la technologie, la technocratie, mnémotechnique...*

Repenser l'économie, c'est capital !

Thomas Piketty révolutionne la pensée économique dominante

Certains l'appellent le « gourou des inégalités ». D'autres le comparent déjà à Karl Marx ou encore à Adam Smith. Tous s'accordent pour dire que son dernier ouvrage marque une révolution dans la façon de penser les inégalités et la répartition des richesses. Portrait de Thomas Piketty, éminent économiste français, au travers de son dernier ouvrage, *Le Capital au XXIe siècle*. Une véritable bombe intellectuelle qui fait voler en éclat les illusions de la pensée néolibérale dominante en Europe et aux États-Unis.

Héritier de Karl Marx

Quelle thèse défend Piketty dans son ouvrage ? Se basant sur une profonde analyse du système économique dominant depuis le début du XXe siècle et de son inévitable imbrication avec les idéologies politiques et sociales, il met au défi les gouvernements démocratiques de résoudre les problèmes posés par un fossé des inégalités qui ne fait que se creuser. La nouveauté de la pensée de Piketty est d'expliquer que la réduction des inégalités qui a pu être observée au cours du XXe siècle n'est qu'une illusion due aux catastrophes historiques que représentent les deux guerres mondiales. [...] Nous sommes aujourd'hui de retour dans un schéma de croissance qui profite aux plus riches et les suppositions des années d'après-guerre selon lesquelles les inégalités iraient en se réduisant apparaissent aujourd'hui comme une vaste illusion. [...]

Croissance économique *versus* croissance du capital

Dans son effort pour comprendre les économies occidentales, Piketty n'a peur ni de remonter loin dans le temps ni de se baser sur des exemples puisés dans la littérature réaliste du XIXe siècle. Balzac et Jane Austen lui servent d'inspiration pour montrer qu'à l'époque il était communément admis que le travail n'était pas une composante suffisante pour s'assurer une vie confortable : seuls l'héritage patrimonial et le capital étaient en mesure de la garantir. Pour lui, cette réalité n'a pas changé aujourd'hui.
Pour Thomas Piketty, les inégalités ne sont néanmoins pas un obstacle fondamental au bon fonctionnement d'une société. Mais lorsqu'un système voit sa courbe de croissance économique suivre une évolution normale, voire laborieuse, tandis que celle du Capital atteint des envolées exponentielles[1], il y a mise en danger de la démocratie et de la justice sociale. Les inégalités ne servent plus l'intérêt commun, mais seulement les intérêts privés d'une petite communauté de privilégiés.

Un ouvrage impartial et révolutionnaire

[...] Bien que les solutions apportées par Piketty – essentiellement une imposition massive et courageuse sur la richesse réelle, mise en place de manière progressive – soient jugées par beaucoup politiquement naïves, il semble bien que son livre ait déjà sa place sur l'étagère des traités d'économie les plus significatifs. Il continuera d'influencer penseurs et politiques dans la construction de systèmes plus justes et viables[2] dans les années, décennies, peut-être même siècles à venir.

1 *Dont la croissance est très rapide et continue.*
2 *Qui peuvent durer.*

www.visionsmag.com, 29 mai 2014.

1 Ouvrez l'œil !

Lisez le titre et observez l'image. De quoi parle l'article ?

2 Posez-vous les bonnes questions !

a. Qui est Thomas Piketty ? Pourquoi parle-t-on de lui ?

b. Quels passages correspondent aux titres suivants ?
1. Approche historique de l'économie
2. Publication d'un livre révolutionnaire
3. Présentation générale de la position de Piketty
4. Un ouvrage promis à un bel avenir
5. Une thèse paradoxale

c. Quelle est la théorie de Piketty sur les inégalités ?

d. Quels mots permettent de caractériser ce livre ?

3 Explorez le lexique !

a. Relevez dans le texte les mots de l'économie.

b. Retrouvez les termes correspondant à ces définitions :
1. Système et idéologie économique critiqués par Piketty : le système ....
2. Grande inégalité : ....
3. Les deux éléments qui, hier comme aujourd'hui, selon Piketty, assurent une aisance matérielle : ....
....
4. Les riches : ....
5. L'impôt : ....

c. Quel signe de ponctuation (autre que les virgules) est utilisé pour ajouter une précision sur les idées de Piketty ?

4 Saisissez la grammaire !

Dans la partie « une thèse paradoxale », relevez les mots qui indiquent :
- des oppositions dans les faits ;
- une contradiction apparente dans la position de Thomas Piketty.

➤ **L'opposition et la concession, activités p. 101**

5 Argumentez !

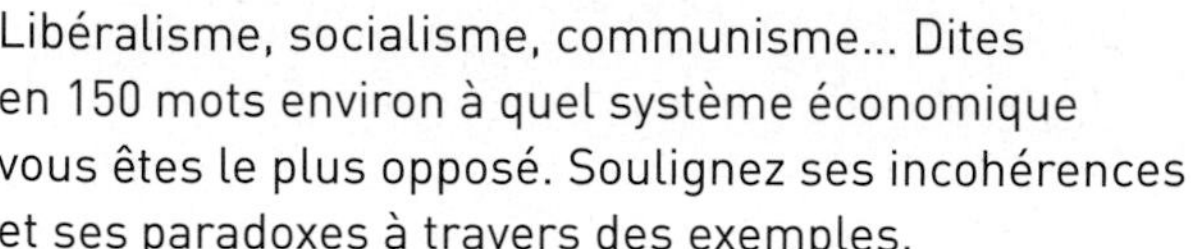

Libéralisme, socialisme, communisme... Dites en 150 mots environ à quel système économique vous êtes le plus opposé. Soulignez ses incohérences et ses paradoxes à travers des exemples.

EXEMPLE : *Même si j'ai envie de bien gagner ma vie, je suis indigné par le système capitaliste que je trouve injuste. Malgré leurs belles paroles, les socialistes ne cherchent eux aussi qu'à s'enrichir...*

La libération en pantalon

1 Écoutez !  56

Qui parle et de quoi ? De quel type de document s'agit-il ?

2 Posez-vous les bonnes questions !  56

a. Qui était Coco Chanel ? Quand a-t-elle vécu ?

b. Où a-t-elle ouvert ses premières boutiques ? Comment ont-elles été accueillies ?

c. En quoi Coco Chanel a-t-elle modifié en profondeur la mode féminine ?

d. Selon la journaliste, qu'a apporté Coco Chanel aux femmes ?

3 Explorez le lexique !  56

a. Comment s'habillaient les femmes avant et après Coco Chanel ? Relevez les mots et expressions qui évoquent la mode et la création.

b. Selon la journaliste, pourquoi Coco Chanel est-elle féministe ?

c. Quelles phrases sont adressées à l'auditeur ? Laquelle permet à la journaliste d'attirer son attention ?

d. Quelle expression la journaliste utilise-t-elle pour annoncer sa conclusion ?

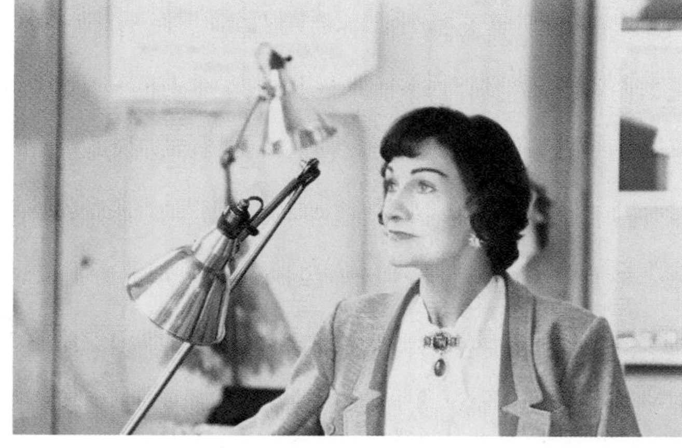

4 Saisissez la grammaire !  56

a. Réécoutez et répondez aux questions en reprenant les mots exacts du document.
- Pendant combien de temps Coco Chanel a-t-elle appris le travail avec une modiste ?
- Quand ouvre-t-elle sa première boutique ?
- Quand connaît-elle son plus grand succès ?

b. Quelles actions se suivent ? Quelles actions se passent en même temps ?

➤ **La simultanéité, l'antériorité, la postériorité, activités p. 101**

5 Tendez l'oreille !  57

Dites si vous entendez [ɔ̃], [o], [ɔ].

Réaliser une publicité pour un vêtement du futur

ACTIVITÉ ÉTAPE

- À trois, imaginez un vêtement futuriste qui pourrait changer votre vie.

  EXEMPLE : *un vêtement éphémère et écologique qui s'auto-détruit à la fin de la journée.*
- À l'écrit, imaginez les changements et avantages que cet habit pourrait apporter dans la vie quotidienne.
- Préparez un dialogue entre trois amis : l'un porte déjà le vêtement et en vante les qualités ; l'autre est hésitant ; le dernier est enthousiaste et pose des questions sur les changements que permet ce vêtement au quotidien. La deuxième personne finit par être aussi enthousiaste.
- Présentez votre publicité devant la classe.

➤ Cahier d'activités, unité 5

Le futur proche et le futur simple

→ **Écoutez et relevez le défi.** 

a. Relevez les verbes au futur.

b. Qu'exprime chaque verbe ?

c. Comment se forme le futur proche ? Et le futur simple ?

> **Le futur proche permet de situer une action dans un avenir immédiat.** Il est assez fréquent à l'oral.
> On l'utilise quand on estime qu'un événement a plus de chances de se réaliser.
>
> **Le futur simple :**
> - situe l'action dans un avenir lointain ;
> - exprime un fait programmé ;
> - permet d'exprimer une demande.

1 Lisez ce tract du « Parti des Bienheureux » et conjuguez les verbes au futur simple.

Dimanche prochain, les élections municipales *(avoir lieu)* .... Vous ne savez pas pour qui voter ? Lisez notre programme, et vous *(être)* .... conquis. Nous *(faire)* .... tout pour répondre à vos demandes. Nous *(prendre)* .... le temps de vous écouter. Nous *(tenir bon)* .... dans la tempête. Nous *(savoir)* .... vous rendre heureux ! Ensemble, nous *(conduire)* .... la commune vers plus d'harmonie ! Votez pour le PDB !

2 Futur proche ou futur simple ? Entourez la réponse la plus adaptée et justifiez.

1. Suite à la manifestation d'hier, le gouvernement *(va revenir – reviendra)* sur sa décision.
2. Pendant deux ans, les impôts *(ne vont pas augmenter – n'augmenteront pas)*.
3. Ce soir, je *(vais préparer – préparerai)* ma déclaration d'impôts. Tu peux m'aider ?
4. Les écologistes ont alerté l'opinion : bientôt, les ressources *(vont manquer – manqueront)* ! Et dans cinquante ans, il *(va être – sera)* trop tard pour réagir.
5. Je suis persuadée qu'il *(va réussir – réussira)* à mettre la réforme des impôts en place.

3 Suite à un naufrage, vous accostez sur une île déserte. Avec les survivants, vous imaginez les actions à mettre en place afin de créer une nouvelle société, que vous voulez plus juste. Pensez aux actions les plus urgentes à accomplir puis aux actions à projeter dans un avenir plus lointain.

EXEMPLE : *Nous allons explorer l'île pour trouver de la nourriture. Nous allons aussi labourer des terrains. L'année prochaine, nous pourrons ainsi cultiver des plantes.*

Le futur antérieur

→ **Écoutez et relevez le défi.** 

a. Repérez les verbes au futur simple.

b. Certaines actions ont lieu avant d'autres. Lesquelles ? Relevez les verbes.

c. Comment est formé le verbe de ces actions ?

> **On utilise le futur antérieur :**
> - avec un futur ou un impératif, pour marquer l'antériorité.
> - seul, pour un fait accompli à un moment donné du futur (généralement avec une indication de temps).
>
> **Le futur antérieur se forme avec :**
> l'auxiliaire *être* ou *avoir* au futur + le participe passé du verbe.

4 Pour chaque phrase, précisez quelle action se déroule en premier.

1. Une fois que nous aurons tous acheté des lunettes à réalité augmentée, on commercialisera des lentilles de contact bioniques.
2. Quand il aura achevé son prototype, le professeur présentera sa cape d'invisibilité à la presse.
3. J'aurai sûrement terminé mon devoir de physique quand tu rentreras.
4. Nos enfants trouveront déjà dépassées les innovations qui auront bouleversé nos vies.
5. Nous informerons la communauté scientifique aussitôt que nous aurons validé nos résultats.

5 Imaginez des solutions pour rendre possibles ces progrès révolutionnaires.

EXEMPLE : *la téléportation humaine → On se téléportera quand on aura réussi à le faire pour des objets.*

1. Les médecins imprimeront des cœurs en 3D quand...
2. Les hommes communiqueront par télépathie dès que...
3. L'enseignement se fera exclusivement par Internet lorsque...
4. Nous ferons des voyages dans l'espace après que...
5. Nous repousserons les limites de la mort une fois que...

6 Vous prenez quelques notes pour votre prochain livre de science-fiction sur un robot humain, Lolak, qui devient une star internationale. Décrivez les différentes étapes de la vie de Lolak. 

Quand Lolak aura été mise au point, elle ressemblera à une femme normale. Son créateur tombera fou amoureux d'elle car il l'aura programmée pour être la femme idéale. Mais...

L'opposition et la concession

→ Écoutez et relevez le défi. 

a. Relevez les cinq mots qui indiquent une opposition.

b. Lesquels opposent deux faits ? Lesquels soulignent une contradiction apparente (concession) ?

c. Précisez leur construction.

Pour exprimer l'opposition, on peut utiliser :
- *alors que, tandis que* + indicatif
- *contrairement à* + nom
- *mais, au contraire, à l'opposé, par contre, en revanche*

La concession est une forme d'opposition. Elle présente deux idées qui peuvent sembler illogiques.
Pour exprimer la concession, on peut utiliser :
- *même si* + indicatif
- *bien que, quoique* + subjonctif
- *malgré, en dépit de* + nom
- *mais, or, pourtant, cependant, néanmoins, toutefois*

7 Pour chaque phrase, dites s'il s'agit d'une opposition ou d'une concession.

1. Contrairement à leurs parents, les jeunes estiment que leur génération est « sacrifiée ».
2. Bien qu'ils ne conçoivent pas de vivre sans travailler, plus de la moitié des jeunes estiment que leurs efforts ne sont pas assez récompensés.
3. Tandis que les jeunes jugent la génération précédente responsable de la crise actuelle, leurs parents s'inquiètent pour leur avenir professionnel.
4. Ils sont 85 % à penser qu'il y a de plus en plus d'inégalités en France, pourtant ils sont peu nombreux à agir concrètement pour y remédier.
5. Quoique les jeunes soient 47 % à penser que leur avenir sera pire que celui de leurs parents, ils sont 63 % à être optimistes pour l'avenir.

Source : enquête « Génération quoi ? », 2014.

8 Écrivez des tweets pour rendre compte des faits d'actualité suivants. Utilisez les mots de l'opposition ou de la concession.

1. Résultats du référendum : 67 % de « oui » et une abstention record
2. Fin de la grève : pas de revalorisation de salaire pour les employés
3. Pétition inutile contre la réforme constitutionnelle
4. Manifestation des sages-femmes : soutien de la gauche, indifférence de la droite
5. Échec de la conférence sur le climat

9 Vous trouvez que vous êtes mal payé et mal considéré malgré l'important travail que vous fournissez. Vous allez voir votre patron pour démissionner en lui expliquant les raisons de votre départ. Il essaye de vous retenir.

L'antériorité, la simultanéité et la postériorité

→ Observez et relevez le défi.

Les Françaises se sont émancipées vers 1920 : après la Grande Guerre, elles ont adopté des tenues plus confortables et modernes. Après que Rochas, Lanvin et Chanel ont habillé les Françaises durant l'entre-deux-guerres, le *New look* de Christian Dior s'est imposé. Tandis que Coco Chanel habillait les femmes d'un petit tailleur strict, Dior lançait ses robes « corolle ». Le look Dior connaît ensuite un succès international avant qu'Yves Saint-Laurent n'impose ses robes droites à partir de 1954.

a. Relevez les indications de temps.

b. Qu'expriment-elles ? La simultanéité, l'antériorité, la postériorité ?

c. Précisez le temps des verbes employé dans chaque cas.

Pour exprimer la simultanéité, on peut utiliser :
- *quand, lorsque* + indicatif (moment précis)
- *alors que, tandis que, pendant que* + indicatif (durée)

Pour exprimer l'antériorité, on peut utiliser :
- *avant que* + subjonctif / *avant de* + infinitif
- *jusqu'à ce que* + subjonctif

Pour exprimer la postériorité, on peut utiliser :
- *après que* + indicatif / *après* + infinitif passé
- *une fois que* + indicatif
- *dès que, aussitôt que* + indicatif

10 Terminez les phrases suivantes.

1. Tu verras sa nouvelle robe le jour où...
2. J'achèterai un vêtement de marque avant...
3. Il portera des cravates au travail aussi longtemps que...
4. Nos clients appréciaient nos collections jusqu'à ce que...
5. Il se préparait pendant que...

11 Reliez les deux faits avec le connecteur de temps de votre choix.

1. Ouverture d'une maison de haute couture à Lyon / Grand succès de la première collection
2. Photographie d'une star portant un vêtement spécial / Effet de mode chez les adolescentes
3. Port d'un costume toute la semaine / Port d'un jean le week-end

12 Vous êtes maire et vous accueillez un grand couturier en visite dans votre ville. La veille, vous détaillez le programme de la journée à un ami. Il vous demande des précisions.

EXEMPLE : *– Dès que je serai debout, j'irai à la mairie pour donner des ordres.*
– Et après ?

Gérer une situation de crise

1 Réagissez ! 

a. Observez l'image. Que voyez-vous ? Imaginez ce qui se passe. Quels sentiments cette situation vous inspire-t-elle ?

b. Écoutez le document. Combien y a-t-il de personnes ? Comment réagissent-elles ?

c. Quelles solutions sont proposées pour résoudre le problème ? Sont-elles efficaces ?

2 C'est dans la boîte ! 

Écoutez de nouveau et complétez la boîte à outils avec les exemples du document.

BOÎTE À OUTILS 

Gérer une situation de crise

Faire face au problème

- Évoquer un problème : ....

....

- Réagir en exprimant ses sentiments :
  la peur : ....
  le sang-froid : ....
- Analyser la situation : ....

....

Résoudre le problème

- Demander de l'aide : ....
- Proposer une solution : ....
- Répondre à une proposition : ....

3 Du tac au tac ! 

Formez des groupes et mettez-vous en ligne. Dans chaque groupe, défilez les uns après les autres devant la première personne de la ligne en lui donnant une situation problématique. Elle réagit « du tac au tac » en proposant une solution. Inversez les rôles et inventez d'autres situations.

LE + COMMUNICATION

RASSURER

- C'est / Ce n'est pas grave...
- Ce n'est rien !
- Rassurez-vous !
- Ne t'inquiète pas. / T'inquiète !
- N'aie pas peur.

4 Le son et le ton qu'il faut !

1 Repérez ! 

Réécoutez ces extraits.

a. Qui est en colère ? Comment se manifeste cette émotion dans son intonation ?

b. Quels types d'enchaînements entendez-vous entre les mots suivants ? Entendez-vous [n] entre les syllabes concernées ?

c. Dites si vous entendez [ɔ̃], [ɔ].

- **Avec l'enchaînement vocalique**
  Ne prononcez pas le *n* ! Gardez la langue en bas.
  une création utile
- **Avec la liaison**
  Prononcez le *n* dans la syllabe de la liaison.
  On est coincés ! = On-nest-coin-cés !

2 Prononcez ! 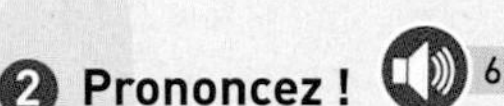

Réécoutez les phrases. Le plus rapidement possible, retrouvez le son [ɔ̃] dans deux prises de parole.

3 Mettez-y le ton ! 

a. Écoutez. Que se passe-t-il ? Comment réagit le jeune homme ?

b. À votre tour, exprimez votre colère en une phrase.

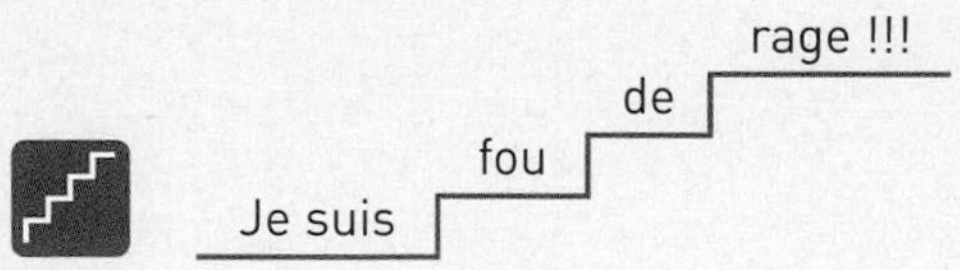

Quand on est en colère, la voix monte très haut ↗↗ sur la dernière syllabe du groupe de mots.

C'EST À VOUS !

- Formez des groupes de trois et définissez une situation problématique.
  EXEMPLE : *Vous avez invité votre chef et sa femme à dîner, mais vous vous êtes trompé de soir, et rien n'est prêt à leur arrivée.*
  Vous avez un exposé à faire mais vous avez oublié vos notes à la bibliothèque...
- Distribuez les rôles.
  EXEMPLE : *le peureux, le raisonnable et le colérique.*
  Puis réfléchissez au déroulement de la scène : vous analysez la situation et imaginez des solutions pour résoudre le problème.
- Jouez la scène !

Écrire un essai argumentatif

Évolution ou révolution ?

Le mot de « révolution » s'emploie facilement aujourd'hui, dès qu'il y a un changement ou une petite évolution. En réalité, les vraies révolutions sont rares. Quand peut-on parler de révolution et quand s'agit-il d'une simple évolution ? Petit panorama des grands événements de notre Histoire.

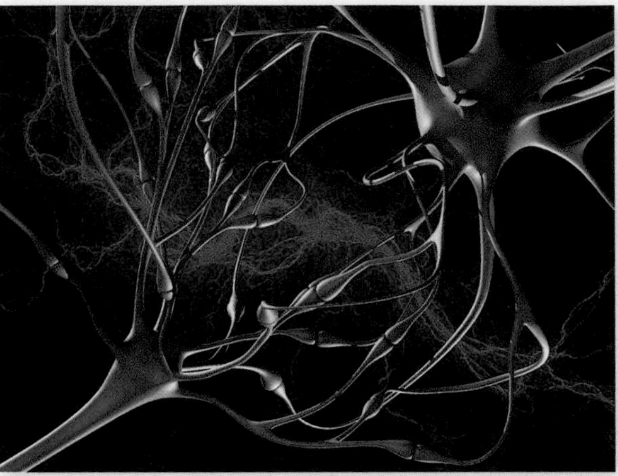

Intéressons-nous tout d'abord à l'invention de l'imprimerie. Selon Victor Hugo, ce n'est là que « le plus grand événement de l'Histoire »... Autrement dit, un événement, pas une révolution ! Elle a pourtant permis à partir de la Renaissance une très large diffusion du savoir et a également facilité sa conservation. Ainsi, elle représente un progrès exceptionnel.

Qu'en est-il de la révolution industrielle ? L'expression indique tout de suite de quoi il s'agit. En effet, le passage à la fin du XVIIIe siècle à une société industrielle, alors que l'agriculture dominait depuis des siècles, a favorisé le développement de nombreux pays et a causé un bouleversement profond et durable des sociétés occidentales. On peut par conséquent bien parler de révolution.

Enfin, beaucoup plus récemment, au début du développement des neurosciences, les scientifiques ont véritablement cru que les nouvelles connaissances sur l'homme allaient révolutionner la médecine, en psychiatrie par exemple. Néanmoins, les déceptions ont suivi l'enthousiasme des débuts puisque de nombreuses questions demeurent sans réponse. Mais n'est-il pas normal pour toutes les révolutions de passer par des moments d'enthousiasme, puis de déception ?

Pour conclure, peu d'événements méritent d'être qualifiés de « révolution », mais celles-ci existent bel et bien. Est-ce le cas pour le big bang numérique ? Aujourd'hui, nous sommes dans la période d'enthousiasme. Mais durera-t-elle ?

D'après Françoise Pétry, « Évolution ou révolution ? », *Pour la Science*, novembre 2013.

1 En un clin d'œil !

a. Lisez le titre de l'article. Pour vous, quelle serait la différence entre une évolution et une révolution ?

b. Quelles sont les différentes parties de ce texte ?

2 Posez-vous les bonnes questions !

Lisez le texte.

a. Quelle question pose l'auteur ? Quelle réponse propose-t-elle ?

b. Combien d'événements analyse-t-elle ? De quoi s'agit-il ?

c. Comment est construit le paragraphe qui présente le troisième événement ? Nommez ses différentes étapes.

3 C'est dans la boîte !

Complétez la boîte à outils en retrouvant les informations dans le texte.

BOÎTE À OUTILS 

Écrire un essai argumentatif

Introduire

- Le thème : ....
- La question posée : ....

Développer son argumentation

- Enchaîner des idées : ....
- Exprimer des liens logiques :
  la cause : ....
  la conséquence : ....
  l'opposition : ....
  un paradoxe : ....
- Donner un exemple, citer quelqu'un : ....
- Reformuler une idée : ....

Conclure

- Une phrase pour résumer : ....
- Une ouverture : ....

4 Du tac au tac ! 

a. Le numérique est-il une révolution ? Par deux, cherchez quelques arguments pour répondre à cette question.

b. Pour chaque argument, cherchez un exemple.

5 Comment ça s'écrit ?

Repérez dans le document comment s'écrivent les sons [ɔ̃], [ɔn].

[ɔ̃]	....
[ɔn]	....

C'EST À VOUS !

Selon vous, le numérique est-il un vrai progrès ? Donnez des arguments en vous appuyant sur des exemples précis (160-180 mots).

LE + STRATÉGIE

N'oubliez pas : pour écrire un essai, l'essentiel est d'abord de préparer des arguments et de faire la distinction entre arguments et exemples.

Lire à voix haute

Pour découvrir ou faire découvrir des révolutions culturelles, historiques ou scientifiques, vous allez lire un texte à voix haute. Pour cela, inspirez-vous des activités culturelles proposées et lancez-vous !

1 Respiration

À quelle(s) occasion(s) avez-vous été l'auditeur (ou l'acteur) de lectures à voix haute ? Quel était le ton employé ? Échangez.

2 Inspiration

- Lisez les titres des documents à voix haute. Imaginez le domaine de ces événements et objets culturels : technologie, théâtre...
- Observez les images et faites des hypothèses sur le contenu de chaque document. Lisez les textes associés.
- Quelle activité vous semble la plus adaptée pour illustrer le thème de la révolution ?

3 Création

- Par trois, isolez les trois événements ou objets que vous préférez parmi ceux proposés. Vous allez les présenter dans une émission culturelle radiophonique.
- En vous aidant de la ponctuation, repérez le ton employé pour les présenter : enthousiaste, publicitaire, neutre... Entourez les mots-clés : ce sont ceux sur lesquels vous devrez insister.
- Chacun à votre tour, présentez un événement ou un objet à voix haute. Pour cela, lisez le texte debout devant la classe. Prenez le temps de lire en faisant des pauses et en respectant la ponctuation. Soignez votre intonation.
- Vous pouvez aussi vous enregistrer (avec le matériel de la classe, votre téléphone portable, un logiciel en ligne...) et diffuser ensuite les enregistrements en classe ou sur un réseau social.

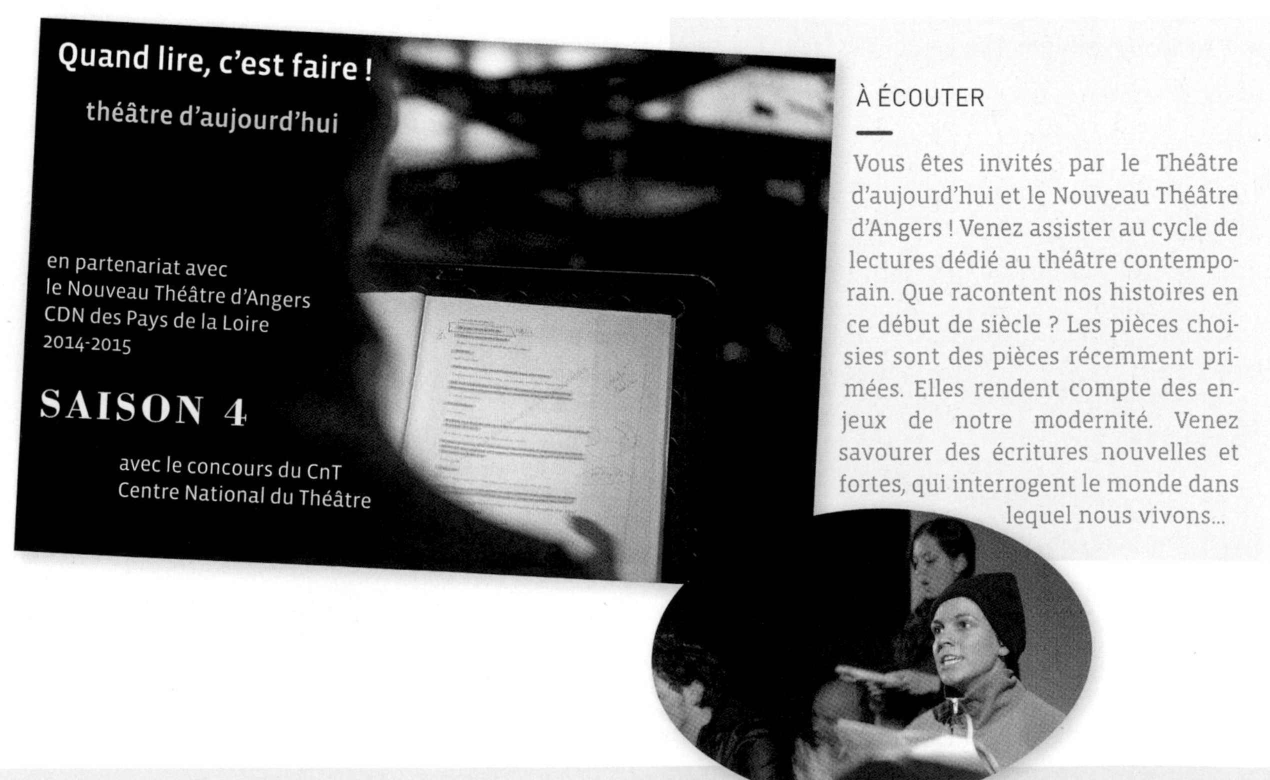

Quand lire, c'est faire !
théâtre d'aujourd'hui
en partenariat avec
le Nouveau Théâtre d'Angers
CDN des Pays de la Loire
2014-2015
SAISON 4
avec le concours du CnT
Centre National du Théâtre

À ÉCOUTER

Vous êtes invités par le Théâtre d'aujourd'hui et le Nouveau Théâtre d'Angers ! Venez assister au cycle de lectures dédié au théâtre contemporain. Que racontent nos histoires en ce début de siècle ? Les pièces choisies sont des pièces récemment primées. Elles rendent compte des enjeux de notre modernité. Venez savourer des écritures nouvelles et fortes, qui interrogent le monde dans lequel nous vivons...

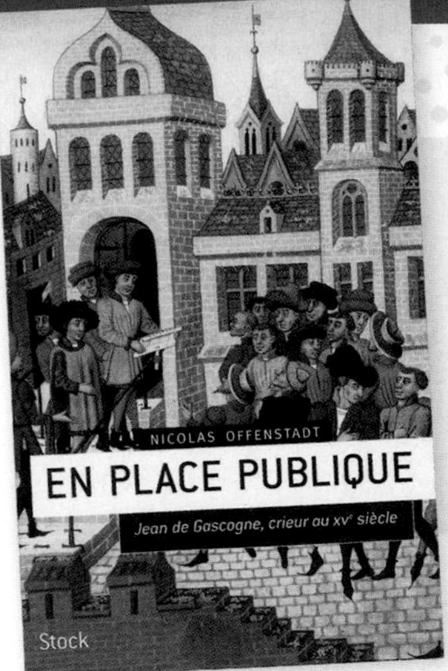

À LIRE

Au Moyen Âge, les crieurs étaient chargés d'annoncer et de lire à haute voix les ordres et les règlements. Plutôt que d'envisager les crieurs publics comme de simples agents administratifs, ce livre les présente comme des acteurs-clés de la politique médiévale. Jean de Gascogne, crieur du xve siècle, nous accompagne dans ce voyage.

Nicolas Offenstadt, *En place publique : Jean de Gascogne, crieur au xve siècle*, Stock, 2013.

À VOIR

Qu'est-ce que *Rhinocéros* ? Un animal cornu d'Afrique ? C'est aussi une pièce d'Eugène Ionesco, écrite en 1959. Œuvre incontournable du théâtre de l'absurde – ce mouvement d'avant-garde qui présente l'homme perdu dans un monde incompréhensible –, la pièce met en scène une petite ville tranquille soudain bouleversée par la métamorphose de ses habitants en rhinocéros. Seul Bérenger n'est pas atteint. Pourtant, ne serait-il pas plus simple de faire comme tout le monde ?

Rhinocéros, mise en scène d'Emmanuel Demarcy-Motaun. DVD Arte.

« Il n'y a pas d'autre solution que de les convaincre, les convaincre, de quoi ? Et les mutations sont-elles réversibles ? Hein, sont-elles réversibles ? Ce serait un travail d'Hercule, au-dessus de mes forces. D'abord, pour les convaincre, il faut leur parler. Pour leur parler, il faut que j'apprenne leur langue. Ou qu'ils apprennent la mienne ? Mais quelle langue est-ce que je parle ? Quelle est ma langue ? Est-ce du français, ça ? Ce doit bien être du français ? Mais qu'est-ce que du français ? »

Ionesco, *Rhinocéros*, acte III, Gallimard.

À ACHETER

Vous avez des difficultés à lire ? Vous êtes en cours d'apprentissage ? Offrez-vous un petit bijou de technologie : *FingerReader*, la bague qui lit à voix haute le texte que vous pointez du doigt ! Vous adopterez rapidement ce dispositif totalement innovant, permettant de lire un texte imprimé sur liseuse ou sur papier, à voix haute.

LE MUSÉE McCORD PRÉSENTE
ARCHIVES À VOIX HAUTE
PLACE AUX FEMMES

À l'occasion de la Journée internationale de la femme

À ÉCOUTER

À l'occasion de la Journée internationale de la femme, Archives à voix haute présente : « Place aux femmes ». Huit archivistes prêtent leur voix à des documents d'archives et font revivre, dans une mise en scène dynamique, l'histoire des femmes au Québec. Pendant une heure, ils redonnent vie à des situations et des événements inspirants pour l'avenir.

Musée McCord, Montréal, 7 et 8 mars 2014.

POINT RÉCAP'

Faire un voyage dans le temps

ACTIVITÉ BILAN

- Formez des groupes de quatre : deux voyageurs qui viennent du passé et deux personnes d'aujourd'hui.
- Choisissez ensemble un moment historique associé à un événement ou à un objet révolutionnaire.
  EXEMPLE : *l'imprimerie à la Renaissance, la mini-jupe en Mai 1968, Internet à la fin du xxe siècle...*
  Puis, définissez l'époque des voyageurs (elle doit être antérieure au moment historique choisi).
- Les voyageurs du passé décrivent leur société et ses problèmes (économiques, sociaux, etc.) et parlent de ce qui les révolte (oppression du roi, pauvreté, manque de liberté pour les femmes, etc.). Les hommes du présent leur proposent une solution révolutionnaire pour améliorer la situation et argumentent.
- Chacun fait des prévisions différentes pour le futur. Les voyageurs repartent convaincus.

Quoi ?

- le progrès
- une avancée, une innovation
- les objets connectés, l'impression 3D
- une mutation, une évolution, une transformation, un processus
- un bouleversement
- un conflit, une crise
- un mouvement d'avant-garde
- la Renaissance, l'invention de l'imprimerie, la révolution industrielle, Mai 1968, la révolution numérique...
- majeure, profonde, irréversible, structurelle
- un modèle de société
- une manière de penser, une idéologie
- un système économique
- la pensée néo-libérale / social-démocrate, le communisme
- un mode de production
- l'ordre établi, les autorités en place

Qui ?

- un contestataire
- un acteur-clé
- un étudiant
- un ouvrier
- un syndicat
- un penseur
- un homme politique
- un groupe / mouvement communautaire, populaire, syndical
- démuni, frustré
- rebelle au système

- Envisager l'avenir
  > Dans un mois, dix ans, un siècle...
  > Cette technologie va se perfectionner.
  > Les particuliers pourront + *inf.*
  > Qu'en sera-t-il quand + *futur* ?
  > Serait-ce les débuts / prémices de + *nom* ?

MEMO Grammaire

➤ Précis grammatical, pp. 202-213

Le futur proche et le futur simple

Le futur simple et le futur proche permettent d'exprimer des faits qui vont avoir lieu dans un avenir plus ou moins proche, plus ou moins certain.

EXEMPLE : *– Ce soir, je* ***vais cuisiner*** *un rôti de veau.*
– Quel dommage ! J'ai un rendez-vous. Tu ***pourras*** *m'en refaire un bientôt ?*

❗ > L'événement va-t-il se produire bientôt ?
> Est-il certain ?
> Où placer les pronoms, la négation, les adverbes ?

Le futur antérieur

Le futur antérieur exprime l'antériorité par rapport au futur ou à l'impératif. Employé seul, il peut aussi indiquer un fait déjà accompli à un moment précis du futur.

EXEMPLE : *La remise des diplômes se fera au secrétariat dès que l'université* ***aura publié*** *les résultats.*

❗ > Dans quel ordre se déroulent les actions ?
> Quel auxiliaire employer ?
> Dois-je faire l'accord ?

Comment ?

- une marche, un cortège, une manif(estation), une grève, une émeute
- résister, contester, protester, se révolter contre, faire bouger le système, remettre en cause, réformer, prendre le pouvoir, destituer (un régime)
- signer une pétition contre / pour, organiser un rassemblement
- mener une action juridique, faire des réunions, militer
- poster une insatisfaction, réagir sur les réseaux sociaux
- s'inspirer du passé ≠ faire table rase du passé

- **Faire face à un problème, le résoudre**
  - › Au secours ! À l'aide ! Aidez-moi !
  - › Mais qu'est-ce qui se passe ?
  - › Comment fait-on pour + *inf.* ?
  - › Analysons calmement la situation.
  - › Réfléchissons un peu.
  - › Il faut + *inf.* / Mieux vaut + *inf.*
  - › Peut-être qu'on pourrait + *inf.* ?
  - › Pourquoi ne pas + *inf.* ?
  - › Et si + *imparfait* ?

Pourquoi ?

- la guerre
- une discrimination, une injustice, des inégalités
- le coût de la vie
- un système juste, viable
- l'égalité des droits
- l'intérêt commun, la démocratie
- la justice sociale
- améliorer le quotidien

- **Rêver de quelque chose**
  - › un monde meilleur
  - › une place juste et digne
  - › des lendemains qui chantent
  - › rêver de + *nom* ou + *inf.*
  - › attendre patiemment, fiévreusement
  - › ne rien avoir à perdre

- **Expliquer l'utilité et le fonctionnement d'un objet**
  - › Késako ?
  - › Elle fonctionne comme...
  - › Son fonctionnement est très simple.
  - › Ça marche comme ça : ...
  - › Il sert à...
  - › On peut l'utiliser pour + *inf.*

- **Protester et s'opposer**
  - › Ah non ! Ce n'est pas possible !
  - › C'est une honte !
  - › C'est inacceptable que + *subj.*
  - › Je proteste contre + *nom*
  - › Je suis contre + *nom*
  - › Je suis opposé à + *nom*
  - › Je conteste + *nom*
  - › Je suis indigné / révolté par + *nom*

L'opposition et la concession

L'opposition présente deux faits de nature équivalente. La concession exprime une opposition qui peut sembler illogique.

EXEMPLES : – *Ce smartphone a plus d'autonomie* ***alors que*** *celui-ci a plus de fonctionnalités.*
– *J'****ai beau*** *avoir assez d'argent, je n'achèterai pas de smartphone.*

❗ › Faits équivalents ou paradoxe ?
› Quelle expression choisir ?
› Indicatif, subjonctif ou infinitif ?

L'antériorité, la simultanéité et la postériorité

De nombreux indicateurs de temps permettent d'exprimer que deux actions se passent l'une avant l'autre (antériorité), l'une après l'autre (postériorité) ou en même temps (simultanéité).

EXEMPLE : ***Quand*** *le journal commencera, on passera à table. Mais* ***avant de*** *regarder le film, il faudra débarrasser...* ***Une fois que*** *la cuisine sera propre, on pourra enfin s'asseoir au salon !*

❗ › Dans quel ordre se déroulent les actions ?
› Ont-elles le même sujet ?
› Indicatif, subjonctif ou infinitif ?

Les documents sonores sont téléchargeables sur le site www.didierfle.com/saison.

PARTIE 1 COMPRÉHENSION DE L'ORAL

Vous allez entendre deux fois un document.
Vous avez 30 secondes de pause entre les deux écoutes, puis 1 minute pour vérifier vos réponses.
Lisez les questions, écoutez le document puis répondez.

1. Qu'est-ce l'homme demande à la femme ?

....

2. Quel est son sentiment ?

☐ Il est calme.
☐ Il est énervé.
☐ Il est ennuyé.

3. De quoi l'homme a-t-il peur ?

☐ de rester tout seul
☐ de la chute de l'ascenseur
☐ de passer la nuit dans l'ascenseur

4. Pour quelle raison l'homme ne peut-il pas ouvrir les portes tout seul ?

....

5. Que doit faire l'homme ?

☐ aider le technicien.
☐ attendre calmement.
☐ parler avec la dame.

6. S'il a un problème, que peut faire l'homme ?

....

PARTIE 2 COMPRÉHENSION DES ÉCRITS

Lisez les informations du magazine puis répondez aux questions.

Basilique Notre-Dame-de-la-Garde

Cette basilique fait partie du paysage de la ville. Les Marseillais l'appellent « la Bonne Mère ». C'est elle qui protège les marins et les pêcheurs. Où que vous soyez dans Marseille, vous pourrez apercevoir la statue monumentale dorée de 11,2 mètres. Mais n'hésitez pas à aller visiter l'intérieur de la basilique qui est absolument magnifique.

Horaires d'hiver : tous les jours, de 7h à 19h. Entrée gratuite.
Accès en voiture ou en taxi. Parking au pied de la basilique. Métro en centre-ville.

Musée des Beaux-Arts

Découvrez le plus ancien des musées marseillais. Le musée des Beaux-Arts expose plus de 2 000 tableaux, 300 sculptures et 3 000 œuvres et dessins. Une façon originale de découvrir l'Histoire de la région.

Horaires : du mardi au dimanche de 10h à 18h.
Tarif : adulte 10 € / enfant 3 €.
Accès : métro ligne 1 et tram ligne 2 – station Longchamp

Le musée des civilisations de l'Europe et de la Méditerranée (MuCEM)

Visitez l'un des musées les plus modernes en France : le MuCEM. Ce tout nouveau musée présente des œuvres des civilisations européenne et méditerranéenne.

Ouvert tous les jours (sauf le mardi) de 11h à 19h jusqu'au 31 octobre, et en nocturne les vendredis jusqu'à 22h.
Billet MuCEM tarif plein : 8 € – Billet MuCEM tarif réduit : 5 €
Accès en métro : station Vieux-Port ou Joliette (10 minutes de marche environ).

Planétarium de l'observatoire de Marseille

Pour passer une après-midi sous les étoiles, rendez-vous au planétarium. Vous pourrez admirer la grande lunette de l'observatoire et observer le soleil avec le télescope (suivant la météo) de Foucault.
Expositions « Histoire d'un grand télescope » et « À la découverte des marées ».

Ouvert au public les mardis et mercredis de 12h à 18h en période scolaire
Réservation conseillée. Tarif : 3,5 €
Accès : métro ligne 1 et tram ligne 2 – station Longchamp
Parking gratuit.

Vous êtes en vacances à Marseille, dans le sud de la France, et vous voulez faire une visite. Vous êtes libre le mardi après-midi de 14h à 17h. Le budget dont vous disposez est de 7 € maximum. Comme il fait froid en ce moment, vous ne voulez pas faire de visite à l'extérieur. Vous ne souhaitez pas utiliser votre voiture.
Vous choisissez parmi ces propositions celle qui convient le mieux à vos exigences.

1. Notez les lieux qui répondent à chacun des critères.

Ouvert le mardi	....
Ouvert l'après-midi	....
Budget de 7 €	....
Visite à l'intérieur	....
Accès en transports en commun	....

2. Quelle visite allez-vous faire ? ....

PARTIE 3 PRODUCTION ÉCRITE

Vous écrivez un texte au conseil municipal de votre ville pour parler de vos attentes et de vos inquiétudes et dire ce que vous pensez de votre quartier. Rédigez un texte détaillé et cohérent de 160 à 180 mots.

Les comités de quartier arrivent dans votre ville, prenez la parole !

Vous souhaitez :
- vous investir dans la vie de votre quartier ?
- agir pour améliorer votre quotidien ?

Participez au premier comité de quartier.

....
....
....
....
....
....
....
....
....
....

PARTIE 4 PRODUCTION ORALE

Vous dégagez le thème soulevé par le document et vous présentez votre opinion sous la forme d'un exposé personnel de 3 minutes environ.

Qu'en pensez-vous ? Apprend-on mieux sur un support papier ou sur un écran ?

Le papier contre les écrans ?

Différentes études démontrent que c'est à partir d'un support papier que l'on semble le mieux apprendre, mais il faut le reconnaître, la différence est faible. Une chercheuse anglaise a mené une étude qui montre que si l'on donne les mêmes documents à des étudiants sur écran ou sur papier, la mémorisation est la même. Toutefois, la mémorisation serait meilleure à partir du support papier quand le thème du document n'est pas connu des étudiants. Cela pourrait s'expliquer par le fait qu'en lisant un document papier, nous enregistrons également l'objet qui sert de support (page, livre, revue...) et nous nous en souvenons visuellement, ce qui favoriserait la mémorisation.

Source : www.futura-sciences.com.

Unité 6

S'engager avec passion

S'INFORMER

- Évoquer une performance
- Décrire une tradition
- Parler de soi
- Décrire une évolution personnelle
- Insister, renforcer ses propos
- Écrire le texte d'une campagne de communication

▶ Activité Étape
Témoigner dans un reportage télévisé

S'EXPRIMER

- Faire un court exposé
- Prendre des notes

▶ L'atelier créatif
Exprimer ses émotions

S'ÉVALUER

▶ Activité Bilan
Se rencontrer entre passionnés anonymes

- DELF B1

Ça fait sens !

- Observez l'image. Qui sont-ils ? Par quels sentiments sont-ils habités ?
- D'après le document audio, à quoi peut-on rattacher la passion ?
- Et vous, pouvez-vous vivre sans passion(s) ?

Le goût du risque

QUANND LE VIDE PASSIONNE

Le *roofing* est une pratique qui fait de plus en plus d'adeptes.

Depuis quelques années maintenant, les adeptes du *roofing* sont de plus en plus nombreux. On ne parle pas ici du métier de couvreur[1] (car c'est la première signification du terme), mais bien de ces créatures mi-hommes, mi-araignées, qui gravissent les bâtiments, et ce, sans mesures de sécurité et souvent de manière illégale. Ils repoussent sans cesse leurs limites en escaladant des structures toujours plus hautes.

En France, nous avons Alain Robert que l'on surnomme l'« homme araignée », tant ses performances sont impressionnantes et aux limites des capacités humaines. À son palmarès, on compte l'ascension de la Tour Eiffel, la tour principale de la Défense, et à l'étranger, l'Empire State Building à New York, les Petronas Twin Towers en Malaisie qui lui ont valu son record sans assurage[2] dans la discipline (452 mètres !). Ce petit homme d'1,65 mètre et 50 kg a réussi à faire de cette passion son métier, en se faisant sponsoriser, même si la pratique reste illégale.

Alain Robert a enfanté un véritable mouvement qui fait un boom considérable en Russie. Nombreux sont les jeunes grimpeurs urbains qui s'adonnent désormais à cette pratique vertigineuse. Ils escaladent toutes sortes de constructions, se filment ou se photographient une fois leur but atteint, perchés aux sommets. Cette pratique est tellement dangereuse que l'on peine à comprendre l'engouement[3] croissant pour celle-ci. Contrairement à Alain Robert qui constitue un cas isolé, et qui exerce cette passion comme un métier, c'est-à-dire de manière extrêmement rigoureuse et méthodique, ces groupes de *roofers* russes sont très répandus et ne sont pas dotés de la même expérience. Si cette activité est extrêmement risquée, de plus en plus nombreux sont ceux qui pourtant l'exercent. Comment expliquer cet attrait pour le danger, cette passion de l'extrême qui vous emmène à la frontière entre la vie et la mort ?

Une étude sur le risque dans la pratique de l'escalade a mis en avant l'argument que David Le Breton cite dans son livre, *Passions du risque*, pour tenter d'expliquer la raison d'être des sports extrêmes. Pour Le Breton, la quête d'identité est ce qui motive en premier lieu les pratiques à risques. Il assimile l'engouement pour ces pratiques à une opposition essentielle au type d'orientation que prend notre société occidentale, dans laquelle les repères sont confus. Ainsi, le risque du *roofing* permettrait aux jeunes de réaliser leur identité. Leur motivation est certainement à trouver du côté d'une volonté de sortir d'un carcan[4], de se démarquer par une activité hors du commun.

1 *Un couvreur répare les toitures des édifices.*
2 *Sans protection.*
3 *Admiration, passion pour quelque chose.*
4 *Contrainte, emprisonnement.*

Alice Barret, www.novaplanet.com, 29 juillet 2014.

1 Ouvrez l'œil !

Observez la photo et lisez le titre. De quoi et de qui parle l'article ?

2 Posez-vous les bonnes questions !

a. Qu'est-ce que le *roofing* ?
b. Qui est Alain Robert ?
c. Comment se développe le mouvement aujourd'hui ?
d. Quelles performances accomplissent les personnes qui le pratiquent ?
e. Quel argument est proposé par Le Breton ? Expliquez-le.

➤ Évoquer une performance, p. 129

3 Explorez le lexique !

a. Dans le texte, relevez les mots liés au thème de la passion.
b. Quels termes et expressions permettent de décrire un danger ou des risques ?
c. Les sports extrêmes vous attirent-ils ? Pourquoi ?

LE + INFO

Les « **sports extrêmes** » sont des sports relativement récents, d'aventure, de glisse, etc. Parmi les plus connus, on peut citer par exemple le saut à l'élastique, la chute libre, le parapente, le parachute, le rafting, le kayak, l'escalade, l'alpinisme, etc.

La politique au cœur

1 Formulez des hypothèses !

a. Lisez le texte. Quelles émotions peut provoquer la passion pour la politique ?

b. À votre avis, dans quelles situations ces sentiments peuvent-ils s'exprimer ?

La vie politique des sociétés humaines est le théâtre d'une affectivité importante où se développent la réprobation, la colère, la fureur ou, au contraire, l'admiration, la ferveur et l'adulation. Ces passions politiques sont collectives, partagées par une catégorie sociale, une classe ou une nation ; elles sont aussi individuelles, ressenties par le sujet.
Pierre Ansart, *La vie des idées* (hors-série n° 21), juin 2011.

2 Prenez des notes !  66

a. Observez et lisez les documents 1 et 2. Soulignez les idées principales et les mots-clés.

b. Écoutez le document 3. Prenez des notes : qui ? quoi ? quand ? où ?

c. Comparez ce que vous avez retenu avec votre voisin.

Doc.1

EUROPE ÉCOLOGIE de l'Isère LES VERTS
POUR ÉVITER D'AVOIR LES BOULES EN MARS INSCRIS-TOI SUR LES LISTES ÉLECTORALES* !
*avant la trêve des confiseurs
RDV dans ta mairie avec une pièce d'indentité et un justificatif de domicile avant le 31 décembre 2010
www.isere2011.fr
NE PAS VOTER NUIT GRAVE À LA DÉMOCRATIE...
ÉLECTIONS CANTONALES DES 20 ET 27 MARS 2011

Doc.2

Des motivations diverses de militer

« Je veux pouvoir me regarder tous les matins dans une glace en me disant : peut-être qu'on ne vit pas dans un monde juste, mais je fais ce que je peux pour que ce ne soit plus le cas », affirme Julien, 25 ans, militant à la Ligue des droits de l'homme qui se considère volontiers comme un idéaliste.

« J'ai commencé à militer à l'entrée du lycée, après une prise de conscience au collège. La protection de la planète me tenait déjà à cœur. Depuis que je vis à Paris pour mes études, je suis militant à Greenpeace », explique Solen, 20 ans, qui apprécie par-dessus tout, dans cette organisation, le principe des actions non-violentes.

« [...] Dans ma famille ou parmi mes amis, tout le monde vote et nous avons l'habitude de parler politique à table. J'avais envie d'aller plus loin que le simple vote en m'impliquant personnellement dans le combat politique », affirme Clément, 23 ans, devenu animateur fédéral d'un mouvement de jeunesse politique.

www.cidj.com

Doc.3

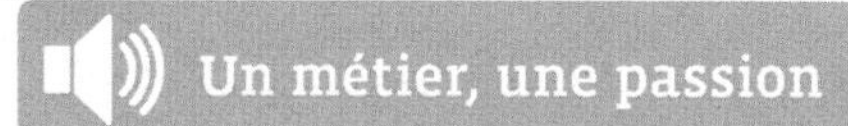

3 Tendez l'oreille ! 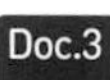 67

Dites si la voix monte ↗ ou descend ↘ à la fin de ces questions.

4 Ça se discute ! 

« Il n'y a pas de raison sans passion, et il ne devrait pas y avoir de passion sans raison. » Edgar Morin, sociologue et philosophe.

Et vous, vous en pensez quoi ? Discutez en groupes et ajoutez des arguments afin d'insister et de renforcer vos propos.

LE + ARGUMENTATIF

INSISTER, RENFORCER SES PROPOS

- Si, si ! Je vous assure !
- Mais si !
- Mais puisque je te / vous dis que...
- J'insiste sur + *nom*
- Non seulement..., mais encore / aussi...
- D'autant plus que...
- Ajoutons aussi que...

Accrochés à vie

1 Ouvrez l'œil !

Observez les images. Reconnaissez-vous ces lieux ? De quoi va parler la vidéo ?

2 Posez-vous les bonnes questions ! 

Regardez la vidéo.

a. De quelle tradition s'agit-il ?
b. Qui pose des cadenas ? Où ?
c. Comment se déroule ce rituel ?
d. Que symbolise le cadenas ?

➤ Décrire une tradition, p. 128

3 Restez à l'écoute ! 

a. Relevez les mots et expressions relatifs à l'amour.
b. En quoi le cadre est-il romantique ?
c. Qu'est-ce qu'un vendeur « à la sauvette » ?

4 Saisissez la grammaire ! 

a. Dans la vidéo, relevez la phrase synonyme de : *Après tout, peu importe, seul le symbole compte.*
b. Comment l'information est-elle mise en valeur ?

➤ La mise en relief, activités p. 120

5 Tendez l'oreille ! 

Dites si la voix monte ↗ ou descend ↘ à la fin de la question.

6 Réagissez ! 

Pourquoi avons-nous besoin de traditions ? Discutez à deux en mettant en relief les éléments qui vous semblent importants et en décrivant quelques traditions en exemple.

7 Agissez ! 

La mairie de Paris vous a chargé de rédiger un texte d'environ 160 mots afin de lancer la campagne « L'amour sans cadenas ». Vous exposez le problème (protection des ponts), les mesures prises (interdiction des cadenas sur les ponts), puis vous présentez des alternatives pour les amoureux.

STOP AUX CADENAS
NOS PONTS NE RÉSISTERONT PAS À VOTRE AMOUR, LIBÉREZ-LES EN DÉCLARANT VOTRE FLAMME AVEC
#LOVEWITHOUTLOCKS

LE + INFO

Depuis l'été 2014, la mairie de Paris a lancé une **chasse aux cadenas**. Cette surcharge d'amour abîme les ponts de la capitale : un pan de grillage du pont des Arts s'était effondré en juin sous le poids de milliers de cadenas d'amour. Une campagne de communication a été lancée pour inciter les amoureux à remplacer les cadenas par des « selfies » à publier sur Internet.

Rencontres

Rencontres, ou comment les rencontres amoureuses n'en sont pas toujours

Deux cobayes volontaires, passés par un site de dating[1], se laissent filmer pendant leur premier rendez-vous. *Rencontres*, de Maroussia Dubreuil et Alexandre Zeff : une étonnante plongée dans l'alchimie amoureuse.

Émois, émois, émois

Caméra discrète – dont on jurerait qu'elle ne modifie pas tant que ça leur comportement –, micro HF, envoyez la parade amoureuse. De parade, de coup de foudre, yeux dans les yeux, main dans la main, il ne sera en fait pas tellement question. Tout est donc fait aujourd'hui – sites, applications, etc. – pour que l'on se rencontre, mais s'agit-il vraiment de rencontres ? Dans le doc, les dialogues sont clairement des monologues. Où chacun jette son moi à la face de l'autre et montre *illico* comment ce moi, cette somme de vécu qui constitue chacun, est difficilement compatible avec une autre. « Je vous préviens, dit en substance l'un des rencontrés, je regarde tout le temps la télé [...]. »

Pas d'incitation au coup de foudre, donc. [...] Dans *Rencontres*, les couples (mal) formés sont autant de dévoilements de vies d'aujourd'hui, donc de vies solitaires. Paris y est le lieu physique de la rencontre, mais beaucoup l'ont fui – l'un vit dans une ville médiévale qu'il ne regarde pas, l'autre dans son camping-car... Les hommes parlent plus que les femmes – et s'écoutent abondamment parler.

Art français de la « tchatche[2] »

Curieusement, le film exhume[3] un accent populaire qu'on n'entend plus trop au cinéma aujourd'hui. Un art ancestral et français de la « tchatche » [...]. Ces gens ordinaires ont un regard assez juste sur eux-mêmes, ils anticipent l'échec de leur démarche, et certains finissent par décrocher de la conversation – le silence, la gêne, sont alors hautement cinématographiques. La rencontre apparemment la plus fructueuse [...] est celle dont les participants sont les plus jeunes. Drague classique au bistro, le garçon fait du rock, se vante un peu, pas mal, la fille est réceptive, mais elle sait le remettre à sa place. Il va se passer quelque chose, qui durera ce que ça durera. C'est la partie rasséréante[4] de ce doc aux vrais moments de comédie : la jeunesse peut faire la différence. [...] Du moins, on l'espère...

1 *Site de rencontres.*
2 *Fait de parler beaucoup et avec facilité. (fam.)*
3 *Tire de l'oubli.*
4 *Qui rassure, réconforte.*

Aurélien Ferenczi, www.telerama.fr, 16 avril 2014.

1 Ouvrez l'œil !

Lisez le titre et le chapeau de l'article.
De quel type de document s'agit-il ?

2 Lisez et réagissez !

a. Quelle question pose l'article ?

b. Quel type de rencontres présente le documentaire ?

c. Selon l'auteur, quels éléments du film sont intéressants ?

d. Comment l'auteur considère-t-il les gens filmés ?

e. Quelle différence note-t-il entre les hommes et les femmes ? les jeunes et les plus vieux ? Donnez des exemples.

➤ Parler de soi, p. 128

3 Saisissez la grammaire !

Dans ces phrases, qui est « il » ?
Il ne sera en fait pas tellement question de coup de foudre.
Il va se passer quelque chose.

➤ **Les tournures impersonnelles, activités p. 120**

4 Explorez le lexique !

a. Quelle est l'origine du mot « passion » ? Complétez la définition du dictionnaire en donnant au moins deux sens à ce mot. Ajoutez des exemples.

> **PASSION** *n. f.* **(lat.** ***passio,-onis*****, de** ***pati*** **: souffrir, éprouver, endurer)**

b. Parmi ces mots, lesquels n'ont pas la même étymologie que le mot « passion » ?
patient – passoire – compassion – passivité – pâturage – pathologique – passible – patibulaire – pathétique

L'**étymologie** étudie l'origine et l'histoire des mots.

5 À la chasse aux mots ! 6

a. Dans les documents de ces pages, relevez les termes de la passion amoureuse et des rencontres.

b. Par équipes, choisissez trois mots, trouvez leur étymologie, puis réalisez un quiz dans la classe pour faire deviner l'étymologie de ces mots. 

Le mécène à l'œuvre

L'autre vertu du mécénat : donner des couleurs aux entreprises

En 2012, le budget du mécénat d'entreprise pour la culture était de 494 millions d'euros, soit 26 % du budget global, contre 19 % en 2010. Signe que, malgré le climat morose, la culture peut redonner des couleurs aux PME/TPE[1]... et des réductions d'impôts.

[...] C'est un virage sans précédent dans l'histoire philanthropique[2] de la France, peu encline à la tradition de mécénat beaucoup plus courante aux États-Unis. Et s'il est vrai que les mécènes de la culture comptent plus de grandes entreprises (plus de 250 salariés) que la moyenne tous secteurs confondus, c'est que leur plus forte résistance à la crise leur permet de préserver le budget qu'ils y allouent.

Mais c'est aussi une histoire de conviction. Car, si l'engagement citoyen sert à valoriser l'image de l'entreprise, la créativité et l'art s'avèrent être porteurs de bien-être pour le groupe, allant jusqu'à révéler l'investissement culturel comme un formidable bouclier anti-crise.

Angélique Aubert, ancienne responsable de mécénat d'un grand groupe bancaire, directrice du mécénat de la société Emerige (comptant 45 salariés) depuis juin 2013, se souvient que, « au moment du krach boursier d'octobre 2008, la banque avait hésité à réduire le budget de ses actions culturelles. Mais devant leur succès, le programme a été maintenu. Nous avons été obligés de faire sortir des personnes qui venaient assister à une conférence sur Picasso pendant l'heure du déjeuner, car il y avait trop de monde. Nous n'avions jamais connu un tel succès alors que nous vivions une pleine période de crise. »

L'important : transmettre sa passion

Porteur de retombées indirectes sur la productivité, le bien-être des collaborateurs d'une entreprise est une valeur reconnue dans sa rentabilité. Au point que les dirigeants des PME et TPE n'hésitent plus à faire partager leurs passions à leurs salariés. Car c'est souvent à leur initiative que l'entreprise s'engage dans le culturel. [...]

Aujourd'hui, il s'agit de donner du sens à ses actions de mécénat. Est-ce pour autant la raison qui pousserait les petites et moyennes entreprises à s'engager sur le terrain culturel ?

Pour Charlotte Dekoker, en charge du secteur culturel à l'Admical (carrefour du mécénat d'entreprise), « il y a un aspect de communication, c'est sûr, mais pas seulement, car le mécénat n'est pas de la publicité. En revanche, par le choix de son mécénat, une entreprise exprime ce qu'elle est réellement. Et affirmer ses valeurs, c'est de plus en plus important de nos jours. C'est également un moyen de développer un ancrage territorial fort et de développer un nouveau réseau. Mais on le voit bien aujourd'hui, ce qui prime avant tout, c'est l'idée de transmettre la connaissance, et l'envie de montrer un engagement citoyen fort. »

1 *PME : Petites et moyennes entreprises. TPE : Très petites entreprises.*
2 *Tendance à vouloir faire le bien d'autrui.*

Valérie Abrial, www.latribune.fr, 4 décembre 2013.

1 Ouvrez l'œil !

Observez l'image et lisez le titre de l'article. Qu'est-ce que le « mécénat » ?

2 Posez-vous les bonnes questions !

a. Lisez le chapeau de l'article. Que disent les statistiques ?

b. Lisez le texte. Quels sont les trois atouts du mécénat ?

c. Pourquoi l'auteur écrit-elle : « C'est aussi une histoire de conviction » (l. 16) ?

3 Explorez le lexique !

a. Classez tous les mots relatifs à l'entreprise : les acteurs, les types d'entreprises et les actions.

b. C. Dekoker explique les différentes raisons qui poussent au mécénat. Quel adverbe utilise-t-elle pour faire progresser son raisonnement ?

4 Saisissez la grammaire !

Répondez aux questions en citant le texte.

a. Pourquoi les personnes qui assistaient à la conférence sur Picasso ont-elles dû sortir ?

b. Les entreprises comprennent l'importance du bien-être de leurs salariés pour leur rentabilité. Que décident-elles en conséquence ?

➤ **La cause et la conséquence, activités p. 120**

5 Argumentez !

Selon vous, est-il important pour une entreprise d'accorder une place au mécénat culturel ? Donnez votre opinion en insistant sur certaines idées ou faits, en 150 mots environ.

Familles à la carte

1 Écoutez ! 

Observez l'image et lisez le titre de la page. Que signifie l'expression « familles à la carte » ?

2 Posez-vous les bonnes questions ! 

a. Qui sont les différentes personnes qui s'expriment ?

b. Qu'est-ce que la famille aujourd'hui ? Comment-a-t-elle évolué ?

c. Combien de modèles familiaux sont présentés ? Nommez-les et définissez-les.

d. Quelle est la place des enfants au sein de ces familles ?

e. Quels regards les personnes portent-elles sur leur situation familiale ?

➤ Décrire une évolution personnelle, p. 129

3 Explorez le lexique ! 

a. Quels mots décrivent les relations familiales ?

b. Ensemble, identifiez les modèles familiaux de votre pays et discutez-en.

c. Comment interprétez-vous l'expression « partir en cacahuète » ?

4 Saisissez la grammaire ! 

Réécoutez le début du document et complétez ce passage.

Rien de tel qu'un vieux film ...... famille ...... brasser mes souvenirs. Mais ces images suffisent-elles ...... résumer une famille ...... toute sa complexité ? Surtout une famille ...... aujourd'hui. Des changements, chaque famille en a connu ces dernières décennies et tous n'ont pas été immortalisés ...... super 8, plus ou moins réussis, plus ou moins solides. La famille semble se modifier ...... profondeur.

➤ Le groupe prépositionnel, activités p. 121

5 Tendez l'oreille ! 

Dites si vous entendez [ɔ] ou [œ] et dans quelle syllabe.

Témoigner dans un reportage télévisé

ACTIVITÉ ÉTAPE

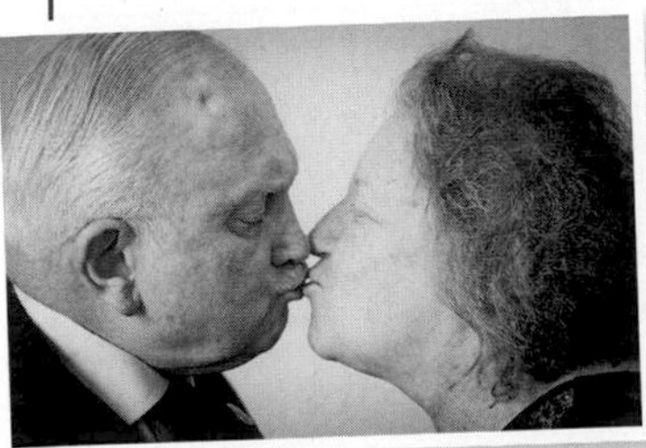

- Vous êtes Roméo et Juliette... devenus vieux. Une chaîne de télévision vous sollicite pour témoigner dans un reportage intitulé « L'amour pour toujours, c'est possible ? ».
- À deux, discutez. Prenez quelques notes et organisez succinctement les grandes idées que vous allez exprimer devant la caméra. Votre témoignage doit comprendre :
  – le récit de votre première rencontre ;
  – les choix que vous avez dû faire pour que votre union soit possible ;
  – la description de votre vie de famille ;
  – le secret pour que votre couple dure.
- Le jour du tournage du reportage est arrivé. Jouez la scène devant la caméra !

➤ Cahier d'activités, unité 6

La mise en relief

→ Écoutez et relevez le défi. 71

a. Dans chaque phrase, sur quel élément insiste-t-on ?

b. Reformulez chaque phrase sans mise en relief.

c. Quelles structures de la mise en relief sont employées ?

> **La mise en relief est utilisée pour insister sur un élément de la phrase.**
> Pour cela, on déplace un mot ou groupe de mots à l'aide de différentes structures :
> - *C'est... qui / que / dont...*
> - *......, c'est ce qui / que / dont*
> - *Ce qui / que / dont ......, c'est...*
> - *Le / la / les ......, il aime, connaît (etc.) ça.*
>
> On utilise le plus souvent la mise en relief à l'oral.

1 Complétez en choisissant la bonne forme.

1. *Ce* .... j'ai peur, *c'est* qu'il lui arrive quelque chose.
2. .... le journalisme politique .... la passionne le plus.
3. Sa passion, ... fait sa force.
4. .... il espère, ... réussir son entretien.
5. Un rendez-vous galant, ... il a besoin.

2 Mettez en relief les éléments soulignés. Variez les structures !

1. L'hormone de l'attachement permet un amour durable.
2. Il est sûr de vouloir essayer le *roofing*.
3. Elle aimerait vraiment interviewer le président.
4. Il aime les femmes qui ont du caractère.
5. Tu parles de quelque chose de très dangereux.

3 Avec votre voisin, interrogez-vous sur ce qui vous ennuie le plus ; ce dont vous rêvez ; ce qui vous passionne ; ce que vous pensez du speed dating ; ce que le mot « amour » évoque pour vous, etc.

Les tournures impersonnelles

→ Observez et relevez le défi.

Pratiquer un sport extrême est passionnant, mais il s'agit d'être prudent. Il semble qu'aujourd'hui, on recherche des sensations fortes à tout prix. Il est bien possible que la vie actuelle ne permette pas assez de se sentir vivant. Pour certaines personnes, il est donc nécessaire de se mettre au défi et de repousser ses propres limites.

a. Soulignez les tournures impersonnelles.

b. À qui « il » fait-il référence ?

c. Comment chaque tournure est-elle construite ?

> **Les tournures impersonnelles ont pour sujet le pronom *il*. Ce pronom ne désigne pas un sujet réel.**
> **Il existe beaucoup de structures impersonnelles :**
> - *Il pleut, il neige, il gèle*, etc.
> - *Il faut* + inf. / *Il faut que* + subj.
> - *Il suffit de* + inf. / *Il suffit que* + subj.
> - *Il s'agit de* + nom ou inf.
> - *Il paraît que* + indicatif / *Il semble que* + subj.
> - *Il est possible, impossible, important, nécessaire de* + inf. / *que* + subj.

4 Écoutez et dites ce que chaque phrase exprime. 

5 À partir des éléments proposés, complétez les débuts de phrases. Conjuguez correctement le verbe !

1. Il semble que... (sites de rencontres / être incontournables)
2. Il est possible de... (faire un saut en parachute)
3. Il faut absolument que... (aller voter)
4. Il est des hommes qui... (aimer le romantisme)
5. Il paraît que la tchatche... (être un art typiquement français)

6 Vous êtes un homme politique. Lors d'une interview, vous répondez à la question « Comment réussir une carrière politique ? ». Utilisez les structures proposées.

Il faut que... – Il est important que... – Il est nécessaire que... – Il s'agit de... – Il est possible de... – Il suffit de...

La cause et la conséquence

→ Observez et relevez le défi.

1. Le mécénat est apparu comme la possibilité d'humaniser l'entreprise, c'est pourquoi celle-ci fait le choix de la culture.
2. Le mécénat est avantageux pour l'entreprise parce qu'il permet une réduction d'impôts.
3. Faute de moyens, nous ne pourrons pas restaurer ce tableau cette année.
4. L'investissement culturel valorise l'image de l'entreprise, de sorte que beaucoup de PME s'y engagent sur le long terme.
5. Étant donné que l'exposition a rencontré beaucoup de succès, elle sera prolongée.

a. Dans chaque phrase, distinguez la cause de la conséquence.

b. Quels mots les introduisent ?

c. Comment ces expressions se construisent-elles ?

La cause explique la raison pour laquelle un événement se produit.
- On l'introduit avec : *car, parce que, puisque, comme...* + indicatif
- On peut également exprimer des causes négatives : *à cause de, faute de, par crainte de* + nom ou positives : *grâce à* + nom

La conséquence est le résultat d'une action.
- On l'introduit avec : *alors, ainsi, donc, c'est pourquoi...* + indicatif
- À l'oral, on peut employer : *du coup, d'où* + indicatif
- À l'écrit, on emploie aussi : *de sorte que, si bien que, de façon que, au point que...* + indicatif

7 Qu'expriment ces phrases : cause ou conséquence ? Reformulez les causes en conséquences et vice-versa.

Exemple : *L'agence immobilière a choisi de soutenir cette association parce qu'elle milite en faveur des sans-abri.*
→ Cette association milite en faveur des sans-abri, c'est pourquoi l'agence immobilière a choisi de la soutenir.

1. À cause de la crise, mon entreprise a cessé ses activités de mécénat.
2. Je suis sorti du bureau un peu en avance, du coup j'ai pu venir à l'inauguration.
3. Par crainte d'y laisser sa peau, il a décidé de changer de sport.
4. Le mécénat est devenu quasi incontournable, c'est pourquoi les entreprises s'y intéressent.
5. Le musée a lancé un appel aux entreprises car il souhaite financer l'ouverture de deux nouvelles salles.

8 Imaginez un lien logique entre les deux éléments, puis écrivez des phrases exprimant une cause ou une conséquence.

1. la chute libre + un engouement
2. la valorisation d'une entreprise + l'investissement culturel
3. un célibataire endurci + un site de rencontres
4. une campagne présidentielle + un sondage
5. un dirigeant d'une PME passionné d'art + le soutien d'un peintre local

9 À deux, inventez l'histoire d'Abel, qui n'aimait pas la politique, et qui est finalement devenu maire de sa commune. Pour cela, ajoutez chacun à votre tour une cause ou une conséquence.

Exemple : *Abel déteste la politique, c'est pourquoi il ne regarde aucun débat lors des campagnes électorales. Du coup, ses amis n'abordent jamais le sujet. Mais un jour, grâce à...*

Le groupe prépositionnel

→ Observez et relevez le défi.

Le père, la mère et les enfants sous un même toit : cette situation a longtemps été le modèle classique de la famille. Mais aujourd'hui, désorientés par les contraintes imposées par la parentalité ou craignant de passer à côté de leur vie, nombre de couples avec enfants se séparent. L'enfant, dans plus de deux tiers des cas, habite chez la mère. Lorsque les parents « refont leur vie », l'enfant est confronté à trois, voire quatre adultes qui exercent sur lui leur autorité.

a. Soulignez les groupes prépositionnels dans le texte.
b. Lesquels peuvent être supprimés ? Lesquels ne peuvent pas l'être ?
c. Repérez une préposition suivie d'un nom, une suivie d'un verbe et une suivie d'un pronom.

- **Le groupe prépositionnel est un groupe de mots introduit par une préposition.**
Il apporte des précisions sur un groupe nominal ou une phrase. Il peut aussi compléter un verbe.
- **Les principales prépositions sont :**
à, de, pour, sur, dans, en, par, chez, avec, sans, parmi...
Elles peuvent être suivies d'un nom, d'un verbe à l'infinitif, d'un adverbe ou d'un pronom.

10 Complétez avec la préposition appropriée.

1. Tout s'est passé ...... problème !
2. C'est une histoire ...... tant d'autres.
3. Oh mon chéri ! Un collier ...... or !
4. Nouveau ! Un vaccin .... le chagrin d'amour.
5. Attention .... la marche !
6. .... vivre heureux, communiquez !
7. Je t'invite à manger ...... moi ?
8. C'est un costume .... mesure.
9. Quel joli cadeau .... Saint-Valentin !
10. Elle est partie .... les enfants.

11 Lisez le texte et enrichissez-le avec des compléments de temps, de lieu, de manière...

Après un divorce, je me suis remarié. Ma femme a deux enfants. Nous avons emménagé dans une maison. Au début, la relation était compliquée. Mais nous avons établi des règles. Aujourd'hui, un bébé va naître. La famille s'agrandit. Finalement, le bonheur, c'est possible !

12 Formez le groupe prépositionnel le plus long ! 

Formez des groupes. Quelqu'un invente une phrase avec un groupe nominal simple. Son voisin la repète et la complète avec un groupe prépositionnel. Son voisin procède de même et ainsi de suite.

Exemple : *J'offre un bouquet. → J'offre un bouquet de fleurs.*
→ J'offre un bouquet de fleurs sans épines.

Faire un court exposé

LE + INFO

Le mouvement **TED** (Technology Entertainement Design) est une organisation à but non lucratif née aux États-Unis. Cette fondation a été créée pour transmettre « des idées qui valent la peine d'être diffusées ». Des personnalités reconnues dans leur spécialité interviennent sur des sujets très variés (sciences, arts, politique, musique, santé, etc.) pour faire partager leurs idées, leur vision ou leurs expériences au public en un temps limité.

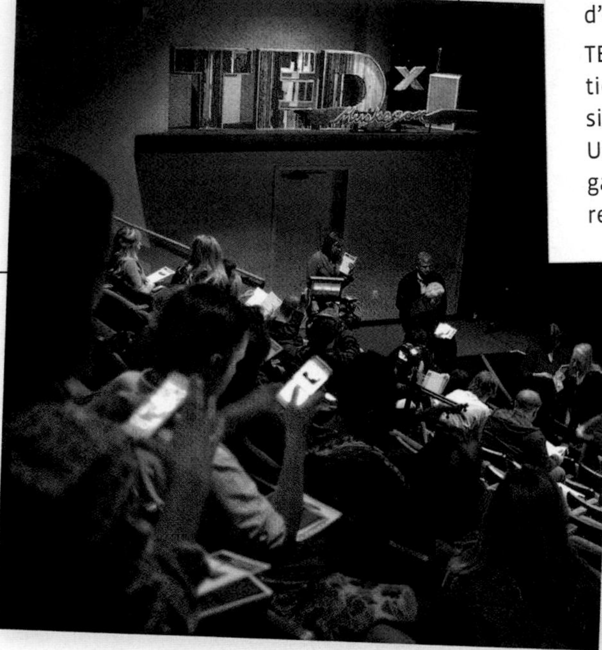

Qu'est-ce que TEDx ?

TEDx est un programme qui pemet aux écoles, aux entreprises, aux bibliothèques ou aux groupes d'amis de profiter d'une expérience similaire à celle de TED par le biais d'événements qu'ils organisent eux-mêmes.

TED a créé TEDx pour donner à la propagation d'idées une nouvelle échelle, où « x » signifie « événement TED indépendant ». Un TEDx est un événement local, auto-organisé, rassemblant des personnes désireuses de vivre ensemble l'expérience TED.

1 Réagissez !  73

a. Lisez « le + info », le texte et observez l'image. Que sont les conférences TED ? Qu'est-ce que TEDx ?

b. Écoutez le document. Quel est le thème de cet exposé ? Quelle idée défend la personne ?

2 C'est dans la boîte ! 73

Écoutez de nouveau et complétez la boîte à outils avec les exemples du document.

BOÎTE À OUTILS 

Faire un court exposé

Introduire le sujet : ....

....

Développer ses idées

- Ordonner les arguments avec des articulateurs : ....
- Illustrer une idée avec des exemples : ....
- S'adresser à son public : ....
- Insérer de l'humour : ....

Conclure le sujet

- Faire la synthèse des idées : ....
- Ouvrir le sujet : ....

3 Du tac au tac ! 74

a. Écoutez et faites ce qu'on vous dit.

b. En petits groupes, donnez cinq autres conseils pour réussir une bonne présentation orale.

4 Le son et le ton qu'il faut !

1 Repérez ! 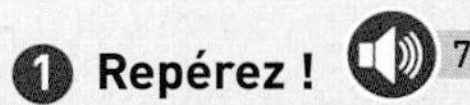 75

Réécoutez ces extraits.

a. Dites si la voix monte ↗ ou descend ↘ à la fin de ces interrogations et s'il y a une autre variation de hauteur dans la première question.

b. Dites dans quelle syllabe vous entendez [ɔ] ou [œ].

2 Prononcez !  74

Réécoutez et, le plus rapidement possible, donnez un nom avec le son [ɔ] et un nom avec le son [œ].

3 Mettez-y le ton !  76

a. Écoutez cette fin d'exposé. Que se passe-t-il ?

b. Posez des questions en faisant varier les types d'interrogation et la hauteur de votre voix.

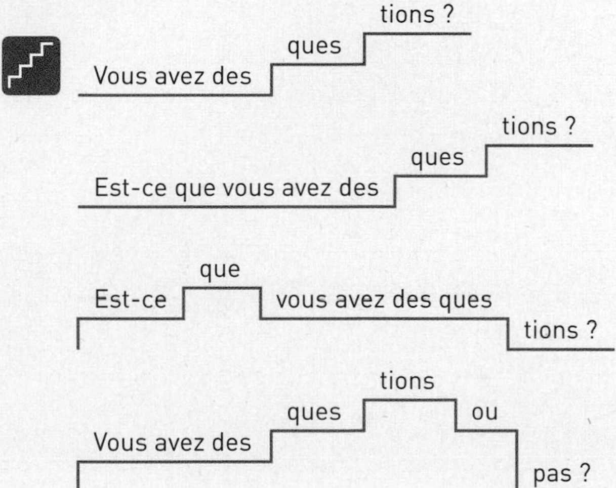

- Quand on pose une question **sans opérateur** (sans *Est-ce que*...), la voix monte très haut ↗ sur la dernière syllabe.
- Quand on pose une question **avec un opérateur**, soit la voix monte ↗ sur la dernière syllabe, soit elle monte ↗ sur l'opérateur et descend ↘ sur la dernière syllabe.
- Quand on pose une question **avec *ou***, la voix monte très haut ↗ sur la dernière syllabe du premier choix et descend ↘ sur la dernière syllabe du deuxième choix.

C'EST À VOUS !

- Vous allez animer une conférence TEDx. Établissez au tableau une liste des domaines qui vous intéressent (arts, sciences, politique, etc.).
- À deux, choisissez un sujet qui vous plaît ou vous touche, et à propos duquel vous aimeriez partager votre expérience. Soyez inventifs !
  EXEMPLE : *votre pratique du sport et ce qu'elle vous apporte, votre expérience de voyageur, votre gestion du stress au travail, etc.*
- Faites un remue-méninges des idées que vous voulez transmettre. Classez-les, puis élaborez le plan de votre exposé. Pour appuyer vos idées, pensez à quelques arguments et à des exemples pour les illustrer.
- Répartissez-vous le temps de parole et présentez votre exposé en 5 minutes.

Prendre des notes

Ap. un cours :
=> Besoin de réviser notes
= jour m̂
≠ veille examen

Pourquoi ?
Mémoire oublie vite
Ex.
Ap. 3 semaines
• Si non révis°
=> 10 % infos en mémoire
• Si révis°
=> 80 % infos en mémoire

1 En un clin d'œil !

a. Observez l'illustration. Que comprenez-vous ?

b. Observez la feuille de notes ci-dessus. D'après vous, ça veut dire quoi, « prendre des notes » ?

2 Posez-vous les bonnes questions !  77

a. Écoutez le document, puis lisez la feuille de notes. Quelles différences remarquez-vous ?

b. Repérez :

- l'idée principale et les idées secondaires ;
- les moyens utilisés pour prendre des notes ;
- les éléments qui ne sont pas indispensables.

3 C'est dans la boîte ! 

Complétez la boîte à outils en retrouvant les informations dans la feuille de notes.

BOÎTE À OUTILS 

Prendre des notes

Distinguer et retenir les éléments importants

- L'idée principale : ....
- Les idées secondaires : ....
- Les mots et les données clés : ....

Définir (et ne pas noter) ce qui n'est pas essentiel

....

....

Utiliser des outils pour écrire rapidement

- Des abréviations : ....
- Des symboles : ....

4 Du tac au tac ! 78

Écoutez les conseils et prenez des notes. Aidez-vous du tableau.

QUELQUES SYMBOLES ET ABRÉVIATIONS COURANTS

≈	environ	♀	femme	m̂	même	**bcp**	beaucoup	**mt**	-ment (ex. : notamt)
∈	appartient	**ex.**	exemple	ĉ	comme	**qq**	quelques	°	-ion (ex. : délibérat°)
<	inférieur	**dc**	donc	**ms**	mais	**svt**	souvent	**T**	-té (ex. : habileT)
>	supérieur	**càd**	c'est-à-dire	**qd**	quand	**dvt**	devant	**q**	-que (ex. : mécaniq)
♂	homme	**ds**	dans	**tt**	tout	**avt**	avant		

5 Comment ça s'écrit ? 78

a. Réécoutez les conseils et repérez dans la transcription comment s'écrivent les sons [ɔ] et [œ].

[ɔ]	....
[œ]	....

b. [ɔ] et [œ] peuvent s'écrire de la même manière que leurs équivalents fermés [o] et [ø]. Comment ? Quelle est la différence ?

C'EST À VOUS !

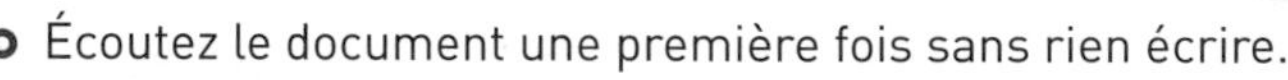

- Écoutez le document une première fois sans rien écrire. 
- Puis, réécoutez le document et prenez des notes sur ce qui est dit.
- Comparez vos notes avec celles de votre voisin.

LE + STRATÉGIE

Pensez aussi à utiliser des styles de couleurs variées ou bien à entourer, souligner ou surligner.

Exprimer ses émotions

Pour laisser libre cours à vos émotions, vous allez participer à un atelier théâtral. Pour cela, découvrez les situations présentées dans les documents culturels proposés et lancez-vous !

1 Respiration

- Quelles émotions sont exprimées dans les documents ? Comment le savez-vous ?
- Par deux, complétez le tableau avec les émotions que vous connaissez.

☺	☹
....	....
....	....

2 Inspiration

- En groupes, pensez à un mot (ou à une phrase courte) et dites-le à voix haute avec une émotion ex. : « soleil » / bonheur.
  Répétez cet exercice plusieurs fois.
- Disposez trois chaises face à la classe. Ces chaises ont un pouvoir magique ; chaque fois qu'une personne s'assoit sur l'une d'elles, cela déclenche un sentiment :
  chaise 1 : une énorme crise de rire
  chaise 2 : une vision d'horreur
  chaise 3 : une grande tristesse
  À tour de rôle, asseyez-vous sur chacune d'elles...

3 Création

- Formez des groupes de six. Vous êtes une famille recomposée. Répartissez-vous les rôles et définissez un trait de caractère pour chaque personnage (un colérique, un intello, etc.).
- Vous allez jouer un repas de famille où survient un événement imprévu. Imaginez le contexte du repas et l'événement inattendu.
- Puis, improvisez la scène devant le public. Pensez à bien exprimer vos émotions !

À LIRE

Jean Tardieu, *Finissez vos phrases !* Gallimard, 1966.

MONSIEUR A. – *(avec chaleur)* Oh ! Chère amie. Quelle chance de vous...

MADAME B. – *(ravie)* Très heureuse, moi aussi. Très heureuse de... vraiment oui !

MONSIEUR A. – Comment allez, depuis que... ?

MADAME B. – *(très naturelle)* Depuis que ? Eh bien ! J'ai continué, vous savez, j'ai continué à...

MONSIEUR A. – Comme c'est !... Enfin, oui vraiment, je trouve que c'est...

MADAME B. – *(modeste)* Oh, n'exagérons rien ! C'est seulement, c'est uniquement... Je veux dire : ce n'est pas tellement, tellement...

MONSIEUR A. – *(intrigué, mais sceptique)* Pas tellement, pas tellement, vous croyez ?

MADAME B. – *(restrictive)* Du moins je le... je, je, je... Enfin !...

MONSIEUR A. – *(avec admiration)* Oui, je comprends : vous êtes trop, vous avez trop de...

MADAME B. – *(toujours modeste, mais flattée)* Mais non, mais non : plutôt pas assez...

MONSIEUR A. – *(réconfortant)* Taisez-vous donc ! Vous n'allez pas nous... ?

MADAME B. – *(riant franchement)* Non ! Non ! Je n'irai pas jusque là !

À VOIR

Claude et Marie Verneuil, issus de la grande bourgeoisie catholique provinciale, sont des parents plutôt « vieille France ». Les mariages de leurs filles avec un musulman, un juif et un Chinois les ont obligés à faire preuve d'ouverture d'esprit. Mais leur cadette vient de rencontrer un catholique : tous leurs espoirs de voir enfin l'une de leurs filles se marier à l'église reposent donc sur elle...

Un film de Philippe de Chauveron (2014).

À ÉCOUTER  80

Le jour où Serge achète à prix d'or un tableau entièrement blanc, cela sème la zizanie dans son groupe d'amis. Le trio va s'entre-déchirer autour du tableau et, plus largement, au sujet de l'art... *Art*, la pièce à succès (deux Molières) de Yasmina Reza, met en scène les questions liées à l'art contemporain. Le rythme est très enlevé et l'on rit du début à la fin.

Yasmina Reza, *Art*, 1994.

SI TOI NON PLUS, TU N'EN REVIENS PAS D'APPRENDRE QUE CERGY À L'ENVERS, ÇA FAIT "YGREC", VIENS AU
MATCH D'IMPROVISATION
MERCREDI 23/02 - 20H45
LES N'IMPROTEQUOI VS LA LIDÉ DE CERGY
SALLE DUSSANE À L'ENS 45 RUE D'ULM 3 EUROS
WWW.NIMPROTEQUOI.COM hey t'as vu t'as vu, il reste de la place, j'ai pas surchargé l'affiche et ah bah si en fait.

À TESTER

Les matchs d'impro sont des spectacles entièrement improvisés à partir de sujets dictés par le public, qui est donc à la fois auteur et spectateur de ces spectacles hilarants, absurdes et décalés !

À DÉCOUVRIR

Dans *Tout bouge autour de moi*, Dany Laferrière témoigne du séisme qui a touché Haïti en janvier 2010 et retrace les principaux moments du désastre : textes brefs, portraits, impressions. Il plante le décor de son île avec force et générosité et jette un regard poignant sur Haïti et sur la fragilité des choses et des êtres. Ses émotions et ses pensées affleurent discrètement dans cette chronique touchante. Cet ouvrage est également une leçon d'élégance, de dignité et de courage : celle du peuple haïtien qui a trouvé l'énergie pour recommencer la vie après la catastrophe.

POINT RÉCAP'

ACTIVITÉ BILAN

Se rencontrer entre passionnés anonymes

- Vous allez organiser un cercle pour passionnés excessifs avec différents profils : un sportif, un homme politique, un patron mécène, un chasseur de têtes amoureuses et l'animateur de la réunion.
- Répartissez-vous les rôles et définissez les traits de caractère de chacun d'eux (ex. : égocentrique, timide, etc.). Tous sont passionnés à l'extrême : chacun décrit sa passion et explique en quoi elle lui cause des problèmes au quotidien ou devient dangereuse.

EXEMPLE : *Je ne peux pas m'empêcher de donner, c'est plus fort que moi ! Alors je fais du mécénat, mais je dilapide l'argent de l'entreprise...*

- Les uns expliquent comment ils ont vaincu leur problème. Les autres sont sceptiques. Les premiers insistent sur leur combat et leur évolution personnelle.
- Jouez la scène. Exagérez le plus possible les traits de caractère des personnages !

S'engager avec passion

Qui est passionné ?

- un couple marié, non marié, pacsé, remarié, un ménage
- un modèle / la cellule familial(e), une famille recomposée, monoparentale, homoparentale
- un amoureux, un conjoint, un partenaire, un petit ami, un ex, l'âme sœur, le prince charmant
- un supporter, un fan, un adepte, un initié, un amateur
- un politicien, un mécène, un journaliste, un militant, un syndiqué, un électeur, un citoyen

- **Parler de soi**
  - > Moi, moi, moi / Moi, je...
  - > monologuer (sur soi)
  - > jeter son moi à la face de l'autre
  - > s'écouter parler
  - > se vanter, se la raconter
  - > remettre quelqu'un à sa place

Quelles passions ?

- une aventure, une relation amoureuse, un mariage, le désir d'enfantement, une rupture
- une collection, un hobby, une cause
- un sport (extrême) : plongée en apnée, ski, voile, F1, moto...
- un mouvement politique, un parti (de gauche / de droite), un combat politique, le mécénat

- **Décrire une tradition**
  - > en mémoire de quelque chose
  - > en forme de prière pour quelqu'un
  - > D'où vient cette tradition ?
  - > Ça représente...
  - > C'est un mystère.
  - > Certains disent..., d'autres pensent que...
  - > C'est le symbole qui compte.
  - > Ça fait les affaires des vendeurs de souvenirs !

MEMO Grammaire

➤ Précis grammatical, pp. 202-213

La mise en relief

Pour insister sur un élément de la phrase, on peut le déplacer et utiliser des structures construites avec *c'est*.

EXEMPLES : ***C'est*** *la passion* ***qui*** *me fait vivre.*
La montée d'adrénaline, ***c'est ce que*** *j'aime dans ce sport.*
Ce que *j'aime par dessus tout,* ***c'est*** *sauter dans les airs.*
Le sport, j'aime ***ça****.*

❗ > Sur quoi je veux insister ?
> Quelle structure utiliser ?
> Où placer le mot ou l'expression ?

Les tournures impersonnelles

On les utilise pour exprimer une action qui n'est pas réalisée par une personne. Elles ont pour sujet le pronom neutre *il*.

EXEMPLE : ***Il me semble que*** *tu es célibataire depuis trop longtemps !* ***Il te manque*** *quelqu'un dans ta vie.* ***Il faut que*** *tu t'inscrives sur un site de rencontres.* ***Il paraît qu'****on y rencontre l'amour à coup sûr.*

❗ > La phrase a-t-elle un sujet réel ?
> Quelle tournure impersonnelle choisir ?
> De quel mode (indicatif, subjonctif) est-elle suivie ?

Comment ?

- se passionner pour + *nom*, prendre l'initiative de + *inf.*, soutenir une action
- déclarer / entretenir sa flamme, draguer
- des configurations parentales nouvelles, une famille qui se décompose / se recompose, se modifier en profondeur
- s'engager pour une cause, défendre des valeurs / des principes, voter, militer, sensibiliser l'opinion, s'exprimer haut et fort

- **Faire un court exposé**
  - > Je vais vous parler d'un concept...
  - > De quoi parle-t-on exactement ?
  - > Ce que je voudrais vous montrer, c'est que...
  - > On dit souvent que..., mais cela ne veut pas dire que...
  - > Vous le savez bien...
  - > Prenez l'exemple de...
  - > Ce n'est pas parce que... que...
  - > Pour conclure, retenons que...

- **Évoquer une performance**
  - > toujours plus + *adj.*
  - > sans mesures de sécurité, sans assurage
  - > à la frontière entre la vie et la mort
  - > avoir un attrait pour le danger, le risque
  - > exercer une pratique à risques
  - > repousser ses limites
  - > avoir un exploit à son palmarès, battre un record
  - > atteindre un but
  - > dépasser les limites des capacités humaines

Pourquoi ?

- prendre conscience de, avoir des convictions, avoir une vocation pour, être animé par un idéal, être fasciné par, être avide de + *nom* ou *inf.*, tenir à cœur à quelqu'un
- se donner de l'assurance, avoir confiance en soi, donner un sens à sa vie, échapper à la routine quotidienne
- un climat morose ≠ un bouclier anti-crise
- la rentabilité, une réduction d'impôts, un investissement valoriser l'image de l'entreprise, avoir des retombées indirectes

- **Décrire une évolution personnelle**
  - > fermer / ouvrir une porte
  - > faire un pas en avant, évoluer
  - > prendre un événement comme un échec / une victoire
  - > être / ne pas être choquée par + *nom*
  - > une situation qui se vit facilement / difficilement
  - > C'est parti en cacahuètes ! *(très fam.)*

- **Insister, renforcer ses propos**
  - > Si, si ! Je vous assure !
  - > Mais si !
  - > Mais puisque je te / vous dis que...
  - > J'insiste sur + *nom*
  - > Non seulement..., mais encore / aussi...
  - > D'autant plus que...
  - > Ajoutons aussi que...

La cause et la conséquence

La cause exprime la raison d'une action, la conséquence donne son résultat. On les utilise toujours avec l'indicatif. On peut exprimer des causes positives ou négatives.

EXEMPLE : *Cette entreprise a financé cette exposition* ***parce que*** *son PDG est passionné de sculpture.* ***Du coup****, l'artiste lui était* ***tellement*** *reconnaissant* ***qu'****il lui a fait cadeau d'une de ses œuvres.*

- ❗ > Raison ou résultat d'une action ?
- > Cause positive, négative ou neutre ?
- > À l'oral ou à l'écrit ?

Le groupe prépositionnel

Un groupe prépositionnel permet d'apporter des précisions dans une phrase à l'aide de prépositions (*dans, sur, chez, pour, contre...*).

EXEMPLE : ***Dans*** *ma famille,* ***depuis*** *des années, on aime se retrouver* ***chez*** *ma grand-mère,* ***sans*** *chichis,* ***autour*** *d'une table* ***avec*** *un délicieux repas* ***pour*** *discuter* ***de*** *nos quotidiens.*

- ❗ > Le groupe complète-t-il un verbe ou peut-il être supprimé ?
- > Si c'est un verbe, comment se construit-il ?
- > Et la préposition, quelle est sa construction ?

Les documents sonores sont téléchargeables sur le site www.didierfle.com/saison.

PARTIE 1 COMPRÉHENSION DE L'ORAL

Vous allez entendre deux fois un document.
Vous avez 30 secondes de pause entre les deux écoutes, puis 1 minute pour vérifier vos réponses.
Lisez les questions, écoutez le document puis répondez.

1. Que permettent les voyages ?

....

2. Selon le journaliste, quelle est la solution idéale pour les personnes qui ont peur de partir toutes seules ?
   - ☐ les voyages en groupe
   - ☐ les voyages humanitaires
   - ☐ les voyages en France

3. Quand Marie a-t-elle connu le bénévolat ?
   - ☐ durant son enfance
   - ☐ durant ses études
   - ☐ durant sa carrière

4. Pourquoi Marie s'engage-t-elle bénévolement pendant ses voyages ?

....

5. Qui sont les bénévoles ?
   - ☐ des personnes de tous les pays et de tous les âges
   - ☐ des jeunes étudiants entre 18 et 23 ans
   - ☐ des professionnels qui viennent de France

6. Qu'a fait Marie après son voyage au Mali ?

....

7. Pour Marie, que peut-on découvrir de manière différente quand on est bénévole ?

....

8. Quel doit être l'objectif n°1 de tout bénévole d'après Marie ?
   - ☐ se rendre utile
   - ☐ être rassurant
   - ☐ se sentir en sécurité

PARTIE 2 COMPRÉHENSION DES ÉCRITS

Lisez le texte puis répondez aux questions.

AGIR POUR L'ENVIRONNEMENT

Cela paraît évident, mais nous oublions parfois que nous devons tous agir pour la planète. Nous devons être attentifs à l'air que nous respirons, à l'eau que nous buvons et aux objets, matériaux, aliments que nous utilisons et consommons, car leur quantité est limitée et qu'ils proviennent de la nature.

Aujourd'hui, les scientifiques nous alertent tous les jours sur les risques de réduction de la biodiversité[1]. Nous pouvons faire changer les choses et empêcher cela. Chacun doit trouver ce qu'il peut faire avec ses moyens et possibilités.

La préservation de la biodiversité concerne tout le monde : particuliers comme professionnels. En effet, un grand nombre d'entreprises mène déjà des actions. La société des autoroutes VINCI participe ainsi à la préservation d'espèces animales et végétales ordinaires qui vivent à côté de l'autoroute. Une autre initiative à saluer, celle du groupe de produits de beauté Yves Rocher qui s'est engagé à planter 50 millions d'arbres avec l'aide de clientes de la marque. Dans cette opération, Yves Rocher agit *via* sa fondation pour collecter des dons au profit d'associations spécialisées dans la reforestation, choisies pour leur implication sur le terrain.

Et moi, qu'est-ce que je peux faire ?

La biodiversité, c'est l'affaire de tous. Dans la vie quotidienne, il suffit de respecter quelques règles simples. Le plus important, c'est de prendre conscience qu'il faut changer ses habitudes et ses comportements quotidiens. Ensuite, il faut agir, tout simplement...
- en faisant ses courses dans les magasins qui sont à côté de chez soi ;
- en mangeant des fruits et des légumes de saison ;
- en plantant dans son jardin des fleurs pour nourrir les oiseaux ;
- en choisissant des plantes locales sur son balcon et dans son jardin.

Si vous êtes passionné(e) et que vous avez envie de vous engager davantage, inscrivez-vous dans une association de protection de la nature. Il en existe de nombreuses qui effectuent des actions variées et complémentaires à tous niveaux.

En fonction de ce que vous aimez, vous pourrez participer aux séances d'information collectives ou bien agir sur le terrain en plantant des arbres ou en observant des animaux. De nombreux suivis de la biodiversité sont mis en place par des scientifiques heureux de pouvoir récolter les données d'observation de bénévoles. Dans ce cadre, vous pourrez, par exemple, participer à « l'Observatoire des Papillons des Jardins » mis en place par le Muséum national d'histoire naturelle en collaboration avec l'association « Noé Conservation ». Vous serez invité(e) à collecter des informations (observations, photos, etc.) sur les papillons que vous apercevez dans votre jardin ou dans les parcs. Vos informations seront transmises par Internet afin de pouvoir être directement intégrées aux bases de données des chercheurs.

1 *Diversité naturelle des organismes vivants.*

Source : www.fondation-natureetdecouvertes.com

1. Quel est le sujet du texte ?
   - ☐ la biodiversité
   - ☐ l'agriculture biologique
   - ☐ les animaux menacés

2. Que font les scientifiques quotidiennement ?

   ....

3. Quel est l'objectif des conseils des scientifiques ?

   ....

4. Qui peut participer à la préservation de la biodiversité ?
   - ☐ les professionnels
   - ☐ les scientifiques
   - ☐ tout le monde

5. Comment l'entreprise VINCI s'est-elle engagée pour la biodiversité ?
   - ☐ En fournissant de la nourriture et de l'eau aux animaux.
   - ☐ En surveillant les animaux qui vivent près des routes.
   - ☐ En déplaçant les animaux dans des endroits plus calmes.

6. Quelle est l'action de l'entreprise Yves Rocher ?

   ....

7. Au quotidien, qu'est-ce qui est le plus important à faire pour préserver la biodiversité ?
   - ☐ organiser des actions
   - ☐ changer ses habitudes
   - ☐ suivre les conseils du gouvernement

8. Donnez deux exemples d'actions à faire au quotidien.

   ....

   ....

9. Cochez (☒) les bonnes réponses et justifiez.

   Les associations de protection de la nature sont rares.

   ☐ Vrai ☐ Faux

   ....

   Il est possible d'aider les scientifiques en participant à leurs recherches.

   ☐ Vrai ☐ Faux

   ....

10. Que doit-on collecter dans le cadre de « l'Observatoire des Papillons des Jardins » ?

   ....

PARTIE 3 PRODUCTION ÉCRITE

Vous êtes bénévole dans une association de préservation de la nature. Vous êtes chargé(e) d'organiser une journée d'accueil pour les nouveaux membres de votre association. Vous préparez un mail destiné aux nouveaux membres, dans lequel vous expliquez le déroulement de la journée. Vous donnez toutes les informations nécessaires. Vous écrivez entre 160 et 180 mots.

....

....

....

....

....

....

....

....

....

....

PARTIE 4 PRODUCTION ORALE

Vous dégagez le thème soulevé par le document et vous présentez votre opinion sous la forme d'un exposé personnel de 3 minutes environ.

Pensez-vous que le bénévolat est un plus sur un C.V. ? Et vous, avez-vous indiqué vos actions bénévoles dans votre C.V. ?

Expériences bénévoles : un vrai plus pour le C.V.

Quelques heures par mois dans une association caritative ou plusieurs semaines à l'étranger pour un projet humanitaire : les formes de bénévolat sont multiples et concernaient 36 % des plus de 15 ans en 2010. Pourtant, ces investissements personnels, parfois réalisés avec un grand professionnalisme, semblent peu reconnus par les recruteurs.

Comment valoriser le bénévolat dans le cadre de sa carrière professionnelle ?

« Il faut tout d'abord apprendre aux bénévoles à présenter leur action », explique Pascale Dupont, responsable de recrutement dans une entreprise informatique. « Beaucoup de jeunes indiquent leur activité de bénévole dans la rubrique « loisirs » du C.V., alors que certaines missions ont, en termes d'expérience, autant de valeur, sinon plus, qu'un stage. »

Les jeunes bénévoles d'aujourd'hui s'engagent car ils ont un projet personnel concret derrière. Ils ne font plus simplement du bénévolat pour s'opposer aux pouvoirs politiques et à leurs parents comme cela pouvait être le cas auparavant. « Et comme certains employeurs le croient encore aujourd'hui », ajoute Pascale Dupont.

Unité 7

Se plonger dans l'histoire

S'INFORMER

- Parler de travaux
- Réagir à un mensonge
- Décrire des émotions
- Décrire un succès
- Rectifier et démentir une idée
- Écrire un mail
- ▶ Activité Étape

Jouer une scène historico-comique

S'EXPRIMER

- Participer à un interrogatoire
- Écrire un témoignage sur un blog
- ▶ L'atelier créatif

Écrire un poème

S'ÉVALUER

- ▶ Activité Bilan

Réaliser une chaîne d'écriture

- DELF B1

81

Ça fait sens !

- À quoi jouent ces enfants ?
- D'après le document audio, comment définiriez-vous le mot « histoire » ?
- Quel genre d'« histoire » vous intéresse le plus ? Pourquoi ?

Une armée de citoyens

Comment adapter le Panthéon au XXIe siècle ?

[…] Un grand Black en sweat avec une boucle d'oreille, un berger à longue barbe blanche, béret basque vissé sur la tête, une ado, le visage plein de taches de peinture, un gosse qui tire la langue, une jeune femme en train de faire la grimace, un moustachu hurlant et une gamine au garde-à-vous, un gars à lunettes avec un bonnet de ski, un autre déguisé en Beethoven halluciné... Où sommes-nous ? Dans un poème de Prévert ? À une soirée déguisée ? À la foire du Trône[1] ? Pas du tout. Au Panthéon, la froide et très solennelle nécropole où reposent les grands hommes qui ont fait la gloire et l'Histoire de ce pays. Quant à cette armée de personnages hétéroclites, il s'agit de la plus puissante que l'on ait jamais vue : celle des citoyens du monde.

Comment ces gens-là ont-ils pu investir un cénacle[2] où seuls étaient admis, jusqu'à présent, des hommes et des femmes d'exception ? Tout simplement à la faveur du chantier qui s'est ouvert, au printemps dernier, pour remettre en état ce monument qui se lézardait[3] de toutes parts. Un budget de 100 millions d'euros, vingt ans de travaux, et l'un des plus formidables échafaudages jamais installés en Europe. Pour masquer ces milliers de tubes d'acier, le Centre des monuments nationaux (CMN) a donc décidé, plutôt que de placarder des publicités luxueuses, de confier le décor des bâches de ce chantier, mais aussi l'intérieur du bâtiment, à l'artiste JR.

[…] Faire entrer le monde entier dans le temple de la patrie des droits de l'homme : Voltaire et Rousseau ne pouvaient rêver projet plus humaniste.

[…] Un Diderot, que Jacques Attali a tenté, non sans raison, de faire admettre dans ce temple républicain aux côtés de Voltaire et de Rousseau, peut-il évoquer quelque chose, en 2014, à un jeune *geek* qui passe plus de temps devant son écran que dans les musées ? Sans parler du rappeur de banlieue ! Le mot « Panthéon » reste à inventer en verlan[4].

1 *Grande fête foraine parisienne.*
2 *Groupe très limité.*
3 *S'abîmait.*
4 *Le verlan correspond à une façon de parler familière utilisée par les jeunes. Le principe consiste à inverser l'ordre des syllabes ou des sons. Ainsi, le mot « l'envers » donne « verlan ».*

Olivier Le Naire, www.lexpress.fr, 22 août 2014.

1 Ouvrez l'œil !

Lisez le titre et observez la photo. Connaissez-vous ce monument parisien ? Qui sont les personnes photographiées ?

LE + INFO

Le **Panthéon** est un célèbre monument parisien construit à la fin du XVIIIe siècle par l'architecte Soufflot. De grandes personnalités françaises y sont enterrées, comme Victor Hugo ou Jean Moulin. À l'origine, le mot grec « panthéon » (*pan-* signifiant « tout » et *-theos* « dieu ») désigne l'ensemble des dieux d'une religion ainsi que les temples où ils étaient honorés.

2 Posez-vous les bonnes questions !

a. Où se passe la scène que décrit le journaliste ? À quoi sert ce lieu ?

b. Quelles sont les deux catégories de personnes qui s'y trouvent actuellement ? Sous quelle forme ?

c. Quels travaux ont lieu au Panthéon ? Pourquoi ?

d. Quel est l'intérêt pratique de l'exposition ?

e. D'après le journaliste, les jeunes d'aujourd'hui voient-ils l'intérêt de ce monument classique ? Pourquoi ?

➤ Parler de travaux, p. 148

3 Explorez le lexique !

a. Retrouvez les quatre expressions qui désignent le Panthéon.

b. Quels autres lieux gardant la mémoire de l'Histoire sont évoqués dans ce texte ? Quelles personnalités historiques sont citées ?

c. Selon vous, qui mériterait d'entrer au Panthéon ?

Qu'est-ce que c'est que cette histoire ?

1 Formulez des hypothèses !

a. Lisez le texte. Quels sont les différents éléments qui font l'Histoire ?

b. Selon vous, quels sont les personnes, les dates et les faits les plus importants de l'histoire de France ?

Qu'est-ce que l'Histoire ? Et qu'est-ce qui la fait ? Elle est difficilement identifiable. Est-ce que c'est seulement un lieu ? Ou alors des dates ? L'Histoire, est-ce ce qui se déroule ? Ou alors des personnes ? Dans ce cas, il faut définir le sujet, celui qui fait l'action. Or, il y a une pluralité d'individus. Par exemple, qui fait la guerre ? Est-ce que ce sont les soldats, ceux qui ont donné l'ordre de faire la guerre, ceux qui ont provoqué un conflit ? À moins que l'Histoire ne soit seulement composée d'une suite de faits...

D'après l'émission « Les nouveaux chemins de la connaissance », France culture.

2 Distinguez les idées principales ! 

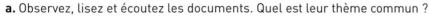

a. Observez, lisez et écoutez les documents. Quel est leur thème commun ?

b. Repérez l'information essentielle de chaque document en répondant, quand c'est possible, aux questions : qui ? où ? quand ? quoi ? pourquoi ? comment ? Quelles sont les informations secondaires ?

c. Pour chaque document, dites ce qui fait un individu ? la collectivité ? un événement ?

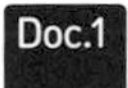

Félix Éboué, le visionnaire,
un film de Barcha Bauer

Ce moyen métrage retrace la vie de Félix Éboué, originaire de Guyane et défenseur des peuples d'Outre-mer, de 1932 à 1944. Formé à l'École d'administration coloniale puis nommé administrateur des Antilles, Félix Éboué s'est engagé, par une attitude d'égalité et de neutralité, à apaiser les conflits intérieurs, à balayer les préjugés, et à assurer des réformes économiques et éducatives. Convaincu qu'il fallait repenser les mécanismes de circulation et de partage avec les autorités locales, il a mis en œuvre, avec le soutien du général de Gaulle, la conférence de Brazzaville en 1944. Portrait d'un homme visionnaire, qui est resté un modèle pour la marche vers l'indépendance de l'Afrique.

www.africultures.com

Doc.2

OUI
A LA CONSTITUTION
OUI
A LA FRANCE ET A LA COMMUNAUTE
OUI
A L'ESSOR SOCIAL ET ECONOMIQUE
OUI
à la
RÉPUBLIQUE
libérée du système

RÉPUBLIQUE FRANÇAISE
LIBERTÉ - ÉGALITÉ - FRATERNITÉ

REFERENDUM
du 28 septembre 1958
(Loi constitutionnelle du 3 juin 1958)

Approuvez-vous la Constitution qui vous est proposée par le Gouvernement de la République ?

NON

La Guinée est le premier pays à prendre son indépendance par les urnes, en 1958, en refusant la Constitution de 1958 souhaitant mettre en place une communauté franco-africaine.

3 Tendez l'oreille ! 

Écoutez l'extrait. Retrouvez les mots qui correspondent aux mots suivants issus du verlan : « céfran », « cainri ».

4 Ça se discute ! 

« Pour le grand public, l'Histoire se réduit souvent à un squelette constitué de faits datés : révocation de l'Édit de Nantes 1685, Commune de Paris 1871, découverte de l'Amérique 1492, etc. » Antoine Prost, *Douze leçons sur l'Histoire.*

Pour vous, l'Histoire, est-ce seulement des dates ? Discutez par petits groupes. Quand vous n'êtes pas d'accord, rectifiez ou démentez les propos de votre interlocuteur.

LE + ARGUMENTATIF

RECTIFIER, DÉMENTIR UNE IDÉE

- Pas vraiment. / Pas exactement.
- Tu veux plutôt dire que...
- Ce serait plus juste de dire que...
- Je ne crois pas que ce soit vrai.
- Non, ce n'est pas vrai. / C'est faux.
- Tu as tort. / Tu te trompes.
- C'est tout à fait faux / ridicule / idiot !
- Quelle drôle d'idée !
- Tu exagères.
- Tu plaisantes ?

Des histoires à dormir debout

1 Ouvrez l'œil !

a. Observez ces images. Que font les enfants ?

b. Connaissez-vous le Guignol de Lyon ? Qu'est-ce que c'est ?

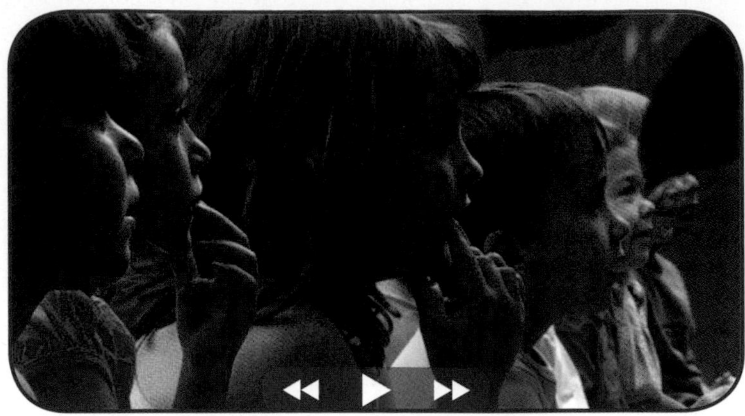

2 Posez-vous les bonnes questions ! 

Regardez la vidéo.

a. D'après les personnes interrogées et la journaliste, pourquoi aime-t-on raconter et écouter des histoires ?

b. Qu'est-ce que le *storytelling* ?

c. Qui l'utilise ? Quelles formes peut-il prendre ?

d. D'après ce document, quel rôle jouent les médias dans la diffusion de l'information ?

e. Les personnes interrogées y croient-elles ? Justifiez.

➤ Réagir à un mensonge, p. 149

LE + INFO

Les **guignols** sont des poupées animées. Le nom vient de la célèbre marionnette créée à Lyon au début du XIXe siècle. Aujourd'hui, « guignol » désigne le plus souvent un petit théâtre pour enfants. À la télévision, depuis 30 ans, l'émission « Les Guignols de l'Info » propose un regard décalé et satirique sur l'actualité, avec des marionnettes de célébrités.

3 Restez à l'écoute ! 

a. Selon Christian Salmon, pourquoi raconte-t-on sa vie sur Internet ? Expliquez l'expression « L'histoire a remplacé le *curriculum vitae* ».

b. Pourquoi la femme dit-elle « On a notre libre arbitre » ?

4 Saisissez la grammaire !

a. Observez ces phrases.
Quelles différences notez-vous ?
Ont-elles le même sens ?
La société vous demande :
« Quel genre d'histoire êtes-vous ? »
La société vous demande quel genre d'histoire vous êtes.

b. Par quels autres verbes pourriez-vous remplacer le verbe « demander » ?

➤ **Le discours rapporté au présent, activités p. 140**

5 Tendez l'oreille ! 84

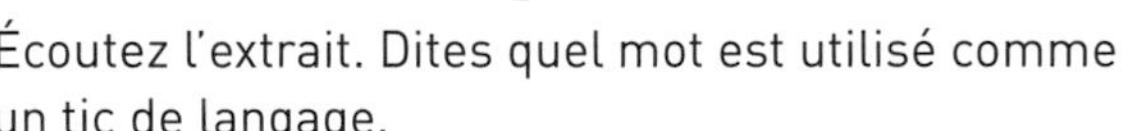

Écoutez l'extrait. Dites quel mot est utilisé comme un tic de langage.

6 Réagissez !

À deux, vous êtes une star et un journaliste de la presse people en procès. Le journaliste a écrit un article mensonger sur la star. Pendant le procès, la star répète les mensonges du journaliste et les dément. Celui-ci se défend en rectifiant ses propos.

7 Agissez !

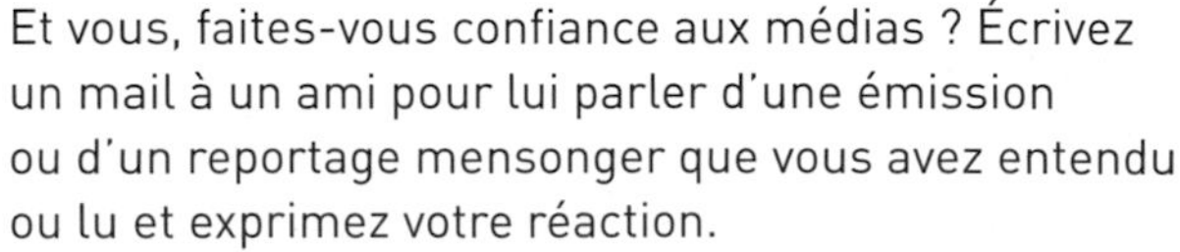

Et vous, faites-vous confiance aux médias ? Écrivez un mail à un ami pour lui parler d'une émission ou d'un reportage mensonger que vous avez entendu ou lu et exprimez votre réaction.

➤ **Les carnets pratiques, pp. 199-200**

Chez le juge

L'interrogatoire a commencé. [...] J'ai dit que tout était très simple. Il m'a pressé de lui retracer ma journée. Je lui ai retracé ce que déjà je lui avais raconté : Raymond, la plage, le bain, la querelle, encore la plage, la petite source, le soleil et les cinq coups de revolver. À chaque phrase il disait : « Bien, bien. » Quand je suis arrivé au corps étendu, il a approuvé en disant : « Bon. » Moi, j'étais lassé de répéter ainsi la même histoire et il me semblait que je n'avais jamais autant parlé. [...] Le juge m'a alors demandé si j'avais tiré les cinq coups de revolver à la suite. J'ai réfléchi et précisé que j'avais tiré une seule fois d'abord et, après quelques secondes, les quatre autres coups. « Pourquoi avez-vous attendu entre le premier et le second coup ? » dit-il alors. Une fois de plus, j'ai revu la plage rouge et j'ai senti sur mon front la brûlure du soleil. Mais cette fois, je n'ai rien répondu. Pendant tout le silence qui a suivi le juge a eu l'air de s'agiter. Il s'est assis, a fourragé dans ses cheveux, a mis ses coudes sur son bureau et s'est penché un peu vers moi avec un air étrange : « Pourquoi, pourquoi avez-vous tiré sur un corps à terre ? » Là encore, je n'ai pas su répondre. Le juge a passé ses mains sur son front et a répété sa question d'une voix un peu altérée[1] : « Pourquoi ? Il faut que vous me le disiez. Pourquoi ? » Je me taisais toujours.

1 *Modifiée.*

Albert Camus, *L'Étranger*, Gallimard, 1942.

1 Ouvrez l'œil !

Regardez la bande dessinée. Décrivez la scène. Qu'a-t-il pu se passer avant ?

2 Lisez et réagissez !

a. Qui sont les deux personnages de cet extrait ?

b. Où sont-ils ? Que font-ils ?

c. Que cherche à savoir l'homme ? Obtient-il une réponse ?

d. Comment réagit chaque personnage ? Qui semble le plus ému ? Justifiez.

➤ Décrire des émotions, p. 148

3 Saisissez la grammaire !

a. Observez ces phrases. Quels verbes introduisent les paroles rapportées ?
J'ai dit que tout était très simple.
Le juge m'a demandé si j'avais tiré les cinq coups à la suite.

b. Mettez ces verbes au présent et modifiez les phrases. Que constatez-vous ?

➤ **Le discours rapporté au passé et la concordance des temps, activités p. 140**

4 Explorez le lexique !

Quel est le sens du mot « histoire » dans ces trois phrases ? Quand met-on une majuscule ?
On aime se faire raconter des histoires.
Je n'ai pas cru une minute à son histoire !
L'Histoire a-t-elle un sens ?

On trouve une **majuscule** au début d'une phrase ou d'un nom propre. Mais on peut aussi en mettre une aux noms communs quand ils désignent un homme d'une origine particulière (ex. : un Européen) ou un concept abstrait (ex. : l'Histoire, la Justice).

5 À la chasse aux mots ! 7

a. Les mensonges aboutissent parfois à de sombres histoires... Relevez les termes et expressions du mensonge, de la justice et des enquêtes policières employés dans les documents de ces pages.

b. Certains noms communs s'écrivent avec ou sans majuscule, comme l'histoire et l'Histoire, l'homme et l'Homme... En groupes, cherchez-en d'autres, proposez une définition et faites deviner la bonne orthographe du mot à la classe. 

Au commencement...

Depuis la nuit des temps

Nous voici tous les deux et ta main dans la mienne
Assis au haut du morne[1] sur le perron de la maison.
Le soleil est déjà couché, la mer est endormie à nos pieds.
Le parfum des fleurs d'oranger enveloppe le jardin
Et je dis à Gabrielle :
« La vie dure depuis la nuit des temps...
Mais sais-tu, ma douce,
Qu'il fut un temps
Où il n'y avait encore aucun temps sur la terre ?
L'eau était pierre, la pierre était fumée,
La mer, la terre, le ciel, la boue et les éclairs
Tout cela était mélangé
Comme si c'était un énorme ragout dans une chaudière.
Le soleil était dessous, et le soleil dessus, et le soleil dedans.
Les bêtes ne savaient pas encore si elles seraient bêtes,
Dame-jeanne, soldat, ou cha-cha[2],
Ou bonne de Gouverneur,
Ou tout simplement petit chat.
Une sorte d'espérance tremblait
Au cœur de la création
Comme un frémissement de chatouillis sous la plante des pieds
En plein sommeil.
Savais-tu cela, ma chérie ? »
Alors ma petite amoureuse se serra tout contre moi,
Ses grands yeux s'écarquillèrent comme ceux d'un enfant
Qui voit tout d'un coup une vaste araignée poilue
En train de nager dans son bol de lait.
Tellement elle me serra fort son corps me pénétra,
Son cœur entra dans le mien,
Et elle me dit devant la mer toute tranquille à nos pieds :
« Et où donc étais-tu, mon chéri, au milieu de tout cela ? »

1 Petit mont. 2 Boîte musicale métallique contenant des clous et des cailloux.

Gilbert Gratiant, *Fables créoles et autres écrits*, 1996.

Dépi nan-ni-nan-nan

Mi nou là tou les deux lan-main-ou dan lan-main-moin
Assise en l'ai möne-la assou perron caille-la.
Soleil-la jà couché, lan-mè-a ka dömi en bas nou.
Lodeù fleù d'oranger ka volpé jadin-a
Et moin di Gabrielle :
« Est-ce ou save ça, cocotte ?
La vie-a ka duré dépi nan-ni-nan-nan...

(Traduction créole.)

1 Ouvrez l'œil !

Observez le texte et lisez sa source. Quel est le genre du texte ? De quoi va-t-il parler ?

2 Posez-vous les bonnes questions !

a. Qui sont les deux personnes ?
b. Où se trouvent-ils et de quoi parlent-ils ?
c. Quels sont les deux moments du temps que vous pouvez repérer ?
d. Comment était le monde autrefois ?
e. À la fin de la scène, quelle est la réaction de la jeune femme ?

3 Explorez le lexique !

a. Comment sont désignés les amoureux et comment est décrite leur affection ?
b. Comment les quatre éléments naturels (l'eau, la terre, l'air, le feu) sont-ils représentés ? Quels mots y sont associés ?
c. Quel petit mot annonce l'action qui suit les paroles du narrateur ?

4 Saisissez la grammaire !

Quels verbes permettent de faire une description ? Lesquels décrivent la réaction de la jeune fille ? Connaissez-vous ces temps ?

➤ **Le passé simple, activités p. 141**

5 Argumentez !

Selon vous, à quoi servent les fables, les contes et les histoires ? En 150 mots environ, démentez l'idée que ces récits sont inutiles et donnez des exemples en parlant de votre expérience personnelle et de la place des histoires dans votre culture.

EXEMPLES : *Grâce aux histoires, on divertit les enfants avant de dormir, on réunit la famille le soir au coin du feu, on rêve à d'autres mondes possibles...*

Revivre le passé ?

1 Écoutez ! 

a. Quelles sont les deux parties de ce document ?
b. Qui s'exprime ? Quel est le sujet ?

2 Posez-vous les bonnes questions ! 

a. Qu'est-ce que le Puy du Fou ?
b. Qui y travaille ? Qui d'autre y vient ?
c. Quels sont les différents lieux et moments du spectacle ?
d. A-t-il du succès ? Pour quelles raisons ?
e. Entre le Puy du Fou et Disneyland, quelles sont les différences ?

➤ Décrire un succès, p.149

3 Explorez le lexique ! 

a. Comment le spectacle est-il décrit ?
b. Relevez les données économiques et les chiffres qui caractérisent le parc (ex. : 3 200 comédiens).
c. Quelles expressions avec le verbe « dire » le journaliste utilise-t-il pour insister sur ses propos ?

4 Saisissez la grammaire !

Observez ces phrases et soulignez les cinq pronoms. Dites ce que chacun désigne ou remplace.
Disney, lui, est ouvert toute l'année.
Le parc Disney a 15 millions de visiteurs par an alors que le Puy du Fou en voit passer un million et demi.
On le voit dans les allées du parc, ce sont souvent des familles au complet qui s'y rendent.

➤ **Les pronoms personnels, démonstratifs et neutres, activités p. 141**

5 Tendez l'oreille ! 

Écoutez l'extrait. Quels mots permettent à Patricia Leconte de maintenir le contact avec le présentateur ?

Jouer une scène historico-comique

- Formez des groupes de trois ou quatre et choisissez un moment connu de l'Histoire d'un pays francophone. Faites quelques recherches : la date, les personnages-clés, le contexte, etc.

  Exemple : *la prise de la Bastille, le coup d'État de Napoléon, le retour du général de Gaulle au pouvoir en 1958, les révoltes de Mai 1968, la supression de la peine de mort en 1981, etc.*

- Imaginez une scène avec le ou les personnages historiques dans un moment de leur vie quotidienne (un repas, une promenade, un jeu, etc.). Un autre personnage arrive et interrompt la scène pour raconter une rumeur sur l'événement. Mais c'est un menteur et il ne respecte pas du tout les faits historiques. Les personnages historiques réagissent (surprise, méfiance...) et posent des questions.

  Exemple : *« On m'a raconté que le peuple avait mis le feu à Paris et que 30 millions de personnes étaient dans les rues... »*

- Jouez la scène en improvisant à partir de vos notes. Amusez-vous en racontant des histoires autour du fait historique réel.

➤ Cahier d'activités, unité 7

Le discours rapporté au présent

→ Écoutez et relevez le défi.  87

a. Repérez les paroles rapportées dans ces phrases et notez-les.

b. Quels verbes introduisent ces prises de parole ? Relevez-les.

c. Comment sont construites ces propositions ?

> **Pour rapporter au présent les paroles d'une autre personne :**
> - On utilise un verbe de parole suivi de *que / de* ;
> - S'il s'agit d'une question, on utilise *demander* (*vouloir savoir*...) + *si* ou + *comment, combien*, etc.
> - On modifie les pronoms personnels et possessifs.
>
> Attention, au discours rapporté, il n'y a pas de guillemets et on supprime la ponctuation de l'oral.

1 Entourez le verbe qui convient le mieux.

1. Avant l'examen, le professeur (*remarque / s'écrie / prévient*) que les tricheurs seront pénalisés.
2. Le directeur (*explique / dément / annonce*) que le 10 novembre l'entreprise sera fermée.
3. Cet élève (*assure / avoue / dément*) qu'il était présent la semaine dernière, mais nous n'avons pas de preuves !
4. Johanne (*explique / demande / propose*) si tu peux passer la prendre en voiture.
5. Je (*interdis / admets / propose*) qu'on se réunisse pour en parler : ce sera plus pratique.

2 Votre colocataire vous a laissé un message avec quelques recommandations. Vous les racontez à un ami qui vous raconte celles de son propre colocataire.

> - *Arrosez les plantes tous les jours !*
> - *Est-ce que le professeur a reçu mon devoir envoyé par mail ?*
> - *Léo et Martin peuvent utiliser mon vélo pendant mon absence.*
> - *Pourquoi la gardienne veut-elle me voir ?*
>
> *Profitez bien de votre semaine !*
>
> *Merci, Vince*

3 Formez des groupes de trois et à votre tour, inventez un dialogue au téléphone. Une personne joue le rôle d'intermédiaire entre les deux autres et transmet leurs informations. Puis, inversez les rôles.

EXEMPLE : *A – Dis à Jeanne de penser à prendre ses baskets.*
B – Paul te dit de penser à prendre tes baskets.
C – Ok, préviens-le qu'elles sont déjà dans mon sac.

Le discours rapporté au passé et la concordance des temps

→ Observez et relevez le défi.

Quand Philippe Berre est arrivé dans le village de Saint-Marceau, il a raconté à tout le monde qu'il était chef de chantier et qu'il dirigerait cette année-là les travaux de l'autoroute A28 vers Alençon. Sa vie d'imposteur a inspiré le film *À l'origine*. Plus récemment, en 2010, après la tempête Xynthia, il a recommencé : il a affirmé que l'État l'avait envoyé pour aider la population en détresse. Ses victimes ont déclaré qu'il était peut-être un escroc, mais un escroc au grand cœur !

a. Soulignez les déclarations de Philippe Berre et de ses victimes. À quels temps sont les verbes ?

b. Retrouvez les paroles directes de ces personnes : à quels temps sont les verbes ?

c. Quelles autres modifications notez-vous ?

> **Pour rapporter au passé les paroles d'une autre personne, on modifie :**
> - **le temps des verbes** pour respecter la concordance des temps :
>
> | Discours direct | Discours rapporté |
> |---|---|
> | présent | imparfait |
> | passé composé | plus-que-parfait |
> | futur simple | conditionnel présent |
> | impératif | *de* + infinitif |
>
> Les autres temps ne changent pas.
> - **les expressions de temps** en lien avec le présent (*aujourd'hui → ce jour-là ; demain → le lendemain*).

4 Entourez le temps correct.

1. Le juge l'avait prévenue qu'elle (*allait / irait / ira*) être condamnée.
2. Juste avant l'arrestation, les policiers lui ont révélé que son employé (*était / serait / est*) un escroc.
3. L'avocat lui a conseillé (*de dire / qu'il disait / qu'il dise*) la vérité.
4. Le voisin a affirmé (*avoir tout vu / qu'il aura tout vu / qu'il verra tout*) ce soir-là.
5. Il a soutenu que son complice (*était retourné / retournerait / retournera*) sur les lieux.

5 Voici des notes prises lors d'un procès. À l'oral, par deux, rapportez ces propos au passé.

L'AVOCAT. – Où étiez-vous hier ?
L'ACCUSÉ. – J'étais chez moi.
L'AVOCAT. – Est-ce que quelqu'un peut le confirmer ?
L'ACCUSÉ. – Ma petite amie peut. Elle était avec moi.
L'AVOCAT. – Ne dites pas de bêtises : elle a témoigné ce matin contre vous. Vous mentez !
L'ACCUSÉ. – Mais ce n'est pas moi le coupable. Je vous le jure.
L'AVOCAT. – Ce n'est pas à moi d'en décider. Ce sera à la Cour !

6 Vous êtes policier, vous devez rédiger un compte-rendu sur l'attaque d'une boulangerie qui a eu lieu la veille. Vous avez interrogé plusieurs témoins qui semblent vous avoir raconté n'importe quoi.

EXEMPLE : *J'ai demandé à M. X ce qu'il avait vu. Il m'a répondu...*

Le passé simple

→ Écoutez et relevez le défi. 

a. Relevez les verbes. À quels temps sont-ils ?

b. Quelle différence de sens voyez-vous entre le passé composé et le passé simple ?

c. À votre avis, quelles sont les terminaisons du passé simple ?

- **On emploie le passé simple pour parler d'une action terminée**, comme le passé composé, essentiellement dans des récits littéraires.
- **Les terminaisons sont :**
  -ai, -as, -a, -âmes, -âtes, -èrent
  -is, -is, -it, -îmes, -îtes, -irent
  -us, -us, -ut, -ûmes, -ûtes, -urent
  -ins, -ins, -int, -înmes, -întes, -inrent

Attention, le radical des verbes du 3e groupe change.
boire → je bus ; venir → je vins ; savoir → je sus...

7 Conjuguez les verbes au passé simple.

1. Vercingétorix *(déposer)* .... les armes à Alésia en -52.
2. Les soldats *(boire)* .... à la santé de leur chef.
3. Marie-Antoinette *(tenter)* .... en vain de réduire ses dépenses.
4. Lors de la Révolution française, les révolutionnaires *(brûler)* .... les églises.
5. Les États-Unis *(abolir)* .... l'esclavage au début du XIXe siècle.

8 Conjuguez les verbes entre parenthèses à l'imparfait, au passé simple ou au plus-que-parfait.

Quand les Romains *(conquérir)* .... la Gaule en 52 av. J.-C., les habitants *(parler)* .... déjà le latin. Au Ve siècle, le gaulois *(disparaître)* .... presque complètement. Au Moyen Âge, deux zones linguistiques *(coexister)* .... : dans le sud, on *(utiliser)* .... la langue d'oc et dans le nord, la langue d'oïl. Langue du roi, le dialecte d'oïl *(se diffuser)* .... dans tout le pays et donna naissance au français.

9 Comment s'est passée la prise de la Bastille en 1789 ? Mettez-vous dans la peau d'un historien et racontez en quelques lignes l'événement tel que vous l'imaginez, au passé simple.

Les pronoms personnels, démonstratifs et neutres

→ Observez et relevez le défi.

Guignol est une marionnette créée à Lyon vers 1808 par Laurent Mourguet, dentiste sur les marchés. Cet arracheur de dents s'en servait pour détourner l'attention de ses clients. Il leur racontait l'actualité en critiquant le pouvoir, mais il le faisait sur un mode comique. Aujourd'hui, Guignol fait surtout rire les enfants, mais ceux qui en profitent aussi, ce sont leurs parents !

a. Soulignez les pronoms présents dans ce texte.

b. Que remplacent-ils ou désignent-ils ?

c. Lesquels complètent un verbe ?

- ***En* et *y*** sont des pronoms personnels (comme ***je, te, lui, leur, nous...***). Ils remplacent des noms inanimés et parfois une proposition entière.
  en = de + complément
  y = à + complément ou complément de lieu
- **Les pronoms démonstratifs** peuvent représenter un groupe nominal déjà cité : *ce, cela, celui-ci, celles-ci...*
- **Le pronom neutre *le*** peut remplacer un nom, un adjectif, un groupe verbal ou une préposition.

10 Réécrivez les phrases en remplaçant les mots soulignés par le bon pronom.

1. Les Korrigans sont de petits lutins espiègles. Tu as peut-être entendu parler des Korrigans ?
2. Ils vivent sur les collines bretonnes et ils conservent leurs trésors sur les collines bretonnes.
3. Ils sont très riches car ils transforment le plomb en or. En tout cas, on dit qu'ils transforment le plomb en or.
4. Les humains qui prennent soin des Korrigans et qui témoignent de la bienveillance aux Korrigans sont récompensés.
5. Les Bretons aiment beaucoup les Korrigans. Les Bretons qui prétendent les avoir vus adorent raconter leurs histoires aux touristes !

11 Lisez ce texte et essayez de retrouver le sens de l'histoire en imaginant ce que signifient les pronoms soulignés.

Celui-là n'en avait pas beaucoup. Quand elle le lui dit, il fut très attristé et lui promit de l'aider. Il fallait y remédier absolument pour qu'il puisse retrouver son pouvoir. Mais ils avaient besoin d'aide. Pour cela, ils s'y rendirent. Ils en informèrent celui-ci et lui demandèrent son appui. Il leur dit qu'il le ferait pour eux. Ils savaient qu'il en était capable et qu'il y parviendrait.

12 C'est l'heure du conte ! Vous allez raconter une légende ou un conte de votre région ou de votre pays. Veillez à utiliser des pronoms pour éviter de répéter le nom des personnages, les lieux, les actions, etc.

Participer à un interrogatoire

1 Réagissez ! 

a. Observez l'image.
Quelle est la situation ?
Qui sont les personnes présentes ?
Faites des hypothèses sur ce qui a pu se passer.

b. Écoutez le document.
De quoi le suspect est-il accusé ?

c. Quel rôle joue chaque enquêteur ?
Quel est le registre de langue de chacun ?

2 C'est dans la boîte ! 

Écoutez de nouveau et complétez la boîte à outils avec les exemples du document.

BOÎTE À OUTILS

Interroger quelqu'un

Accuser quelqu'un

....

....

Demander

- des informations : ....
- des aveux : ....

Menacer quelqu'un

....

....

Répondre à un interrogatoire

Dire son incompréhension

....

....

Nier

....

....

3 Du tac au tac !  

Écoutez ces phrases et répondez. Si vous êtes accusé, vous pouvez choisir d'avouer ou de nier. Sinon, c'est à vous d'accuser le suspect !

LE + COMMUNICATION

AVOUER
- Oui, c'est moi !
- C'est vrai, c'est moi qui ai…
- C'est de ma faute.
- C'est à cause de moi.
- Je reconnais que…
- J'avoue tout.

4 Le son et le ton qu'il faut !

1 Repérez ! 91

Réécoutez ces extraits de l'interrogatoire.

a. Dites à quels mots correspondent « ouam » et « seultou » en verlan.

b. Pour chaque phrase, dites si « quoi » est utilisé comme un tic de langage.

c. Dites quels mots permettent à la policière de vérifier qu'elle a toujours l'attention du suspect.

Quand on parle, **on utilise certains mots de manière répétitive** sans s'en apercevoir, et souvent sans que son interlocuteur ne le remarque.
Par exemple, les jeunes Français utilisent très souvent « **quoi** » pour ponctuer leurs phrases. Il n'a aucune valeur grammaticale.
Je veux dire, je le connais pas, ***quoi*** *!*

2 Prononcez ! 90

Répondez de nouveau à l'une de ces accusations de manière négative et en adoptant un registre familier. Utilisez les équivalents en verlan des mots suivants : « moi », « pas », « bizarre », « énervé », « flic ».

La recette du verlan

1. Pour les mots d'une syllabe terminés par une consonne, ajouter [ø]: *« femme » → « femmeu »*
Dans certains cas, on supprime le début du mot : *« américain » → « ricain »*

2. Découper le mot en syllabes : *« fe-mmeu », « ri-cain », « fran-çais », « bi-zarre », « chaud »*

3. Inverser les syllabes ou les sons : *« cain-ri », « cé-fran », « zar-bi », « auch »*

4. Supprimer parfois la fin du nouveau mot : *« meuf », « zarb' »*
Il arrive même qu'on « verlanise » un mot en verlan : *« meuf » → « feumeu »* !

3 Mettez-y le ton ! 

À votre tour, fournissez un alibi en racontant ce que vous faisiez quand le tag des boîtes aux lettres a eu lieu. Veillez à garder l'attention du policier !

Pour **établir le contact** avec son interlocuteur ou vérifier qu'on a toujours toute son attention, on utilise des mots qui ne donnent pas d'informations.
Allô ! Bon alors *écoute !* ***Eh bien,*** *j'ai eu 18 en histoire !*

LE CÉFRAN, C'EST TROP ZARB !

C'EST À VOUS !

- Formez des groupes de trois. Un vol a eu lieu dans la salle de classe. Le suspect va être interrogé par deux personnes : l'un joue le rôle du « gentil » et l'autre, celui du « méchant ».
- Vous menez l'interrogatoire en vous aidant de la boîte à outils.
- À la fin de la scène, faites un compte-rendu à la classe en rapportant les propos du suspect et donnez votre avis : est-il coupable ou innocent ?

Écrire un témoignage sur un blog

dimanche 14 septembre | 23:40

Coucou les loulous !

Me voici tout juste de retour de mon week-end médiéval ! Quelle aventure ! Donc, pour ceux qui n'ont pas suivi, j'ai testé pour vous la reconstitution historique.
Bilan ? J'ai a-do-ré et j'ai trop rigolé !! Non mais vraiment ! À la base, l'Histoire, c'était pas spécialement mon truc. Mon frère Roman m'avait dit : « Tu ne tiendras pas deux heures. Tu sais que tu vas cuisiner au feu de bois et te laver dans la rivière ? » J'avoue que je ne faisais pas la maligne avant de partir. Mais j'ai tenu ! Et franchement, c'était une expérience extraordinaire.

Donc, samedi matin j'ai quitté Lyon à l'aube pour rejoindre le petit bled de la Touche Carné en Bretagne. Arrivée sur place (après une journée de route !), super accueil de la part des participants. Je me suis changée directement et j'ai enfilé mes vêtements d'époque, achetés exprès pour l'occasion. Pas vraiment confortables par rapport à mon jean et mes baskets mais bon, j'ai joué le jeu ! Ensuite, il a fallu construire le campement : d'abord nous avons installé les tentes et après, nous avons fait la cuisine : chacun avait un rôle bien précis. Une fois le repas terminé, vaisselle dans la rivière : croyez-moi, ça fait apprécier le lave-vaisselle ! L'après-midi, on s'est mis au boulot : moi j'étais « en stage » chez la dentellière – hyper gentille au passage. Et le soir, banquet et danses... médiévales bien sûr. Le lendemain, c'était le tournoi pour finir en beauté ! Mais ça, je vous le raconterai dans un prochain post...

Vous me reconnaissez ?

Bref, c'était vraiment une super façon de découvrir l'Histoire autrement : en la vivant ! Et en fait, est-ce que ce n'est pas la meilleure façon de faire ?

D'ailleurs, les amis, j'ai tellement aimé que je vais recommencer en juin pour fêter le bicentenaire de la bataille de Waterloo. Une grande reconstitution historique est prévue... à Waterloo. Ça va être fou ! 5 000 participants, 300 cavaliers, une centaine de canons et 60 000 spectateurs qui pourront y assister ! Ce sera la première fois qu'il y aura autant de monde ! Venez nombreux !
https://www.waterloo2015.org/fr

Et vous, ça vous plairait de découvrir l'Histoire comme ça ? Laissez-moi vos commentaires !

1 En un clin d'œil !

a. Observez le document. De quoi s'agit-il ? Qui parle et à qui ?

b. Quel est le sujet ?

c. À votre avis, quel va être le ton employé et la façon d'écrire ?

2 C'est dans la boîte !

a. Lisez le texte et complétez la boîte à outils en retrouvant les informations dans le texte.

BOÎTE À OUTILS

Écrire un témoignage sur un blog

Raconter des faits passés

- Les événements et la chronologie : ....
- Le contexte : ....

Exprimer ses sentiments

- La ponctuation : ....
- Le choix des verbes : ....

Donner du relief au discours

....

....

Établir un contact avec le lecteur

....

....

b. Relevez des exemples de langage familier.

3 Du tac au tac !

Lisez ces réactions, puis écrivez à votre tour un commentaire sur le blog de Katell pour réagir à son article. Parlez de la période historique qui vous intéresse le plus et dites pourquoi.

Nora | dimanche 14 septembre 23:58

Génial, je ne suis pas fan non plus des reconstitutions, mais comme j'adore l'Antiquité, je serais bien tentée par un week-end à Rome ou à Athènes ;-)

Ronan | lundi 15 septembre 00:17

Félicitations Katell ! En ce qui me concerne, je suis tout à fait prêt à t'accompagner en Belgique. Je suis bien de ton avis : c'est comme ça qu'on devrait apprendre l'Histoire plutôt qu'en classe !

Inconnu | lundi 15 septembre 12:36

Merci pour votre témoignage passionnant et qui donne envie de tester à son tour la reconstitution historique. On se retrouvera donc peut-être à la bataille de Waterloo, puisque je suis spécialiste de cette période...

4 Comment ça s'écrit ?

Retrouvez dans l'article les mots correspondant aux formes suivantes en verlan :
« goleri », « keutru », « reuf », « tigen », « ouf ».

C'EST À VOUS !

- À votre tour, racontez sur un blog une expérience qui vous a marqué.
  - Choisissez un événement qui vous a permis de mieux comprendre un moment de l'Histoire (visite d'un site historique ou d'un musée, discussion avec un historien, reconstitution historique, etc.) ou bien à une autre manifestation à laquelle vous avez participé (un festival, une journée chez un artisan, etc.).

LE + STRATÉGIE

Lorsqu'on écrit sur un blog, on a beaucoup plus de liberté : n'hésitez pas à utiliser un vocabulaire familier, à faire un usage expressif de la ponctuation et à jouer avec les mots...

Écrire un poème

« On ne naît pas poète, on le devient », dit-on ! Pour développer votre talent d'écrivain, vous allez écrire un poème. Pour cela, inspirez-vous des éléments culturels proposés et lancez-vous !

1 Respiration

- Regardez et lisez les documents. De quoi parlent les poèmes ?
- Caractérisez-les : ont-ils des vers ? des rimes ? ou sont-ils en prose ?
  Certains mots ou structures sont-ils répétés ?
  Repérez les comparaisons et les métaphores.
- Quels sont les extraits qui vous plaisent le plus et pourquoi ?

2 Inspiration

- Prenez le temps de réfléchir et citez un texte poétique que vous aimez (chanson, poème...).
- Donnez le nom de l'auteur et, si possible, récitez-le à voix haute devant la classe !

3 Création

- Choisissez un événement de l'Histoire ou de votre histoire personnelle qui vous inspire.
- Faites deux listes de mots : une avec des mots que vous associez à ce thème et une avec des mots dont vous aimez les sonorités.
- Puis, lancez-vous ! Écrivez un texte poétique avec les termes que vous avez choisis. Veillez à respecter un rythme mélodieux et proposez une à deux comparaisons ou métaphores.

Si vous en avez envie, vous pouvez même écrire un poème « classique » avec des vers et des rimes !

LE + INFO

Dans la poésie classique française, les poèmes comportent des **vers** et des **rimes**. Un vers est une ligne qui a un certain nombre de syllabes (12 pour un alexandrin, comme dans l'exemple ci-dessous). La rime est la répétition de sonorités identiques en fin de vers.

*Heureux qui, comme Ulysse, a fait un beau voy**age**,*
*Ou comme cestuy-là[1] qui conquit la tois**on**,*
*Et puis est retourné, plein d'usage et rais**on**,*
*Vivre entre ses parents le reste de son **âge** !*

1 *Celui-là.*

Joachim Du Bellay, *Les Regrets*, 1558.

À VOIR

« Il n'y a pas de poésie... pour la poésie, il y a le sang, il y a le vent, il y a la terre, il y a la mer et je ricoche à l'infini, les corps de mots, les corps de cris. » Déclaration-manifeste aux allures de haïku pour un autoportrait des *Têtes Raides* qui invitent des auteurs dans ce spectacle en se revendiquant de la musique et de la poésie.
Une « formule » sur mesure avec un violon, et à huit sur le plateau pour évoquer, avec *Corps des mots*, leurs affinités électives avec l'écriture de poètes qui marient poétique et politique. Des textes mis en musique pour une soirée émaillée de surprises où seront interprétées quelques-unes de leurs chansons.

Le vendredi 15 mars 20h30 • L'Aire libre, 35136 St-Jacques-de-la-Lande

J'ai tout pris sur la tête
Les cailloux, les planètes
Les pourquoi, les comment
Les morts et les vivants

Accroché au plafond
Perdu dans les horizons
Je ricoche à l'infini
Les corps de mots
Les corps de cris

Les Têtes Raides, « Corps de cris »

Celui qui croyait au ciel
Celui qui n'y croyait pas
Quand les blés sont sous la grêle

Fou qui fait le délicat
Fou qui songe à ses querelles
Au cœur du commun combat

Louis Aragon, « La Rose et le Réséda », Robert Laffont.

À ÉCOUTER

Découvrez la dernière chanson de l'album *Samedi soir à Beyrouth*. Bernard Lavilliers met en musique le beau poème d'Aragon, « La Rose et le Réséda ». Écrit en 1944, le poème appelle à l'union et à l'amitié dans la Résistance.

À DÉCOUVRIR

Chaque année, cette manifestation nationale et internationale a pour vocation de sensibiliser à la poésie sous toutes ses formes et de la célébrer. En 2014, le thème était « Au cœur des arts ». En 2015 est célébrée « l'insurrection poétique » afin de rappeler que la poésie pourrait bien sauver le monde.

À LIRE

Cet ouvrage réunit des auteurs majeurs d'Afrique noire francophone (Léopold Sédar Senghor, Birago Diop, Bernard Dadié, Jacques Rabemananjara, Jean-Baptiste Tati Loutard et Tchicaya U Tam'si). Ces poètes engagés, militants de la Négritude, chantent le traumatisme de l'esclavage et de la traite, les souffrances de la colonisation, les illusions et désillusions de l'indépendance de leur pays, mais aussi les « valeurs nègres », la solidarité et la fraternité de leurs peuples. Six voix incontournables de la poésie africaine du XXe siècle.

Femme noire, femme obscure,
[...] Délices des jeux de l'esprit, les reflets de l'or rouge sur ta peau qui se moire
À l'ombre de ta chevelure, s'éclaire mon angoisse aux soleils prochains de tes yeux.

Léopold Sédar Senghor, « Femme noire », Le Seuil.

À TESTER

Imaginé par Hubert Haddad à partir de son *Nouveau magasin d'écriture*, cet atelier en ligne vous propose une recette pour créer un texte poétique qui vous ressemble ! Laissez libre cours à votre imaginaire et lancez-vous à chaque étape avec une spontanéité entière. Laissez-vous surprendre par les associations et combinaisons de mots sans jamais présupposer un sens : votre subconscient fera le travail en accord avec votre espace imaginaire !

www.zulma.fr/atelier-ecriture.html

POINT RÉCAP'

Réaliser une chaîne d'écriture

ACTIVITÉ BILAN

- Vous allez écrire une histoire collective. Formez des groupes de cinq personnes. Chaque apprenant choisit un thème.
  EXEMPLE : *un événement historique ou de l'actualité récente, un ragot sur une personnalité, une légende...*
- Chacun écrit les premières lignes de son histoire : employez les temps du passé pour donner le contexte. Privilégiez le passé simple.
- Chacun passe sa feuille à son voisin de droite. Celui-ci lit et continue l'histoire commencée, et ainsi de suite. Les contraintes sont les suivantes :
  - le deuxième apprenant utilise des pronoms pour éviter les répétitions ;
  - le troisième introduit des paroles rapportées au passé ;
  - le quatrième ajoute un événement qui va permettre de terminer l'histoire ;
  - le dernier conclut l'histoire en respectant les temps.
- À la fin, les textes sont lus dans chaque groupe et on élit le meilleur. Chaque groupe lit l'histoire qu'il a retenue à la classe.

Se plonger dans l'histoire

Qui ?

- la collectivité, une pluralité d'individus, les citoyens
- nos parents, nos ancêtres
- des personnalités, de grands hommes, des hommes et des femmes d'exception, les héros historiques
- Guignol, les Guignols de l'Info
- les médias, la presse (« people »), les journaux, la télévision
- un juge, un enquêteur, un inspecteur, un suspect, une victime, un témoin

- **Décrire des émotions**
  > avec un air étrange
  > fourrager dans ses cheveux
  > passer ses mains sur son front
  > parler d'une voix altérée
  > se pencher vers quelqu'un
  > presser quelqu'un de + *inf.*
  > Je suis las de + *inf.*
  > Il a l'air de s'agiter.

Où ?

- un monument, un musée, un château, un temple de la patrie / républicain, le Centre des monuments nationaux (CMN), le Panthéon
- un parc de loisirs à thème, un parc d'attractions
- un banquet, un spectacle médiéval
- sur une scène, lors d'une représentation

- **Parler de travaux**
  > mettre des bâches
  > installer un échafaudage
  > remettre un monument en état
  > Le mur se lézarde.
  > Un chantier s'est ouvert.
  > Vingt ans de travaux !

MEMO Grammaire

➤ Précis grammatical, pp. 202-213

Le discours rapporté au présent

Quand on rapporte des paroles, on utilise un verbe introducteur. Au discours direct, les paroles sont données telles qu'elles ont été prononcées.

EXEMPLE : *« **Je** passerai **te** chercher demain. **Tu** seras seul ? »*
*→ Il me dit qu'**il** passera **me** chercher demain et me demande si **je** serai seul.*

❗ > Quel verbe introducteur ? Comment se construit-il ?
> Au discours direct, s'agit-il d'une question ?
> Ai-je fait les modifications nécessaires ?

Le discours rapporté au passé et la concordance des temps

Quand on rapporte des paroles au passé, on fait les mêmes modifications qu'au présent. On modifie aussi le temps des verbes et certains indicateurs de temps.

EXEMPLE : *« **Je** n'**ai** rien **fait** depuis hier, je **serai** plus actif demain. »*
*→ Il m'a affirmé qu'il n'**avait** rien **fait** depuis la veille et il a promis qu'il **serait** plus actif le lendemain.*

❗ > Quel temps au discours direct ?
> Donc, quel temps au discours indirect ?
> Ai-je fait les modifications nécessaires ?

Quoi ?

- un lieu, des dates, des événements, des faits
- une guerre, un conflit, une réforme
- des périodes historiques : la Préhistoire, l'Antiquité, le Moyen Âge, la Renaissance, la colonisation, la Révolution française, les deux guerres mondiales
- une Constitution, un référendum, un vote
- un mensonge, des ragots *(fam.)*, une histoire à dormir debout
- un art du récit, le *storytelling*
- une fable, un conte, une saga, une fresque, une légende

- **Réagir à un mensonge**
  > Je me méfie des trop belles histoires.
  > On nous raconte des histoires.
  > On est manipulés.
  > C'est de la propagande / de la désinformation.
  > Je n'y crois pas une (seule) seconde.
  > Je ne rentre pas dans le jeu.
  > On a notre libre arbitre.
  > On nous prend pour des idiots.
  > Vous bluffez ! / Mon œil ! *(fam.)*

Comment ?

- Il était une fois..., Il fut un temps où..., Depuis la nuit des temps...
- retracer des siècles d'Histoire
- mentir, (se faire) raconter des histoires, mener en bateau, bluffer, manipuler
- désinformer, formater les esprits
- participer à une reconstitution historique

- **Participer à un interrogatoire**
  > analyser des empreintes
  > interroger des témoins
  > avoir un alibi / des preuves
  > obtenir des aveux
  > employer les grands moyens
  > Vous êtes en garde-à-vue.
  > On vous accuse de + *inf.*
  > Tu ferais mieux de cracher le morceau ! *(fam.)*
  > Vous êtes condamné à dix ans de réclusion.
  > Je n'ai rien fait. / Je suis innocent !
  > Je ne parlerai qu'en présence de mon avocat !
  > C'est X qui a tout manigancé.

Pourquoi ?

- témoigner, faire un portrait
- mettre en lumière, transmettre le savoir
- rêver, imaginer
- retomber en enfance, s'endormir
- se divertir, prendre du plaisir
- réunir la famille

- **Décrire un succès**
  > Grâce au succès de...
  > un taux de fréquentation en hausse
  > un chiffre d'affaires / un bénéfice de + *somme*
  > arriver en tête de classement (de popularité)
  > Être loin devant...
  > C'est une réussite !
  > C'est une affaire très rentable.

- **Rectifier, démentir une idée**
  > Pas vraiment. / Pas exactement.
  > Tu veux plutôt dire que...
  > Ce serait plus juste de dire que...
  > Je ne crois pas que ce soit vrai.
  > Non, ce n'est pas vrai. / C'est faux.
  > Tu as tort. / Tu te trompes.
  > C'est tout à fait faux / ridicule / idiot !
  > Quelle drôle d'idée !
  > Tu exagères. / Tu plaisantes ?

Le passé simple

Le passé simple remplace le passé composé, souvent à l'écrit, et dans un registre élevé.

EXEMPLE : *Le loup avait déjà mangé sa grand-mère quand le Petit Chaperon rouge, qui lui rendait souvent visite,* ***arriva****. Il* ***avala*** *la fillette en une bouchée !*

❗ > Action ou description ?
> Action en cours ou terminée ? En lien avec le présent ?
> Écrit ou oral ? Registre littéraire ?

Les pronoms personnels, démonstratifs et neutres

Un pronom remplace un mot, un groupe de mots ou une proposition entière, souvent afin d'éviter une répétition.

EXEMPLE : *Les journaux people ? J'****en*** *lis, mais je ne* ***le*** *dis pas. Je ne* ***leur*** *fais pas confiance et je ne m'****y*** *résoudrai jamais.*

❗ > Quel mot ou groupe de mots à remplacer ?
> Quel type de pronom choisir ?
> Quelle est la fonction du pronom dans la phrase ?

Les documents sonores sont téléchargeables sur le site www.didierfle.com/saison.

PARTIE 1 COMPRÉHENSION DE L'ORAL

Vous allez entendre deux fois un document.
Vous avez 30 secondes de pause entre les deux écoutes, puis 1 minute pour vérifier vos réponses.
Lisez les questions, écoutez le document puis répondez.

1. Quel est le thème de l'émission ?
- ☐ la vie dans un château fort
- ☐ la construction d'un château fort
- ☐ les spectacles historiques

2. Qui participe au chantier ?
- ☐ des professionnels
- ☐ des bénévoles
- ☐ des jeunes

3. D'où viennent les matériaux ?
- ☐ d'un atelier
- ☐ d'un magasin
- ☐ de la nature

4. Pour quelle raison Guillaume Patrelle a-t-il acheté un château ?

....

5. Qu'est-ce qui a coûté le plus cher dans ce projet ?

....

6. Comment Guillaume Patrelle a-t-il trouvé de l'argent ?
- ☐ En créant un spectacle.
- ☐ En contactant la mairie.
- ☐ En faisant appel aux ouvriers.

7. Comment a-t-il eu l'idée de bâtir un château fort ?
- ☐ En lisant un document.
- ☐ En écoutant une émission spécialisée.
- ☐ En rencontrant des artisans.

8. À qui est ouvert le chantier ?

....

9. Que veut faire Guillaume Patrelle avec le chantier de Guédelon ?

....

10. Quelle est la particularité de ce chantier ?

....

PARTIE 2 COMPRÉHENSION DES ÉCRITS

Lisez le texte puis répondez aux questions.

L'Histoire en romans

Si vous aimez lire, pourquoi ne pas vous plonger dans l'Histoire avec un roman historique ? Pour lire autre chose que des romans traditionnels et découvrir une époque historique bien réelle. Pour apprendre l'Histoire autrement.

Ces romans vous feront voyager dans un contexte historique où se mêlent récit (plus ou moins imaginaire) et événements réels. L'objectif pour l'écrivain n'est pas de raconter une simple histoire au lecteur mais de présenter des faits historiques ou la vie quotidienne d'une époque passée.

Les faits vous plongeront dans le vif de l'action. Vous découvrirez la vie de personnages historiques, tels Christophe Colomb ou Marie-Antoinette. Vous pourrez comprendre pourquoi ils ont pris certaines décisions ou ont participé à certains événements. Choisissez l'époque qui vous intéresse le plus ! Préhistoire, Antiquité, Moyen Âge ou encore Renaissance, il y en a pour tous les goûts...

Par ailleurs, il existe une multitude de romans historiques. Certains romans, davantage basés sur la fiction, mettent en scène des histoires d'amour et de haine, de complicité et de jalousie, de pauvreté et de richesse.

À travers ces romans, vous découvrirez des personnages passionnants et généreux, mais aussi leurs côtés sombres. Les descriptions des écrivains vous permettront d'imaginer des décors, des vêtements et des scènes d'époque comme si vous y étiez. Peut-être même aurez-vous l'impression d'avoir vécu à cette époque.

Les écrivains de ces types de romans doivent faire de longues recherches. Certains auteurs contactent des historiens spécialisés dans une époque. Les meilleurs romans historiques sont nés d'une préparation très importante : pas facile en effet de raconter des faits historiques tout en les mélangeant avec des héros imaginaires qui reflètent les tendances de l'époque. L'écrivain de romans historiques doit être le plus objectif possible, mais la tâche n'est pas facile. En effet, des romans portant sur les mêmes faits ou personnages historiques peuvent présenter quelques différences. Un même homme peut être un héros et un « méchant » dans deux livres différents. Les historiens connaissent bien ce phénomène. Leurs points de vue diffèrent parfois : les victimes d'un historien deviennent des coupables pour un autre. L'auteur d'un roman historique doit donc choisir le point de vue qui lui convient le mieux !

1. Quel titre correspond le mieux à l'article ?
- ☐ Apprendre en lisant.
- ☐ Apprendre l'Histoire autrement.
- ☐ Apprendre en s'amusant.

2. À qui s'adressent les romans historiques ?

....

3. Cochez (☒) la bonne réponse et justifiez.
Les romans historiques racontent tous la même histoire.
☐ Vrai ☐ Faux

....

4. Que trouve-t-on dans un roman historique ?

....

5. Cochez (☒) les bonnes réponses et justifiez.
L'objectif pour l'écrivain n'est pas de raconter une simple histoire.
☐ Vrai ☐ Faux

....

Les romans historiques permettent de mieux comprendre l'Histoire.
☐ Vrai ☐ Faux

....

6. Qu'est-ce qui peut vous donner l'impression de vivre à une époque passée ?
- ☐ les descriptions
- ☐ les dialogues
- ☐ les faits

7. Que doivent faire les écrivains pour écrire un roman historique ?

....

8. Qui peut aider les écrivains ?
- ☐ d'autres auteurs
- ☐ des historiens
- ☐ des lecteurs

9. Que doit choisir l'écrivain pour parler d'un personnage historique ?

....

PARTIE 3 PRODUCTION ÉCRITE

Sur un site Internet dédié aux questions de société, vous lisez l'opinion suivante :

« Nous sommes à la retraite, mais nous avons encore envie d'apprendre ! À 70 ans, nous nous sommes donc inscrits à l'université populaire de Caen. C'est une association culturelle qui propose gratuitement à tous des cycles de cours dans toutes les disciplines. »

Vous écrivez un article que vous voulez faire paraître sur le site Internet. Vous présentez votre opinion sur le sujet dans un texte détaillé et cohérent de 160 à 180 mots.

....

....

....

....

....

....

....

....

....

PARTIE 4 PRODUCTION ORALE

Vous dégagez le thème soulevé par le document et vous présentez votre opinion sous la forme d'un exposé personnel de 3 minutes environ.

Qu'en pensez-vous ? Est-ce une bonne idée de faire participer les jeunes aux cérémonies de commémoration ?

COMMENT FAIRE DÉCOUVRIR L'HISTOIRE AUX PLUS JEUNES ?

À l'occasion du centenaire de la Grande Guerre[1], toutes les villes de France ont organisé une cérémonie commémorative le jour de l'armistice[2]. Ces manifestations ont été marquées par la participation d'écoliers venus pour partager le souvenir d'un événement très marquant pour tous les Français. À Douai, dans le Nord de la France, cette année, en plus des traditionnels défilés militaires, quatre classes de l'école primaire Fontellaye et du collège Canivez ont chanté l'hymne national français, *La Marseillaise*, accompagnés de l'orchestre de la ville. Devant le regard attentif du maire, des élus, des anciens combattants, des militaires et des parents venus en nombre. Certains se demandent comment transmettre la mémoire à la jeune génération. La participation des jeunes à ces cérémonies commémoratives pourrait être une réponse.

1 *La Première Guerre mondiale (1914-1918).*
2 *Jour qui marque officiellement la fin d'un conflit. Ici, le 11 novembre.*

Source : www.lavoixdunord.fr

Unité 8

Protéger le patrimoine

S'INFORMER

- Exprimer une appartenance
- Porter un jugement de valeur
- Hésiter
- Décrire une détérioration
- Ouvrir et fermer une digression
- Écrire la critique d'une série télévisée
- ▶ Activité Étape
  Participer à la sauvegarde d'un monument historique

S'EXPRIMER

- Participer à un débat
- Écrire un mail de réclamation
- ▶ L'atelier créatif
  Écrire un littinéraire

S'ÉVALUER

- ▶ Activité Bilan
  Organiser une vente aux enchères
- DELF B1

93

Ça fait sens !

- Quel monument protègent ces hommes ? Pourquoi ?
- D'après le document audio, qu'est-ce que le patrimoine industriel ?
- D'après vous, quels éléments du patrimoine faut-il sauvegarder ?

Biens matériels et immatériels

Le patrimoine immatériel

Il y a des choses que nous considérons important de préserver pour les générations futures. Leur importance peut tenir à leur valeur économique actuelle ou potentielle, ou encore à une certaine émotion qu'elles éveillent en nous, ou au sentiment qu'elles nous donnent de notre appartenance à quelque chose – à un pays, une tradition, un mode de vie. Il peut s'agir d'objets qui tiennent dans la main comme de bâtiments à visiter, ou de chansons à chanter et d'histoires à raconter.
Quelle que soit la forme qu'elles prennent, ces choses font partie d'un patrimoine, et des efforts soutenus de notre part sont nécessaires pour le sauvegarder. Ce que l'on entend par « patrimoine culturel » a changé de manière considérable au cours des dernières décennies, en partie du fait des instruments élaborés par l'UNESCO. Le patrimoine culturel ne s'arrête pas aux monuments et aux collections d'objets. Il comprend également les traditions ou les expressions vivantes héritées de nos ancêtres et transmises à nos descendants, comme les traditions orales, les arts du spectacle, les pratiques sociales, rituels et événements festifs, les connaissances et pratiques concernant la nature et l'univers ou les connaissances et le savoir-faire nécessaires à l'artisanat traditionnel. [...]

Le patrimoine culturel immatériel est :

- **Traditionnel,** contemporain et vivant à la fois : le patrimoine culturel immatériel ne comprend pas seulement les traditions héritées du passé, mais aussi les pratiques rurales et urbaines contemporaines, propres à divers groupes culturels.
- **Inclusif**[1] : des expressions de notre patrimoine culturel immatériel peuvent être similaires à celles pratiquées par d'autres. Qu'elles viennent du village voisin, d'une ville à l'autre bout du monde ou qu'elles aient été adaptées par des peuples qui ont émigré et se sont installés dans une autre région, elles font toutes partie du patrimoine culturel immatériel en ce sens qu'elles ont été transmises de génération en génération, qu'elles ont évolué en réaction à leur environnement et qu'elles contribuent à nous procurer un sentiment d'identité et de continuité, établissant un lien entre notre passé et, à travers le présent, notre futur. [...]
- **Fondé sur les communautés** : le patrimoine culturel immatériel ne peut être patrimoine que lorsqu'il est reconnu comme tel par les communautés, groupes et individus qui le créent, l'entretiennent et le transmettent. [...]

Où commence notre rôle ?
Tout comme les monuments et les œuvres d'art sont identifiés et répertoriés, le patrimoine immatériel doit être recueilli et recensé. En réalité, pour un État, la première étape de la sauvegarde du patrimoine culturel immatériel consiste à recenser les expressions et manifestations susceptibles d'être considérées comme patrimoine culturel immatériel et à les enregistrer ou en faire l'inventaire.

1 *Qui intègre. Ici, qui crée un sentiment identitaire vis-à-vis d'une communauté.*

www.unesco.org

1 Ouvrez l'œil !

a. Décrivez les photos. Quel est le lien avec le titre ?

b. Regardez la source et lisez les éléments en gras. Que dit ce texte ?

2 Posez-vous les bonnes questions !

a. Qu'est-ce que le patrimoine culturel ?

b. Qu'est-ce que le patrimoine immatériel ?

c. Quels sont les exemples de patrimoine culturel immatériel donnés dans le texte ?

d. Quelles sont les caractéristiques des biens patrimoniaux ?

e. Quel est le rôle de l'UNESCO ?

➤ Exprimer une appartenance, p. 168

3 Explorez le lexique !

a. Retrouvez dans le texte un équivalent et le contraire de l'expression « générations futures » (l 2).

b. Dans le texte, recherchez les mots liés à la protection du patrimoine.

c. Donnez des exemples de culture immatérielle de votre propre culture.

LE + INFO

Le **patrimoine mondial**, ou patrimoine de l'humanité, est une liste établie par le comité de l'Organisation des Nations Unies pour l'éducation, la science et la culture (UNESCO). Ce programme date de 1972 et comptait, en 2014, 1 007 biens inscrits répartis dans 161 États.

100 ans de protection

Promulguée il y a plus de cent ans en France, la loi du 31 décembre 1913 relative aux monuments historiques est devenue le fondement de la législation sur le patrimoine. Chaque année, le deuxième week-end de septembre, les Journées européennes du patrimoine invitent les citoyens à découvrir ce qui fait partie de l'héritage national.
www.culturecommunication.gouv.fr

1 Formulez des hypothèses !

a. Lisez le texte. Pourquoi la France a-t-elle décidé de promulguer la loi de 1913 ?

b. D'après vous, en quoi consistent les « Journées européennes du patrimoine » ?

2 Plongez-vous dans le détail ! 94

Observez, lisez et écoutez les documents.

a. Quel document donne un aperçu général du patrimoine ? Lequel sert d'exemple ? Lequel est promotionnel ?

b. Indiquez à quel titre chaque élément culturel est protégé : monument historique, label, patrimoine immatériel.

1. Je suis une sculpture en bronze du XVIIIe siècle.
2. Je suis le parc du château de Versailles.
3. Je suis la maison de Robert Schuman (homme d'État).
4. Je suis une tradition guadeloupéenne.

c. En 2014, quel élément du patrimoine antillais a été mis en valeur ?

Doc.1

LABELS : DISTINGUER LES ÉDIFICES ET SITES REMARQUABLES

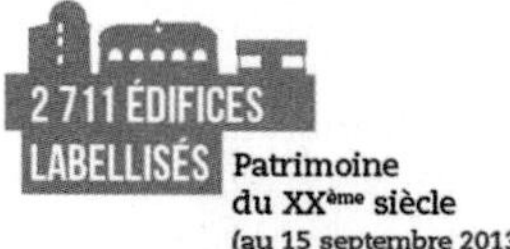

Patrimoine du XXème siècle (au 15 septembre 2013)

Maisons des Illustres (au 15 septembre 2013)

Jardins remarquables (au 30 janvier 2013)

MONUMENTS HISTORIQUES : UN DISPOSITIF DE PROTECTION EXEMPLAIRE

Au titre des monuments historiques (au 15 septembre 2013) *dont 14 546 classés et 29 690 inscrits*

Au titre des monuments historiques *dont* (au 31 décembre 2012) *130 000 classés et 130 000 inscrits*

PATRIMOINE : UNE RECONNAISSANCE INTERNATIONALE

En plus des biens culturels et naturels, l'Unesco a introduit en 2003 dans sa liste du Patrimoine mondial le patrimoine immatériel, comme le fest-noz, le compagnonnage, la tapisserie d'Aubusson, le Maloya ou le repas culinaire français.

www.culturecommunication.gouv.fr

Doc.2

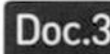
Doc.3

3 Tendez l'oreille ! 95

Reconnaissez-vous l'accent de Félix Cotellon ? Quelle est sa particularité ? Indice : concentrez-vous sur le [r] !

4 Ça se discute !

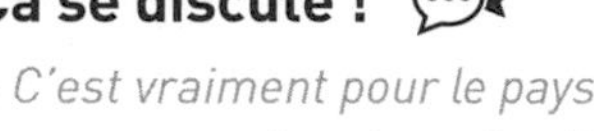

« C'est vraiment pour le pays une façon de rencontrer son Histoire et d'autres personnes qui partagent cette passion. Je trouve que c'est un beau moment de partage, un beau trait d'union entre les différentes époques de notre Histoire. »
Fleur Pellerin, ministre de la Culture et de la Communication, 20 septembre 2014.

Êtes-vous d'accord avec les propos de la ministre sur les Journées du patrimoine ? Argumentez et amusez-vous à faire quelques digressions pour imaginer les personnes ou moments auxquels la ministre fait allusion.

EXEMPLE : *C'est un bon moyen de rencontrer d'autres personnes qui partagent cette passion. À ce propos, il m'est arrivé, une fois, de rencontrer Stromae...*

LE + ARGUMENTATIF

OUVRIR ET FERMER UNE DIGRESSION

- À propos, ... / Au fait...
- Entre parenthèses, ...
- Au passage, ...
- J'en profite pour + *inf.*
- Je continue. / Continuons.
- Je reprends.
- Je ferme la parenthèse.
- Pour revenir à ..., ...

L'héritage ingrat

1 Ouvrez l'œil !

Regardez les images et lisez le titre de la page. Qu'est-ce qu'un notaire ? À votre avis, que font les deux personnages ?

2 Posez-vous les bonnes questions ! 

Regardez la vidéo.

a. Pourquoi la série s'appelle-t-elle « Silex and the city » ?

b. Qui est le singe ? Qu'est-il en train de lire ? Pourquoi ?

c. Quels sont les noms des héritiers ? De quoi chacun a-t-il hérité ?

d. Comment l'oncle qualifie-t-il son neveu et sa nièce dans le testament ?

e. Que se passe-t-il à la fin ? Pourquoi ?

➤ Porter un jugement de valeur, p. 168

LE + INFO

La roue de la fortune est un jeu télévisé qui a eu un grand succès en France entre 1987 et 1997, puis entre 2006 et 2012. Les candidats doivent faire tourner une roue et répondre aux énigmes proposées pour remporter les sommes indiquées sur la roue.

3 Restez à l'écoute ! 

a. Pour quelle raison l'auteur de la série fait-il un parallèle entre la société contemporaine et la Préhistoire ?

b. Indiquez la particularité de chacun des personnages.

c. Retrouvez les mots en relation avec l'héritage.

4 Saisissez la grammaire ! 

a. Réécoutez et complétez :

Attends, papa, la notion d'héritage est quand même .... inégalitaire.

Je te lègue le brevet de la roue dont tu sauras .... faire bon usage.

b. Qu'est-ce que chaque mot apporte à la phrase ?

➤ **Le groupe adverbial à valeur d'opinion, activités p. 160**

5 Tendez l'oreille ! 

Dans ces phrases, certains mots sont mis en relief. Comment ?

6 Réagissez ! 

Vous êtes chez le notaire et vous venez d'hériter d'une tante très éloignée. Le notaire lit le testament dans lequel figurent des éléments étranges. Jouez la scène et expliquez le lien d'appartenance entre ces éléments et votre tante.

7 Agissez !

Vous rédigez un article court (150 mots) pour présenter la série « Silex and the city », en portant un jugement de valeur : à l'aide d'adverbes, donnez votre opinion sur le titre, le choix des noms des personnages et la manière dont le sujet de l'héritage a été abordé.

L'héritage surprise

1 Ouvrez l'œil !

D'où vient ce texte ? Qui est l'auteur ? À partir du titre, imaginez, par deux, de quoi parle l'extrait.

2 Lisez et réagissez !

a. Quelle est la situation ?

b. Qui sont les personnages ?

c. Quel est l'état d'esprit de la femme ? Quels mots soulignent cet état d'esprit ?

d. Finalement, que décide-t-elle ? Pour quelle raison ? Quelle est sa personnalité ?

e. De quoi hérite-t-elle ?

➤ Hésiter, p. 169

3 Saisissez la grammaire !

a. Quels mots sont utilisés dans le document pour parler de la femme ? Et de l'homme ?

b. Pourquoi varier ainsi ?

➤ La reprise nominale, activités p. 160

4 Explorez le lexique !

a. Quels sont les deux sens du mot « patrimoine » ?

b. Par deux, cherchez des synonymes de ce mot. Puis, créez cinq phrases à trous avec ces mots et faites faire l'activité à vos voisins. Donnez des éléments pour comprendre le contexte !

> Un **synonyme** est un mot qui peut en remplacer un autre dans un texte sans en changer le sens (ex. : *une maison / un pavillon*).

– Mon unique question, madame Grenier, sera celle-ci : acceptez-vous la succession ou la récusez-vous ? Prenez quelques jours de réflexion. Car, si vous la revendiquez, n'oubliez pas que vous pouvez recevoir des dettes autant que des biens.

– Quoi ?

– Selon la loi, un testament agréé par le légataire[1] l'autorise à percevoir les avoirs mais l'oblige à régler les dettes s'il y en a.

– Il y en a ?

– Parfois il n'y a que ça.

– C'est le cas ici ?

– La loi m'interdit de vous répondre, madame.

– Vous le savez pourtant ! Dites !

– La loi, madame ! J'ai prêté serment.

– Cher monsieur, j'ai l'âge de votre mère : vous n'iriez pas fourrer votre vieille maman dans un mauvais traquenard[2], non ?

– Je ne peux pas vous le révéler, madame. Voici ma carte. Venez à mon étude quand vous aurez arrêté votre décision.

L'homme claqua des talons et la salua.

Dans les jours qui suivirent, Geneviève agita la question dans tous les sens. [...]

Toujours la question « Accepter ou exclure ? » amenait les autres, « Qui était ce quidam[3] ? » et « Quel lien avait le donateur avec sa donataire ? » [...] Du matin au soir, elle balançait d'une envie à son opposé. Saisir ? Refuser ? Quitte ou double ! Quoiqu'elle en perdît le sommeil, elle savourait cette agitation mentale : il flottait un parfum d'aventure dans sa vie... Elle ne cessait de peser et de soupeser. Au bout de soixante-douze heures, elle privilégia une position. Une joueuse débarqua chez maître Demeulemeester[4] : comme la prudence consistait à décliner l'offre, elle l'acceptait ! [...] En un seul mot, une fortune échut à Geneviève : un compte en banque garni, trois appartements dans la ville de Bruxelles, dont deux loués, les meubles, tableaux et œuvres d'art entreposés au 22, avenue Lepoutre, enfin un mas dans le sud de la France. Preuve de son élévation inopinée, le notaire lui proposa de gérer son patrimoine.

1 *Personne qui reçoit un héritage.*
2 *Piège. (fam.)*
3 *Cette personne.*
4 *C'est le nom du notaire.*

Éric-Emmanuel Schmitt, *Les deux messieurs de Bruxelles*, Albin Michel, 2012.

5 À la chasse aux mots ! 8

a. Dans les documents de ces pages, trouvez un maximum de mots pour compléter le tableau.

Le patrimoine	Exprimer une appartenance	Hésiter
....	....	....

b. Jouez à « Mot de passe ». Le jeu consiste à faire deviner des mots à son partenaire en donnant un maximum de cinq mots indices (des synonymes, des contraires...).

EXEMPLE : *patrimoine – domaine – fortune – succession – mal → un bien !*

Au secours de la culture

Un patrimoine bâti en péril

Les granges en bois disparaissent rapidement dans toutes les régions du Québec. Et la moitié de ces granges et de ces anciennes étables ne seraient pas récupérables. Faut-il s'inquiéter pour ce patrimoine bâti de la province ?

Les retombées économiques du bâti[1] ancien sont bien réelles, même si elles sont difficiles à chiffrer. Les vieilles granges embellissent le paysage et font partie des circuits touristiques. Elles annoncent les attraits de la campagne dans les dépliants et représentent l'attractivité du territoire.
Mais les granges et les étables en bois finissent par disparaître parce qu'elles n'ont plus d'utilité. Elles sont inadéquates pour l'agriculture moderne et spécialisée comme le porc ou les grandes céréales. Souvent devenues la propriété de rentiers[2], elles sont un fardeau économique à l'entretien. L'impôt foncier[3] et les assurances représentent environ 2 000 $, des montants considérables pour qui n'a plus de revenus.
Leur salut repose entre les mains des agriculteurs, qui doivent leur trouver un usage agricole contemporain. Et c'est toute la difficulté. Car autrement, elles s'affaisseront et seront débâties – planche par planche – pour être revendues en matériau de luxe. [...]
Les granges sont souvent construites en bois mou comme du pin, de l'épinette ou de la pruche[4] (le paysan utilisait le bois des forêts de ses terres).

Quelques solutions

Face à la décadence du patrimoine agricole, de nombreuses MRC[5] recensent le patrimoine de leurs bâtiments. La MRC de Coaticook, en Estrie, a été la première à le faire et a même publié un guide de bonnes pratiques pour qui veut sauver et restaurer son bâtiment.
Au Québec, plus d'une centaine de granges ou d'étables sont protégées par la loi sur le Patrimoine culturel. Le gouvernement ou la municipalité peut accorder le statut légal et, du coup, en interdire la démolition. Ce peut être aussi le ministre qui accorde la protection. Dans ce cas, le bâtiment est classé « monument historique ».

1 Constructions.
2 Personne qui obtient un revenu à partir d'une terre qu'il possède.
3 Taxe sur la propriété d'une terre.
4 Grand conifère d'Amérique du Nord.
5 Au Québec, entité administrative qui gère les collectivités locales.

sylvain proulx — Signaler
C'est pas vrai que toutes les granges valent la peine d'être sauvées ! Ce sont pour la plupart de vieux bâtiments qui ne servent plus à rien et qui n'ont aucune valeur architecturale ou patrimoniale. Croyez-vous sincèrement que le gouvernement peut débloquer des sommes importantes pour sauvegarder ce type de bâtiments au détriment de sommes mieux investies en éducation et en santé ?

d.martineau — Signaler
Nos politiciens ont la mémoire courte. C'est quoi déjà notre devise ? Ah oui ! « Je me souviens... » Il faudrait sans doute la leur rappeler !

Source : Rachelle Brillant, www.ici.radio-canada.ca

1 Ouvrez l'œil !

Regardez la photo et lisez le chapeau.
Que répondriez-vous à la question posée ?

2 Posez-vous les bonnes questions !

a. Que présente cet article ?

b. Qu'est-ce qui se détériore ? Comment ?

c. Pour quelles raisons les granges devraient-elles être sauvées ? Détruites ?

d. Quelle est l'opinion des internautes ?

➤ Décrire une détérioration, p. 169

3 Explorez le lexique !

a. Que signifie l'expression « être un fardeau économique à l'entretien » ?

b. Quel petit mot sert à exprimer la conséquence d'une action ?

4 Saisissez la grammaire !

Dans la dernière phrase, à quoi se rapporte chaque pronom ? Dans quel ordre sont-ils placés ?

C'est quoi déjà notre devise ? Ah oui ! « Je me souviens... » Il faudrait sans doute la leur rappeler !

➤ **Les doubles pronoms, activités p. 161**

5 Argumentez ! 

Répondez à la question posée par Sylvain Proulx dans son commentaire au sujet des sommes à débloquer pour le patrimoine. Dans un article de 250 mots, argumentez en vous permettant une à deux digressions.

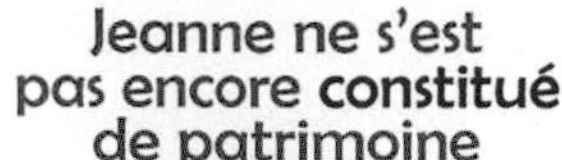

L'art à domicile

Jeanne ne s'est
pas encore constitué
de patrimoine
l'inventaire

1 Écoutez !  97

Regardez et lisez cette affiche. Comment peut-on s'approprier le patrimoine autrement ?

2 Posez-vous les bonnes questions !  97

a. Qui est Marion Derval ?

b. Qu'est-ce que « L'inventaire » (description, fonctionnement, coût, clients) ?

c. Comment Marion Derval présente-t-elle et défend-elle son association ?

LE + INFO

Les **artothèques** sont nées d'une volonté politique de diffusion de l'art contemporain en France, amorcée par André Malraux.
La première fut inaugurée au Havre en 1961.

3 Explorez le lexique !  97

a. Quels mots et expressions aident à promouvoir l'invitée ?

b. De quelle manière le journaliste propose-t-il de prolonger le sujet qui vient d'être abordé ?

4 Saisissez la grammaire !  97

a. Regardez l'affiche. Retrouvez les deux verbes pronominaux. Mettez le second au passé composé. Que remarquez-vous ?

b. Réécoutez l'introduction. Trouvez les deux verbes pronominaux et écrivez-les.

➤ **Les verbes pronominaux, activités p. 161**

5 Tendez l'oreille !  98

Dites si vous entendez [j], [ɥ], [w].

Participer à la sauvegarde d'un monument historique

ACTIVITÉ ÉTAPE

- Vous allez proposer la sauvegarde d'un lieu de patrimoine *via* un projet de financement participatif.
- En sous-groupes, décidez d'un lieu que vous avez envie de restaurer : un lieu de votre ville, de votre culture ou qui a marqué un de vos voyages...
- Rédigez une « page projet » :
  1. Présentez le lieu, insistez sur ses qualités et précisez les raisons du projet (patrimoine immatériel, dégradations, etc.).
  2. Pensez à une phrase d'accroche.
  3. Proposez une image de qualité.
- Mettez tous ces éléments en ligne. N'oubliez pas d'indiquer le montant de votre collecte, sa durée, les contreparties (ex. : 5 euros = une entrée dans ce monument).

➤ Cahier d'activités, **unité 8**

Le groupe adverbial à valeur d'opinion

→ Observez, écoutez et relevez le défi. 

Je suis agréablement surprise par cette visite.
Je m'attendais à un musée vraiment classique avec des expos peu interactives sur la musique traditionnelle. En fait, c'était carrément top ! Vous, vous avez trouvé cela comment ?

a. Dans ce texte, quels mots apportent une nuance aux adjectifs ?

b. Comment se forment ces mots et où se placent-ils ?

c. Écoutez les réponses. Quelles différences de fonctionnement remarquez-vous ?

Un adverbe modifie et précise le sens d'un adjectif, d'un verbe ou d'un autre adverbe.
Il peut ainsi renforcer une opinion.

- Il se forme généralement avec le féminin de l'adjectif + le suffixe *-ment* : *fort → forte → fortement*
(Les adjectifs en *-ant* et *-ent* forment leurs adverbes en *-amment* et *-emment*.)
- D'autres adverbes sont invariables et apportent une nuance de sens : *plutôt, trop, très, peu, mal, bien...*

1 Complétez ce texte en transformant les adjectifs en adverbes.

Grégoire et Virginie sont allés voir un spectacle *(absolu)* .... fabuleux. Il paraît que les spectateurs ont *(long)* .... applaudi. Moi, comme d'habitude, je n'ai *(évident)* .... rien compris. Je pense que je ne m'étais pas *(suffisant)* .... bien renseigné sur l'histoire de cet opéra. La prochaine fois, je veillerai à lire *(sérieux)* .... les critiques.

2 Écoutez les phrases et dites si la nuance apportée par l'adverbe est positive ou négative. Puis, classez les adverbes dans ce tableau selon qu'ils se rapportent à l'adjectif, au verbe ou à l'adverbe. 

Adjectif	Verbe	Adverbe
....	....	....

3 Regardez ces portraits et décrivez-les. Utilisez des adverbes pour nuancer votre propos.

(-) horriblement, mal, ridiculement, terriblement, trop...

(+) bien, formidablement, joliment, merveilleusement, superbement, très...

La reprise nominale

→ Observez et relevez le défi.

Le maloya est classé au patrimoine immatériel de l'Unesco depuis 2009. Jadis dialogue entre un soliste et un chœur accompagné de percussions, cet art est à la fois une forme de musique, un chant et une danse propre à l'île de la Réunion. Ce chant de complaintes et de revendications est devenu de plus en plus varié au niveau des textes et des instruments. Aujourd'hui, il se métisse avec le rock, le reggae ou le jazz et inspire la poésie et le slam.

a. Soulignez les groupes de mots qui désignent le maloya.

b. Quel est celui qui reprend un mot déjà utilisé auparavant ?

c. Quels sont ceux qui apportent une nouvelle information ?

Quand on souhaite reprendre un élément dans un texte, on peut :

- reprendre le même nom en faisant varier le déterminant (adjectif démonstratif, possessif ou défini) ;
- utiliser un équivalent pour ne pas répéter le nom ;
- utiliser un groupe nominal qui apporte une information nouvelle ou un point de vue.

4 Mettez le déterminant qui convient devant le nom.

1. J'ai rencontré Jeanne hier. Tu ne m'avais pas dit que tu étais ...... frère !
2. Il y a eu un incendie hier en pleine forêt de Brocéliande. ...... incident s'est déjà produit deux fois cette année.
3. Vous me proposez de partager cet héritage. ...... proposition me convient parfaitement.
4. Un rite est une pratique religieuse ou sociétale. C'est comme ...... cérémonie.
5. Vous arrivez le 19 septembre ? ...... arrivée tombe en pleine Journée du patrimoine !

5 Dans chaque phrase, soulignez le mot qui reprend l'idée énoncée dans la phrase précédente.

1. Une réunion internationale a eu lieu pour la sauvegarde du patrimoine malien. Ce rassemblement a abouti à l'adoption d'un plan de réhabilitation.
2. Pour apprendre une langue étrangère, parlez avec les gens du pays. C'est une méthode très efficace !
3. Stéphanie s'est opposée à la destruction de la grange de ses grands-parents. Son attitude en a surpris plus d'un.
4. Pendant des années, ils ont pillé les églises sans jamais reconnaître leurs actes.
5. Pour rénover ce château, il faudrait refaire la toiture entièrement. Cette solution est assez coûteuse.

6 **À vous de produire un petit texte pour présenter un rite, une coutume ou une pratique culturelle de votre pays, en variant les reprises nominales.** 

Les doubles pronoms

→ Écoutez et relevez le défi. 

a. Relevez les pronoms compléments.

b. Quels éléments remplacent-ils ?

c. Réécoutez et repérez le pronom *le* : est-il toujours à la même place ? Pourquoi ?

Un pronom permet de remplacer un nom.
Il peut être direct (COD) ou indirect (COI).
Je ***le*** *connais. Je* ***lui*** *parle.*

Quand deux pronoms compléments se suivent :
- le pronom indirect précède le pronom direct, sauf s'il est à la 3e personne (*lui, leur*) ;
- *en* et *y* sont toujours en deuxième position.

7 **Complétez cette conversation avec les pronoms qui conviennent.**

– Ne touchez pas à ce tableau. Il est pour Tess et Samuel. Je ..... ai spécialement acheté pour eux !

– Vous ..... êtes sûr ?

– Oui, je .... avais promis la dernière fois qu'ils sont venus.

– Mais ils ..... connaissent le prix ?

– Non, bien sûr que non ! Je ne .... dirai jamais et vous non plus d'ailleurs ! Vous .... donnez votre parole ?

8 **Transformez les phrases avec ces couples de pronoms :** *lui/en, leur/en, la/leur, les/leur, le/lui.*

1. Il a déjà dit à son ami qu'il comptait écrire un testament.
→ Il ....

2. Timéo a acheté des jeux de plage aux enfants.
→ Il ....

3. J'ai prêté ma valise à mes collègues de travail.
→ Je ....

4. Tom a écrit des tonnes de lettres à son amie.
→ Il ....

5. Il n'est pas question de donner mes cahiers à ses enfants !
→ Il ....

9 **Réécoutez la conversation du corpus (« Écoutez et relevez le défi ») et par deux, jouez-la. Puis, inventez-en une autre qui commence par : « Vous lui en avez parlé ? »** 101

Les verbes pronominaux

→ Observez et relevez le défi.

Sophie et Pablo se sont écrit tout l'été jusqu'au jour où ils se sont appelés. Pablo a parlé d'une amie d'enfance qu'il avait retrouvée en vacances. Elle s'est imaginé des choses et ils se sont disputés. Elle s'est écroulée en larmes. Ils se sont tus. Ils ne se sont plus jamais reparlé.

a. Soulignez les verbes pronominaux. Écrivez leur infinitif. Lequel est toujours pronominal ?

b. Quels sont les infinitifs qui ont une construction indirecte (ex. : *écrire à quelqu'un*) ?

c. Quels sont ceux suivis d'un complément d'objet direct ?

Certains verbes sont toujours pronominaux (on ne peut pas les employer sans *se*) : *se soucier de, se méfier de...*
Leur participe passé s'accorde avec le sujet.

D'autres verbes ne le sont pas toujours :
(se) lever, (se) croire, (se) faire...
- S'il y a un COD, on fait l'accord avec le COD placé avant le verbe.
*Ils se sont lav**é** les mains et ils se les sont essuy**ées**.*
- S'il y a un COI, on ne fait pas l'accord.
*Elles se sont sour**i**.*

10 **Complétez cette interview de Sophie et Pablo en faisant les accords. Justifiez votre choix.**

1. Vous vous êtes rencontré...... à quelle occasion ?

2. Vous vous êtes serré...... la main ou vous vous êtes fait...... la bise ?

3. Vous vous êtes téléphoné...... souvent ?

4. Vous vous êtes aimé...... longtemps ?

5. Et vous vous êtes quitté...... en bons termes ?

11 **Conjuguez les verbes au passé composé. Attention aux pièges !**

1. La veste qu'il *(s'acheter)* .... lui va à merveille.

2. Les présidents de la Ve République qui *(se succéder)* .... ont tous eu de grands projets.

3. De nombreux collègues *(se souvenir)* .... de ma date d'anniversaire.

4. Le professeur *(se permettre)* .... de corriger une faute de copie.

5. Les étudiants *(se rire)* .... des pièges qu'on leur avait tendus.

12 **Écrivez la suite de l'histoire de Geneviève (p. 157) en utilisant ces verbes :** *se retrouver dans la maison de l'héritage – se justifier auprès de ses enfants – s'enfuir – se blesser – s'évanouir – se réveiller...*

Participer à un débat

1 Réagissez ! 102

a. Observez l'image. Qui voyez-vous ? Que font-ils ?

b. Écoutez le document. Quel est le thème du débat ? Qui intervient ? Quelle est leur opinion ?

2 C'est dans la boîte ! 102

Écoutez de nouveau et complétez la boîte à outils avec les exemples du document.

BOÎTE À OUTILS

Participer à un débat

Présenter le débat

- En contexte : ....
- Avec les invités : ....
- Par une question : ....

Exposer ses arguments

- Pour : ....
- Contre : ....

Exprimer son opinion

....

....

Prendre la parole au cours d'une conversation

....

....

3 Du tac au tac !  

Formez des groupes, et participez à l'émission « Le téléphone sonne » en répondant le plus rapidement possible aux questions posées.

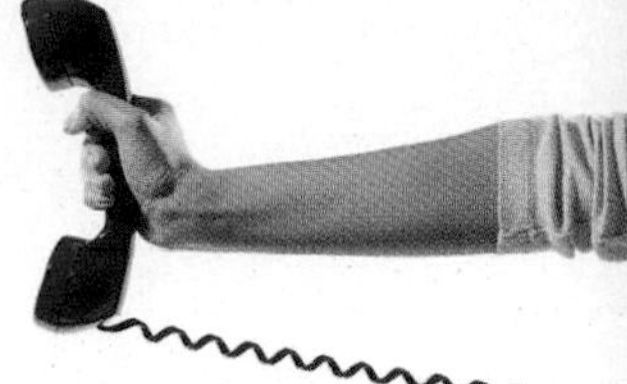

4 Le son et le ton qu'il faut !

❶ Repérez ! 

Réécoutez ces extraits.

a. Dites quel mot est séparé du noyau de la phrase et comment.

b. Dites quels mots sont mis en relief et comment.

c. Dites si vous entendez [j], [ɥ], [w].

> Dans **l'accent antillais**, [r] se prononce [w].
> *Le gwoka est porteur de valeurs universelles.*

❷ Prononcez ! 

Réécoutez les questions du journaliste et, le plus rapidement possible, donnez :

- deux noms avec le son [j] ;
- un adjectif avec le son [ɥ] ;
- un nom avec le son [w].

❸ Mettez-y le ton ! 

Écoutez le document et donnez votre opinion en mettant en relief certains adjectifs ou adverbes. Ouvrez une digression en faisant varier la hauteur de votre voix.

Le patrimoine↗, c'est **va**↗chement important !
Oui↗, c'est **pri**↗mordial !
À propos↗, c'est la journée du patrimoine.

> Pour **mettre en relief un mot**, on prononce la première syllabe plus haute et plus forte.

> Quand une **séquence initiale** est séparée du noyau principal de la phrase par une virgule, la voix monte sur la fin de cette séquence.

C'EST À VOUS !

ARRÊTEEZ !!
NE LA BRÛLEZ PAS !!
C'EST LE BÛCHER ORIGINAL DE JEANNE D'ARC !
À MORT !
À MORT !
À MORT !
À MORT !

- Observez l'illustration et réagissez : que comprenez-vous ? quel est le débat évoqué ?
- Formez des groupes de cinq personnes : un animateur de débat, deux invités et deux membres du public qui donnent leur point de vue.
- Vous menez un débat autour de la question : « Patrimoine : faut-il tout préserver ? »
Pour vous aider, commencez par énumérer, ensemble, des arguments différents (pour, contre, réalistes, utopistes...). Puis, donnez un rôle à chacun d'entre vous et lancez le débat !

> **LE + STRATÉGIE**
> N'oubliez pas, lors d'un débat, de préciser votre prise de position avec des adjectifs ou des adverbes, tout en justifiant vos arguments.

Écrire un mail de réclamation

De : William Bellanger

À : P. Roberti - SARL Quali-restauration

Envoyé le : 3 janvier 2015

Objet : Devis n°53284

Monsieur,

Nous avons conjointement signé, en date du 16 avril 2014, un devis relatif à la réalisation des travaux suivants : restauration des moulures, corniches et peintures au plafond de l'appartement (l'adresse figure dans le document en pièce jointe), avec protection des sols.
Comme convenu, vous avez effectué ces travaux au mois de décembre, période pendant laquelle j'étais en congés.

À l'issue de votre intervention, j'ai eu le désagrément de constater certaines malfaçons, à savoir :
– le sol du salon n'a pas été protégé ;
– la couleur des moulures du plafond de la salle de bains n'a pas été respectée.

Je vous serai donc obligé de bien vouloir procéder à la constatation de ces défauts dans les plus brefs délais et d'effectuer les réparations en conséquence.

Cordiales salutations,

William Bellanger

1 En un clin d'œil !

a. Lisez le titre et expliquez ce que veut dire « réclamation ». Quel est l'objectif de ce mail ?

b. Ce mail est-il formel ou informel ? Pourquoi ?

c. Quels sont les différentes parties qui le constituent ?

2 C'est dans la boîte !

a. Lisez le mail et complétez la boîte à outils en retrouvant les informations dans le texte.

BOÎTE À OUTILS

Écrire un mail de réclamation

Donner le contexte de départ

....

....

Exprimer un mécontentement

....

....

Exprimer une demande

....

....

b. De quelle façon l'auteur du mail donne-t-il des précisions sur les défauts constatés ?

3 Du tac au tac !

a. Avez-vous déjà été dans la même situation ? Échangez avec votre voisin : dites-lui ce qui s'est passé et pourquoi vous avez été amené à écrire un courrier de réclamation.

b. Imaginez une situation de réclamation possible : avec un voisin, un garagiste, un teinturier, une compagnie de transport, une agence de voyage, un locataire...
Faites une liste des réclamations possibles en fonction de chaque situation.

c. Dans la liste, choisissez une réclamation et jouez-la au téléphone. Montrez que vous êtes insatisfait et que vous réclamez un remboursement, une réparation ou un autre dédommagement.

LE + COMMUNICATION

QUELQUES FORMULES DE POLITESSE

- Madame, Monsieur
- Madame le Maire, Monsieur le directeur
- Chers collègues
- Bonjour à tous
- Cher / Chère + *prénom*
- Salut / Coucou
- Salutations distinguées
- Sincères salutations
- Cordialement
- Bien à vous / Bien à toi
- Amicalement
- À bientôt, A+, @+

4 Comment ça s'écrit ?

a. Repérez dans le document comment s'écrivent les sons [j], [ɥ], [w].

[j]	....
[ɥ]	....
[w]	....

b. Quelle est la différence entre la graphie des sons :
– [i] et [j] ?
– [y] et [ɥ] ?
– [u] et [w] ?

C'EST À VOUS !

- Suite à des travaux sur les voies, votre train a eu 4 heures de retard. Vous avez manqué un rendez-vous professionnel et avez dû séjourner une nuit à l'hôtel. Vous écrivez un mail de réclamation en vous aidant de la boîte à outils.
- Votre mail doit être court, précis et structuré. N'oubliez pas les formules de politesse !

➤ **Les carnets pratiques, pp. 199-200**

Écrire un littinéraire

Pour promouvoir le patrimoine culturel francophone, vous allez écrire un littinéraire. Pour cela, inspirez-vous des éléments culturels proposés et lancez-vous !

1 Respiration

- Regardez et lisez les documents. En classe, échangez autour de ces événements : quel est leur point commun ?
- Par groupes, imaginez une histoire pour chaque lieu présenté.

  EXEMPLE : *la suite de la chanson de Bénabar ; l'histoire liée à la route de la Nouvelle-France, etc.*

2 Inspiration

- Individuellement, pensez à cinq lieux qui ont marqué l'Histoire ou votre histoire personnelle. Écrivez leur nom sur une feuille.
- En groupes, lisez votre liste. Puis, donnez des détails plus précis sur un de ces lieux : pourquoi avez-vous choisi celui-là ? que s'y est-il passé ? à quoi se rattache-t-il ?
  Échangez autour de ces lieux.

3 Création

- Ensemble, choisissez autant de lieux que de personnes dans votre groupe. Il y aura une intrigue pour chaque lieu.
- Cherchez des cartes postales anciennes et des photos récentes de ces lieux. Puis, plongez-vous dans l'imaginaire.
- Organisez l'intrigue de votre littinéraire : c'était quand, à quel siècle ? avec qui ? pourquoi ? que s'est-il passé ? Racontez sans donner trop de détails ; mettez les lieux dans le bon ordre et choisissez un dénouement.
- Répartissez-vous le travail. Chacun écrit un morceau de l'histoire grâce à un lieu précis.
- Réunissez vos extraits et corrigez les incohérences. Proposez une lecture de votre travail à la classe.

LE + INFO

Un **littinéraire** (*littérature* et *itinéraire*) associe lecture et promenade. Le lecteur est invité à lire chaque chapitre sur le lieu même de l'intrigue. L'imagination du lecteur voyage alors entre la fiction du texte, les images d'époque du lieu et la vue actuelle qui s'offre à lui. Cette expérience confère une autre dimension à la lecture et la transforme en une promenade conviviale et enrichissante.

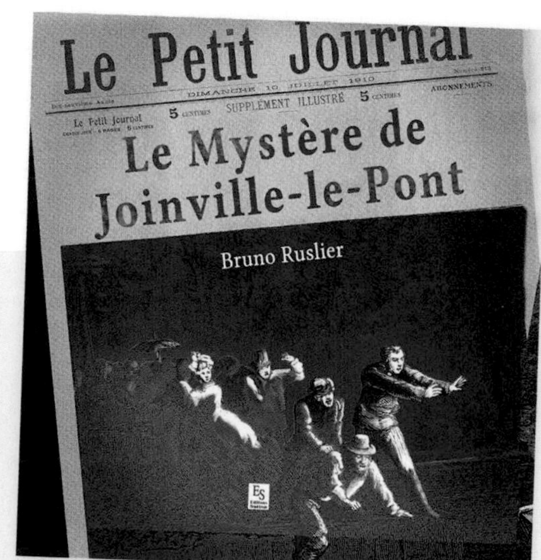

À LIRE

Premier titre de la toute nouvelle collection « Littinéraire », *Le Mystère de Joinville-le-Pont* n'est pas un livre banal. En se plongeant dans le premier chapitre, on est immédiatement happé par l'intrigue qui commence ce dimanche 10 juillet 1910, à 10 heures, au milieu du pont de Joinville : « "Cambriolage audacieux ! Le butin et les bandits se volatilisent sur le pont de Joinville !" s'égosille un jeune vendeur de journaux parmi un flot de passants. "C'est de la pure magie !" » Au fil de l'enquête, l'ouvrage fait découvrir la ville et la vie des habitants de l'époque au moyen de cartes postales et de gravures anciennes.

Le mystère de Joinville-le-Pont • Bruno Ruslier • Sutton, 2014.

À ÉCOUTER

L'itinéraire

À quatre sur la banquette arrière
À six dans une petite voiture
On tourne maintenant depuis deux heures
Cette fête elle est bien quelque part !
L'itinéraire est formel
On aurait dû depuis longtemps
Quitter la nationale
Qu'est-ce qu'on fout à Orléans ?

Bénabar • *Live au Grand Rex*, 2004.

Saison culturelle France-Maroc 2014
EXPOSITION
MAROC
ANNÉES 1950
Patrimoine et paysages du Maroc dans les archives de la Résidence de France
Du 19 juin au 5 juillet 2014
Galerie de l'Institut français de Rabat
TABLE-RONDE LE JEUDI 26 JUIN 2014 À 18H30
INSTITUT FRANÇAIS MAROC
www.if-maroc.org

À VISITER

Voici un lieu de mémoire à ne pas manquer si vous débarquez un jour sur l'île de la Réunion. Ancien lieu de quarantaine pour les Indiens et les travailleurs engagés, le lazaret de la Grande Chaloupe se visite aujourd'hui. Pour y aller : grimpez à La Montagne, puis redescendez par le chemin des Anglais, première véritable « route » insulaire, qui vaut largement le détour comme le prouve la splendide vue sur la côte qu'on admire en haut du sentier ! Une fois en bas, la mer est à deux pas...

À DÉCOUVRIR

Commandées par les services de l'ambassade de France, les images de l'exposition « Maroc, années 1950 » mettent en évidence le rôle de balise joué par les monuments dans la structuration des paysages et nous montrent combien notre imaginaire collectif a pu s'en imprégner.

À FAIRE

La route de la Nouvelle-France, c'est un parcours de 50 kilomètres qui vous invite à sillonner la magnifique et historique avenue Royale. Une trentaine d'attraits reliés à la culture, au patrimoine, à l'Histoire, ainsi qu'à l'agrotourisme, s'ajoutent aux paysages et à l'ambiance de cette vieille route, peut-être la plus ancienne du Québec.

Plus d'infos sur le site www.cotedebeaupre.com.

Organiser une vente aux enchères

ACTIVITÉ BILAN

- Vous allez simuler une vente aux enchères de biens mobiliers ou immobiliers.
- Commencez par décider, ensemble, des différents biens qui seront mis en vente : une gravure, un château, une belle demeure, etc.
- Formez des groupes de deux ou trois personnes. Chaque groupe s'occupe d'un bien. Répartissez les rôles : l'expert annoncera et décrira le bien ; le commissaire-priseur mènera la vente ; le « crieur » chauffera la salle et revalorisera le bien, si nécessaire.
- Pour réussir à vendre votre produit, vous devez bien le connaître : à qui appartient-il ? a-t-il subi des restaurations ? quel est son prix de départ ? etc.
- Ensemble, réfléchissez aux étapes du déroulement de la vente aux enchères. Puis, jouez-la. Vous pouvez filmer cette vente et poster la vidéo sur le média de votre choix !

Protéger le patrimoine

Qui ?

- un ascendant ≠ un descendant
- un ancêtre ≠ la génération future
- un héritier
- l'adhérent, le membre
- l'emprunteur, le loueur
- le notaire, le légataire

- **Exprimer une appartenance**
  - > une propriété, un bien, un patrimoine
  - > faire partie de, appartenir à, disposer de, comprendre, détenir, posséder, avoir
  - > mon, ton, son... / le mien, le tien, le sien...
  - > propre à, possédé, hérité...

- **Porter un jugement de valeur**
  - > Avec des adjectifs : cher, charmant, adorable, exquis, petit, pauvre, sale *(fam.)*...
  - > Avec des adverbes : très, énormément, vachement *(fam.)*, parfaitement, joliment, mal, peu, passablement...
  - > Je trouve qu'il est plutôt...
  - > Je dirais qu'elle...
  - > Il / Elle me semble + *adj.*

Quel patrimoine ?

- Le patrimoine matériel : un site, un monument historique, un édifice, un bâtiment, une grange, un mas, un paysage urbain ou rural, une gravure, des tableaux...
- Le patrimoine immatériel : une tradition, un rite, une pratique sociale, une expression, un savoir-faire, les arts du spectacle, un événement festif...
- Le patrimoine familial : un héritage, une succession, une transmission, une donation

MEMO Grammaire

➤ Précis grammatical, pp. 202-213

Le groupe adverbial à valeur d'opinion

Grâce à un adverbe, on peut laisser transparaître une opinion, positive ou négative.

Exemple : – *Il est drôlement fort.*
– *Je dirais plutôt qu'il s'entraîne vachement !*

❗ > Quel élément de la phrase renforcer ?
> Quel adverbe choisir ?
> Où le placer ?

La reprise nominale

Pour éviter la répétition d'un nom ou d'un groupe nominal, on peut faire varier le déterminant ou utiliser un équivalent.

Exemple : – *Le château qu'il vient d'acheter a coûté une fortune.*
– *Normal,* ***ce château*** *est* ***un monument classé au patrimoine****.*

❗ > Quel mot ne pas répéter ?
> Quel déterminant changer ?
> Quelle nouvelle information apporter ?

Combien ?

- une part de l'héritage
- l'argent, le fric *(fam.)*, le blé *(fam.)*, l'oseille *(fam.)*, le pognon *(fam.)*
- une déduction fiscale
- une déclaration patrimoniale, une succession
- emprunter, acheter, vendre
- hériter d'une (grosse) fortune
- léguer une fortune, des dettes

Pourquoi le protéger ?

- une valeur économique, culturelle
- une émotion ressentie
- un sentiment d'appartenance
- un lien avec l'histoire familiale
- préserver une trace de l'Histoire

- **Décrire une détérioration**
  > la décadence
  > une démolition / démolir, être démoli
  > abîmé, en mauvais état, mal en point, endommagé, usé
  > irrécupérable, foutu *(fam.)*
  > s'affaisser, tomber en miettes, disparaître

Comment le protéger ?

- préserver, sauvegarder, conserver, transmettre
- entretenir, réparer, retaper *(fam.)*
- recenser, inventorier, classer, inscrire, recueillir, identifier
- aménager, convertir, transformer, mettre en valeur
- faire des travaux, rénover, restaurer

- **Hésiter**
  > Euh...
  > demander un délai, quelques jours de réflexion
  > peser le pour et le contre, soupeser une idée
  > agiter une question dans tous les sens
  > balancer d'une idée à l'autre
  > en perdre le sommeil
  > C'est quitte ou double !

- **Participer à un débat**
  > Que pensez-vous de... ?
  > Ce soir, pour en parler avec nous...
  > On va commencer en compagnie de...
  > Merci pour votre intervention.
  > Je passe maintenant la parole à...
  > Votre commentaire sur ce que vient de dire Mme X...

- **Ouvrir et fermer une digression**
  > À propos, ... / Au fait...
  > Entre parenthèses, ...
  > Au passage, ...
  > J'en profite pour + *inf.*
  > Je continue. / Continuons.
  > Je reprends.
  > Je ferme la parenthèse.
  > Pour revenir à ..., ...

Les doubles pronoms

Quand il y a deux pronoms, le pronom indirect est généralement placé en premier, sauf quand il s'agit de *lui* et *leur*. *En* et *y* sont toujours placés en dernier.

EXEMPLE : *– Tu **me la** prêtes, ta tablette ?*
*– Désolée, non, je **la leur** ai promise.*

❗ > On remplace quoi ? Un COD ou COI ?
> Quel pronom je place en premier ?

Les verbes pronominaux

On accorde le participe passé des verbes pronominaux avec le sujet, sauf si le verbe n'est pas toujours pronominal. Dans ce cas, l'accord se fait avec le COD placé avant le verbe.

EXEMPLES : *Nous nous sommes souci**és** de sa santé.*
*Elle s'est lav**é** les cheveux et se les est bross**és**.*

❗ > Le verbe se construit-il toujours avec *se* ?
> A-t-il un COD ?
> Est-il placé après ou avant le verbe ?

Les documents sonores sont téléchargeables sur le site www.didierfle.com/saison.

PARTIE 1 COMPRÉHENSION DE L'ORAL

Vous allez entendre deux fois un document.
Vous avez 30 secondes de pause entre les deux écoutes, puis 1 minute pour vérifier vos réponses.

Lisez les questions, écoutez le document puis répondez.

1. Quel est le thème de l'émission ?
- ☐ la vie dans un cirque
- ☐ la création d'un musée
- ☐ la formation des artistes

2. Que peut-on faire au CRAC ?
- ☐ acheter du matériel
- ☐ apprendre un métier
- ☐ voir des spectacles

3. Qui vient au CRAC ?
- ☐ des danseurs professionnels
- ☐ des spécialistes français
- ☐ des personnes du monde entier

4. Qu'est-ce qui va être créé prochainement au CRAC ?

....

5. Pour quelle raison le directeur a-t-il choisi d'installer son projet dans des roulottes ?

....

6. De quoi va parler l'exposition permanente ?
- ☐ du dressage des animaux
- ☐ de l'Histoire du cirque
- ☐ de la vie des artistes

7. D'où viennent les objets qui vont être exposés ?
- ☐ d'autres musées et de donations
- ☐ de cirques français et internationaux
- ☐ de dons faits par des bénévoles

8. Quels objets pourra-t-on voir dans les roulottes ? Donnez deux réponses.

....

9. Que va-t-on pouvoir faire grâce au grand nombre d'objets ?

....

10. Quel montant faut-il donner pour participer au projet ?

....

PARTIE 2 COMPRÉHENSION DES ÉCRITS

Lisez le texte puis répondez aux questions.

LA GASTRONOMIE FRANÇAISE AU PATRIMOINE DE L'HUMANITÉ

Le « repas gastronomique des Français », avec ses habitudes et sa présentation, est inscrit depuis novembre 2010 sur la liste du patrimoine immatériel de l'humanité géré par l'UNESCO.

C'est la première fois qu'une gastronomie figure désormais au patrimoine de l'humanité. Les experts de l'UNESCO ont noté que la gastronomie française est une pratique sociale qui sert à célébrer les moments les plus importants de la vie familiale des Français (mariage, naissance, anniversaires...) et des groupes (amis, collègues de travail...). Selon Jean-Robert Pitte, président de la Mission Française du Patrimoine et des Cultures Alimentaires, qui a préparé le dossier présenté à l'UNESCO, « le repas fait partie de l'identité des Français ». Il s'agit d'un repas festif dont les participants pratiquent, pour cette occasion, l'art du « bien manger » et du « bien boire ». Le repas gastronomique met l'accent sur le fait d'être bien ensemble et le plaisir du goût. Bien entendu, dans bien d'autres pays, il existe des traditions autour des repas. Mais c'est seulement en France que l'on trouve cette forme de gastronomie, avec ses composantes spécifiques : les recettes de cuisine, l'achat de bons produits, les mélanges de plats et de vins ainsi que son déroulement. En effet, le repas gastronomique doit respecter une organisation bien précise « à la française » : il commence par un apéritif et se termine par un digestif, avec entre les deux au moins quatre plats : une entrée, du poisson et/ou de la viande avec des légumes, du fromage et un dessert, sans oublier le café et ses mignardises[1]. La préparation de la table fait également partie de la gastronomie française car les Français aiment ce qui est beau et bien rangé.

L'idée de la candidature française avait été lancée fin 2006 par un groupe de gastronomes[2] et de cuisiniers qui pensaient que « la cuisine, c'est de la culture ». Le comité de soutien avait recueilli 300 à 400 signatures de chefs cuisiniers, parmi lesquels de nombreuses célébrités. En 2008, pour l'inauguration du Salon de l'agriculture à Paris, le président de la République avait officiellement soutenu le projet de reconnaissance du patrimoine gastronomique français. Mais à cette époque, aucun autre pays n'avait obtenu cette reconnaissance. Malgré les difficultés et les problèmes, l'équipe française n'a pas abandonné et après trois ans de travail, leurs efforts ont été récompensés en novembre 2010. Aujourd'hui, la diète[3] méditerranéenne, l'art du pain d'épice en Croatie du Nord et la cuisine nationale du Mexique ont rejoint la gastronomie française et sont également inscrits au patrimoine mondial de l'UNESCO.

1 *Petits gâteaux servis en fin de repas avec le café.*
2 *Amateurs de bonne cuisine.*
3 *Régime.*

Source : www.lefigaro.fr

1. Quel est le sujet de l'article ?
   - ☐ La gastronomie française est-elle en danger ?
   - ☐ La gastronomie française fait partie du patrimoine.
   - ☐ La gastronomie française s'exporte bien à l'étranger.

2. Vrai ou faux ? Cochez (☒) la bonne réponse et justifiez.

   La gastronomie française a été la première à être inscrite au patrimoine de l'humanité.

   ☐ Vrai ☐ Faux

   ....

3. Selon les experts de l'UNESCO, à quoi sert la gastronomie française ?

   ....

4. Vrai ou faux ? Cochez (☒) les bonnes réponses et justifiez.

   Les repas gastronomiques sont pratiqués seulement en famille.

   ☐ Vrai ☐ Faux

   ....

   Le repas gastronomique est toujours l'occasion de fêter un événement heureux.

   ☐ Vrai ☐ Faux

   ....

5. Qu'est-ce qui est le plus important dans un repas gastronomique?
   - ☐ être ensemble pour s'amuser
   - ☐ se réunir autour d'un bon repas
   - ☐ se retrouver en tête à tête

6. Quels sont les caractéristiques d'un repas « à la française » ? Écrivez deux éléments.

   ....

7. Pour quelle raison la préparation de la table fait-elle également partie de la gastronomie française ?

   ....

8. Qui a eu l'idée de faire reconnaître la gastronomie française ?

   ☐ des cuisiniers ☐ des journalistes ☐ des politiques

9. Qui a soutenu le projet ? Donnez deux réponses.

   ....

10. Vrai ou faux ? Cochez (☒) la bonne réponse et justifiez.

    Obtenir l'inscription de la gastronomie française au patrimoine de l'humanité a été très facile.

    ☐ Vrai ☐ Faux

    ....

PARTIE 3 PRODUCTION ÉCRITE

Le prochain numéro du journal de votre centre de langue va parler des grands événements culturels qui ont eu lieu dans le monde cette année. Vous participez au numéro en écrivant un article. Vous décrivez un événement qui vous a semblé important, vous racontez son déroulement et vous dites pourquoi il est important pour vous dans un texte détaillé et cohérent de 160 à 180 mots.

....

....

....

....

....

....

....

....

....

....

....

....

....

....

PARTIE 4 PRODUCTION ORALE

Vous dégagez le thème soulevé par le document et vous présentez votre opinion sous la forme d'un exposé personnel de 3 minutes environ.

Qu'en pensez-vous ? Peut-on mettre en vente le patrimoine national pour gagner de l'argent ?

Depuis quelques années, l'État français met en vente des biens immobiliers nationaux. Il s'agit principalement de terrains, bureaux, logements, mais également de monuments historiques. Ces ventes permettront de rapporter à l'État près de trois milliards d'euros. Certaines personnes pensent que l'État va brader le patrimoine national car les biens intéressent principalement des acheteurs étrangers, chinois, russes ou du Moyen-Orient. Pour les responsables des ventes : « Le but c'est de trouver de l'argent. Deux cent cinquante millions d'euros au total, ce serait formidable. » Les sommes collectées serviront à rénover d'autres bâtiments administratifs.

2
3

Unité 9

Nourrir son quotidien

S'INFORMER

- Défendre une idée
- Décrire un style
- Décrire une manie
- Exprimer un bienfait
- Conclure ses propos
- Écrire le manifeste d'un club
- ▶ Activité Étape
  Participer à une séance chez le psychologue

S'EXPRIMER

- Prendre part à un conflit
- Réagir au courrier des lecteurs
- ▶ L'atelier créatif
  Composer une chanson de voyage

S'ÉVALUER

- ▶ Activité Bilan
  Créer et attribuer un label
- DELF B1

106

Ça fait sens !

- Quels éléments du quotidien la photo reflète-t-elle ? Citez-en d'autres.
- D'après le document audio, quel est le concept du « wasbar » ?
- Et vous, que faites-vous pour améliorer votre quotidien ?

Bien dans son assiette !

Bien manger pour pas grand chose, c'est possible !

par Marc Veyrat, grand chef cuisinier

La cuisine française a laissé tomber la cuisine de tous les jours. Le paradoxe ? Du bistrot à la gastronomie en France, nous avons des cuisiniers, des fers de lance, des grands professionnels, mais nous n'avons jamais investi cette cuisine de marché, de la rue, bref de tous les jours qui s'achète entre 8 et 12 euros. Elle n'existe pas car nous avons laissé la place aux autres.

Le fond du problème ? Nous l'avons laissée aux multinationales de l'alimentation qui pensent à l'argent avant de penser au cœur. Même si l'industrie agroalimentaire fait des progrès, l'alimentaire est un système dans lequel on ne doit pas tricher. En tant que chefs, nous n'avons donc pas le droit de laisser ce marché-là en plan, car ce serait prendre le risque de rater l'éducation de toute une génération.

Car qu'est-ce que la cuisine française par rapport au reste ? C'est le travail avec des produits du terroir local, avec des producteurs et des paysans locaux pour amener du produit bon, sain, biologique et doté d'une véritable valeur nutritive. Qu'on ne s'y trompe pas : l'alimentaire est source de vie, d'hygiène de vie, de longévité. C'est notre principal carburant, alors ne mettons pas n'importe quel carburant dans nos corps ! C'est une chaîne de réactions à nourrir, à entretenir en apportant le maximum de goûts, d'arômes et de plaisirs naturels.

Oui, il y a une part de marché à prendre pour les chefs comme moi dans cette nourriture du quotidien et il faut la prendre ! Car cette part de marché n'est pas seulement économique, elle est aussi philosophique et intellectuelle.

Demain, les cartes de nos restaurants devront afficher si les plats proposés sont « faits maison ». Je pense que c'est une bonne chose. Mais où commence le « fait maison », où s'arrête-t-il ? Quels types de produits préfabriqués retrouvera-t-on dans le « fait maison » ? Car on en retrouvera forcément. Je voudrais un « fait maison » avec un grand F. C'est autre chose. Pas un produit sous vide ! Pas un additif ! Pas un produit préfabriqué ! Alors nous pourrons véritablement parler de produits « faits maison ».

Aujourd'hui, mon engagement est d'amener dans la rue une cuisine cuisinée, mijotée, avec l'art de la cuisine française, avec un objectif : mieux manger pour mieux vivre. Notre leitmotiv[1] ? Utiliser uniquement des produits de terroir, des produits français, biologiques ou naturels qu'on magnifie à l'aide des cuisiniers. En faisant cet effort, on peut considérablement réduire ses frais pour offrir une cuisine de qualité à bas prix et prouver que bien manger au quotidien, c'est évidemment possible.

1 *Formule ou idée qu'on répète dans un discours.*

Marc Veyrat, www.huffingtonpost.fr, 8 avril 2014.

1 Ouvrez l'œil !

Que voyez-vous sur la photo ?

Lisez le titre et le sous-titre de l'article. De quoi s'agit-il ?

2 Posez-vous les bonnes questions !

a. Qui s'exprime dans ce texte ?

b. Quel problème évoque-t-il ?

c. Selon lui, qu'est-ce que la cuisine française ?

d. Quel changement souhaite-il opérer ? Comment ?

e. Comment défend-il son point de vue ?

➤ Défendre une idée, p. 188

3 Explorez le lexique !

a. Pour Marc Veyrat, qu'est-ce que le « fait maison » ?

b. Retrouvez dans le texte les mots et expressions liés à la cuisine et à l'agroalimentaire.

c. À votre avis, de quoi est composée la « cuisine de tous les jours » en France ? Reflète-t-elle celle de votre pays ?

LE + INFO

Il n'y a pas si longtemps, la présence de l'alimentation dans les médias se limitait aux pages santé ou à la gastronomie. Aujourd'hui, l'alimentation occupe les pages politiques, économiques, environnementales, c'est-à-dire les pages dites « sérieuses » d'un journal. Ce changement de statut, on l'a vu se dessiner avec le démontage d'un McDonald's par José Bové, et le combat altermondialiste. Mais surtout, il y a les crises alimentaires, qui posent la question des responsabilités politiques.

Premiers besoins

1 Formulez des hypothèses !

a. Lisez le texte. Quelle est la différence entre les besoins primaires et secondaires ?

b. Citez d'autres besoins secondaires.

> Manger, boire et dormir… autant de besoins vitaux qui conditionnent notre quotidien au risque de compromettre notre équilibre de vie. Ces besoins, parce qu'ils sont naturels, demandent à être satisfaits. Mais qu'en est-il des autres ? Ceux que nous nous sommes inventés au fil des siècles : besoin d'une voiture pour aller travailler, besoin d'aller à l'école pour trouver une place dans la société… Ne seraient-ils pas des besoins imaginaires communément appelés « désirs » ? Alors, comment reconnaître et hiérarchiser les besoins, pour distinguer les fondamentaux des secondaires ?

2 Mettez les documents en relation !  107

a. Observez, lisez et écoutez les documents. Qu'est-ce qui les relie ?

b. Quel document contient l'idée essentielle ? Lesquels l'illustrent ? Comment ? Justifiez.

c. Donnez un titre à l'ensemble des documents.

Doc.1

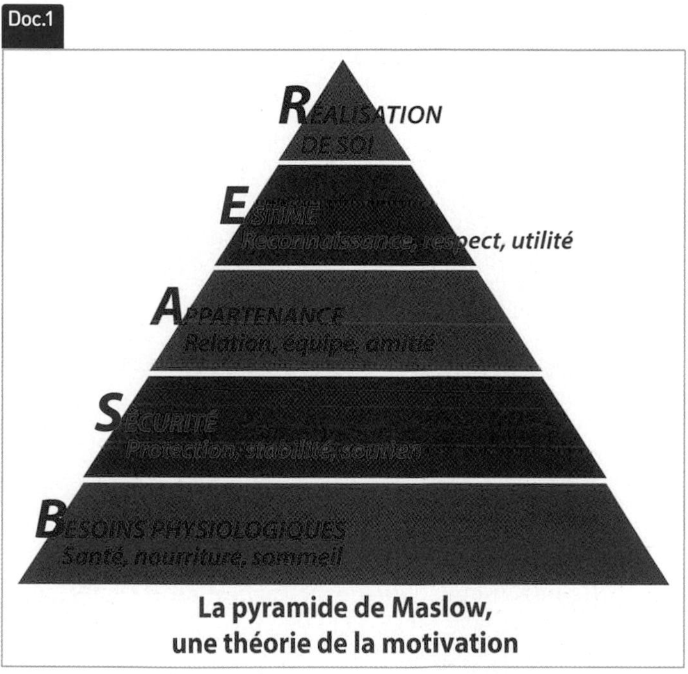

La pyramide de Maslow, une théorie de la motivation

Les bars à oxygène débarquent en France

Les bars à oxygène se définissent comme « contribuant au bien-être, en revitalisant le corps tout en aidant à contrecarrer les effets néfastes du stress de la vie moderne ». La proposition faite ? Respirer de l'oxygène parfumé aux huiles essentielles à un taux de pureté d'au moins 93 %. {…} En effet, l'air que nous respirons est souvent décrié parce que largement concentré en pollution. Il serait donc de plus en plus pauvre en dioxygène et notre corps se verrait ainsi affecté par un déficit en la matière {…}. Et c'est précisément ce contre quoi entendent lutter les bars à oxygène. Ainsi, certaines promesses pointent du doigt qu'une séance d'un quart d'heure dans un bar à oxygène apporterait les bienfaits d'une journée à la montagne. Les défenses de l'organisme se verraient ainsi augmenter et seraient plus efficaces dans leur combat contre les virus, bactéries et autres maladies de l'hiver. Les effets seraient également notables pour combattre les effets d'une gueule de bois, du décalage horaire, du vieillissement ou encore du stress. {…}

www.consoglobe.com, décembre 2013.

Doc.3

 Besoin de sommeil

3 Tendez l'oreille !  108

Dites combien de fois vous entendez le son [s]. Est-il prononcé de manière courte ou longue ?

4 Ça se discute !

« Il faut manger pour vivre, et non pas vivre pour manger. » Molière, *L'Avare*.

Êtes-vous d'accord avec cette citation ? Quelle place doit tenir l'alimentation dans notre vie ? Discutez en petits groupes. À la fin, chacun conclue son propos.

LE + ARGUMENTATIF

CONCLURE SES PROPOS

- Bref… / Finalement…
- En conclusion…
- En résumé…
- En définitive…
- Pour finir…
- En fin de compte…
- Pour terminer…
- Bon, ben voilà quoi ! *(fam.)*

Un poil d'avance

1 Ouvrez l'œil !

a. Observez les images. Quel est le point commun entre ces personnes ?

b. Formulez des hypothèses sur le sens du titre de la page.

LE + INFO

Le terme très à la mode de « **hipster** » désignait à l'origine, dans les années 1940, les amateurs blancs de jazz. Fascinés par la « cool attitude » des jazzmen noirs, ils s'approprièrent leur mode de vie (vêtements, musique, argot...). Aujourd'hui, ce mot désigne une attitude décontractée et une culture du *vintage*. Être hipster, c'est avant tout être « branché » !

2 Posez-vous les bonnes questions ! 

Regardez la vidéo.

a. De quel effet de mode parle la vidéo ?

b. Qu'est-ce que cela implique au quotidien ?

c. Qui est Guillaume ?

d. Qu'est-ce que le « mouvement Movember » ? Quel est son objectif ?

e. Pourquoi certains hommes choisissent-ils de porter une moustache ? Quelle est la différence avec une barbe ?

➤ Décrire un style, p. 189

3 Restez à l'écoute ! 

a. Relevez les mots et expressions relatifs au fait de prendre soin de soi.

b. Comment comprenez-vous les expressions « reprendre du poil de la bête » et « avoir un poil d'avance » ?

c. Qu'est-ce qu'une moustache à l'aspect négligé ? Quelles autres caractéristiques physiques peuvent donner cet aspect ?

4 Saisissez la grammaire ! 

Complétez le tableau avec les petits mots qui permettent aux intervenants d'articuler leurs propos.

Marquer une opposition	....
Comparer	....
Exprimer une conséquence	....
Exprimer le but	....

➤ Les articulateurs logiques, activités p. 180

5 Tendez l'oreille ! 

Dites quel mot est une onomatopée.

6 Réagissez ! 

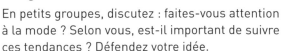

En petits groupes, discutez : faites-vous attention à la mode ? Selon vous, est-il important de suivre ces tendances ? Défendez votre idée.

7 Agissez !

À deux, vous créez un club basé sur une particularité esthétique (port de la moustache ou de lunettes, cheveux roux, etc.). Rédigez le manifeste du club. Votre texte (160 mots environ) devra comporter la devise du club, un paragraphe décrivant votre particularité esthétique et une explication pour la promouvoir. Utilisez des articulateurs logiques pour structurer ce manifeste.

La tête en l'air

Au secours, je perds toujours tout !

Ils cherchent toujours leurs affaires : leur portable, leurs clés, leur portefeuille… Qu'est-ce qui occupe leur tête pour être à ce point distraits ?

Je n'aurais pas dû laisser la fenêtre ouverte !

Leur manie de tout égarer pourrait être comique si elle n'était pas aussi dérangeante. Sans carte d'embarquement, impossible de prendre l'avion. Un passeport perdu à l'étranger transforme des vacances de rêve en cauchemar. Et égarer ses clés un samedi soir risque de gâcher la soirée. Leur entourage s'agace de leur étourderie, de leur manque d'organisation, mais aussi de leur manque de vigilance : « Tu pourrais faire attention ! » « Tu le fais exprès ou quoi ? » Mais c'est plus fort qu'eux. D'ailleurs, les personnes étourdies ont elles-mêmes du mal à comprendre ce trait de leur personnalité.

Tout au long de la journée, leur quotidien est tellement envahi d'informations qu'ils arrivent à saturation. À cause de cela, ils vivent en permanence dans une sorte de brouillard psychique : leur attention peine à se focaliser sur les objets de la vie de tous les jours. Machinalement, ils oublient leurs clés sur une table, leur portable dans un recoin de la maison, etc. Mais pourquoi certaines personnes sont-elles plus sujettes à cette évasion hors de soi que d'autres ?

Ces attitudes révèlent un besoin de se protéger. « Lorsqu'une personne manifeste le besoin de chasser des ondes négatives ou des événements traumatisants, simultanément, ses capacités d'attention s'amenuisent, affirme le psychanalyste Arthur Legrand. Et ce travail sur soi est si fatigant qu'il occupe la majeure partie de la conscience. »

Nous avons tous tendance à perdre des objets dans les moments où nous sommes occupés, soucieux, stressés ou obsédés par un problème spécifique. « Précisons qu'une personne tête en l'air ne perd pas n'importe quel objet, continue Arthur Legrand. Ce sont généralement des objets-symboles, en rapport avec une problématique précise : pièces d'identité, clés de voiture, carte bancaire… »

Ces pertes révèlent les désirs de l'individu ou l'image qu'il a de lui-même. « L'argent importe peu pour moi » ; « À la maison, je ne suis pas à l'aise » ; « Je n'ai pas besoin de papiers d'identité pour exister »… Curieusement, si les personnes victimes de cette manie en prennent conscience, leur mauvaise habitude disparaît peu à peu.

D'après Isabelle Taubes, *Psychologies*, hors-série n°21, « 60 solutions pour mieux vivre au quotidien », avril-mai 2013.

1 Ouvrez l'œil !

Observez la source. Qu'est-ce qu'un « hors-série » ? À quoi ce magazine est-il consacré ?

2 Lisez et réagissez !

a. Quel problème est évoqué ?

b. Quels objets ces personnes perdent-elles ? Qu'est-ce que cela révèle ?

c. Que signifie l'expression « être tête en l'air » ?

➤ Décrire une manie, p. 189

3 Saisissez la grammaire !

a. Lisez la bulle de l'illustration. Qu'est-ce qui est exprimé ? Comment ?

b. Quelle phrase, dans l'article, exprime un reproche ?

➤ **L'expression du regret et du reproche, activités p. 180**

4 Explorez le lexique !

a. Qu'est-ce qu'une manie ?

b. Comment comprenez-vous ces expressions ?

C'est un vrai panier percé. •	• Il est bavard.
Il ne mâche pas ses mots. •	• Il est franc.
Quelle pie, celui-là ! •	• Il est dépensier.

À quoi sont comparées les personnes ?

> La **métaphore** permet de faire une comparaison sans utiliser de mot outil (« comme », « tel que »…). Elle associe donc un terme à un autre de façon imagée. Elle traduit une pensée plus riche et plus complexe et elle donne à voir le monde autrement.

5 À la chasse aux mots ! 

a. Dans les documents de ces pages, relevez les mots et expressions qui permettent de décrire une manie du quotidien. En connaissez-vous d'autres ?

b. Par deux, imaginez des métaphores pour dire d'une personne qu'elle est : *toujours pressée – désordonnée – gourmande – impatiente – dépensière – colérique…*

Exemple : *toujours pressée → C'est une vraie étoile filante !*

Bienfaits et bénéfices de la lecture

« Ne plus lire depuis longtemps, c'est comme perdre un ami important » dit un proverbe chinois. Chez Youboox[1], vous vous en doutez, nous sommes passionnés de livres, sous toutes leurs formes ! Qu'on soit fana de nouvelles ou qu'on adore se plonger dans un roman-fleuve, qu'on ne jure que par la science-fiction ou bien qu'on soit transporté par la poésie, nous avons tous nos préférences pour la lecture mais bien souvent... jamais le temps de lire ! Et c'est bien dommage, parce que les bénéfices de la lecture sont innombrables... [...] Petit tour d'horizon.

La lecture stimule notre imagination et notre intelligence

Contrairement à ce qui se passe lorsque nous voyons un film ou lorsque nous regardons la télé, aucune image visuelle ne nous est offerte directement lorsque nous lisons. Et pourtant, qui ne s'est jamais représenté l'allure d'un personnage, un visage ou un lieu au cours d'une lecture ? En lisant, nous transformons les mots en images et ce processus stimule notre pensée créative. Des millions d'opérations mentales et de connexions entre les synapses se font à la lecture d'un texte, chaque mot faisant appel à notre capacité de représentation. De nombreuses études l'ont montré, la puissance de notre cerveau est décuplée par la lecture : c'est comme un muscle que l'on travaille. Lire préserve et développe nos facultés mentales : créativité, imagination, intelligence... des atouts qui vous serviront dans tous les aspects de votre vie !

C'est excellent pour apprendre à s'exprimer

Vous développerez de nombreuses qualités d'expression en lisant. Vous voulez éradiquer les fautes d'orthographe ? Pas de secret, lisez ! À l'oral comme à l'écrit, lire permet d'acquérir de vraies compétences, d'enrichir son vocabulaire, de mieux tourner ses phrases, d'affiner et de nuancer son propos, bref de mieux réfléchir et de mieux convaincre !

Un plaisir qui nous déconnecte de nos soucis quotidiens

Nous vivons tous dans le stress. Stress des tâches quotidiennes, du travail ou des études, des papiers administratifs, du manque de temps... et on a tous besoin de s'évader par moments ! [...] François Mauriac qualifiait ainsi la lecture de « porte ouverte sur un monde enchanté ». Rien de tel qu'un livre pour prendre un grand bol d'air frais !

Certains livres changent notre vie !

[...] Il est de ces auteurs qu'on peut relire inlassablement, dont les mots nous vont droit au cœur, qui nous touchent et qui nous changent ; des lectures dont nous garderons le souvenir toute notre vie ! Les livres sont des rencontres, au même titre que les hommes et les femmes que nous croisons au cours de nos vies... Et dans nos bibliothèques, au fil du temps, s'accumulent des livres qui jalonnent nos vies, de par leurs atmosphères, leurs histoires, leurs styles extraordinaires ou leurs idées révolutionnaires ! Et vous, quels sont vos auteurs favoris ? Pourquoi vous ont ils marqué ?

1 Youboox est un service de lecture francophone en streaming qui souhaite développer la lecture auprès d'un vaste public.

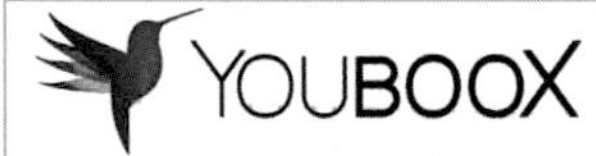

www.youboox.fr, 9 août 2013.

1 Ouvrez l'œil !

Observez l'image, puis lisez le titre et les sous-titres en gras. Quelle idée va être démontrée ?

2 Posez-vous les bonnes questions !

a. Quels sont les bienfaits de la lecture au quotidien ? Comment se manifestent-ils ?

b. Que se passe-t-il lorsque nous lisons ?

c. Quels rapports existent entre le lecteur et le livre ?

➤ Exprimer un bienfait, p. 189

3 Explorez le lexique !

a. Relevez tous les mots et expressions relatifs à la lecture et à l'écrit.

b. Retrouvez les mots pour dire :

1. être passionné de : .... *(fam.)*
2. l'apparence : ....
3. multipliée : ....
4. s'aérer : ....

c. Dans le dernier paragraphe, à quoi sont comparés les livres ? Quelle expression permet d'exprimer cette comparaison ?

4 Saisissez la grammaire !

Nous sommes passionnés de livres, sous toutes leurs formes.
Nous avons tous nos préférences pour la lecture.
Aucune image visuelle ne nous est offerte directement.
Certains livres changent notre vie.

Quelles nuances de quantité expriment les mots soulignés ?

➤ Les indéfinis, activités p. 181

5 Argumentez !

Pensez-vous comme François Mauriac que la lecture est une « porte ouverte sur un monde enchanté » ? Dans un texte de 250 mots, donnez votre opinion en vous appuyant sur des exemples précis. Concluez votre propos en le résumant.

LE + INFO

D'après un récent sondage, les Français déclarent avoir lu en moyenne 15 livres au cours des 12 derniers mois. Si le taux de lecteurs au format papier est en baisse, celui des lecteurs de livres numériques poursuit sa progression depuis 2011. La lecture se pratique surtout comme un loisir : savoir, détente et évasion sont les trois principales motivations.

Sondage Ipsos, mars 2014.

Marcher pour ressentir

1 Écoutez ! 110

Laissez-vous porter par les voix. Décrivez-les. Que ressentez-vous ?

2 Posez-vous les bonnes questions ! 

a. Qu'a fait Laurent Hasse ?

b. Pourquoi a-t-il entrepris ce voyage ?

c. Qu'espérait-il retirer de cette expérience ?

d. Que faisait-il à chaque nouvelle rencontre ?

e. Que peut apporter la marche ?

3 Explorez le lexique ! 

a. Quel est le nom de l'émission ? De quel type de sujet traite-t-elle ?

b. Relevez les mots et expressions relatifs au voyage.

4 Saisissez la grammaire ! 

Réécoutez et répondez aux questions en citant les phrases du document.

a. Qu'est-ce qui aère l'esprit ?

b. Qu'ont expérimenté Sylvain Tesson et Nicolas Bouvier ?

➤ **L'infinitif, activités p. 181**

5 Tendez l'oreille ! 

Dites si vous entendez [ɛ̃], [ɛn] et dans quelle(s) syllabe(s).

LE + INFO

La ***Méridienne verte*** a été imaginée par l'architecte Paul Chemetov, en 2000. Des arbres ont été plantés tout le long du méridien de Paris entre Dunkerque et Barcelone. Ce monument végétal à l'échelle de la France nous incite à porter un regard nouveau sur le paysage. Il constituera un symbole fort du lien entre les hommes du Nord et du Sud.

A 100 € la Séance, j'aurais mieux fait de choisir le forfait méditation-yoga-pump à Ibiza sans doute aussi efficace et en plus, je serais revenue mince et bronzée !...

ACTIVITÉ ÉTAPE

Participer à une séance chez le psychologue

- Ensemble, listez des manies qui peuvent déranger au quotidien. À deux, choisissez-en une.
  Exemple : *je perds tout, je suis toujours en retard, je nettoie tout le temps...*
- Écrivez quelques notes autour de cette manie sur deux papiers différents :
  - un papier « manie » : l'un décrit sa manie et son influence sur sa vie quotidienne ;
  - un papier « solution » : l'autre propose une solution pour la combattre et décrit ses bienfaits possibles.
- Dans la classe, échangez vos papiers de sorte à ce que la solution donnée ne corresponde pas à la manie évoquée.
- À deux, jouez la scène. L'un joue le psychologue, l'autre, le patient. Celui-ci finit par regretter d'être venu et reproche au psychologue de ne pas avoir la bonne solution à lui apporter.

➤ Cahier d'activités, **unité 9**

Les articulateurs logiques

→ **Écoutez et relevez le défi.** 

a. Relevez les éléments qui articulent des idées.

b. Précisez le rôle de chacun.

c. Où sont-ils le plus souvent placés ?

Les articulateurs logiques servent à organiser un texte en précisant l'enchaînement des idées.
Ils permettent notamment de :
- commencer, énumérer et conclure : *premièrement, d'abord, ensuite, puis, enfin, finalement...*
- ajouter une idée : *en plus, par ailleurs, de plus...*
- illustrer ou renforcer une idée : *ainsi, en effet ; qui plus est...*
- préciser ou corriger : *en fait, en réalité...*
- présenter deux idées : *d'une part... d'autre part ; d'un côté... d'un autre côté*

Ils peuvent aussi exprimer le but, la cause, la conséquence ou l'opposition.

1 Retrouvez l'ordre logique de ce texte.

1. Mais il a fini par me convaincre de me laisser pousser la moustache.

2. Finalement, sur les conseils de Louis, j'ai appris à entretenir et à dompter mes poils.

3. Ensuite, après quelques semaines, une moustache hirsute est apparue, elle ne ressemblait à rien.

4. En résumé, j'aime bien mon nouveau look !

5. Au début, c'est mon ami Louis qui m'a parlé du mouvement « Movember ». J'étais très sceptique et effrayé à l'idée de changer de visage.

6. D'abord, les premiers jours, je me grattais tout le temps.

2 Complétez ce texte avec des articulateurs logiques.

autrement dit – d'abord – de même – donc – en effet – mais

Quels sont les besoins de l'être humain ? ...., il doit prendre soin de son corps. ...., lorsqu'on est fatigué, cela influe sur notre moral. ...., on est plus irritable quand on a faim. Il faut .... savoir écouter son corps pour avoir un esprit sain dans un corps sain. .... n'oublions pas ces autres besoins qui nous façonnent ! Se détendre, rire, se faire plaisir ne sont-ils pas aussi importants que dormir et manger ? ...., bichonnons-nous !

3 Formez des groupes de quatre. Quelqu'un commence une histoire avec une phrase et impose une consigne à la personne suivante. Celle-ci continue l'histoire, impose une nouvelle consigne, et ainsi de suite. Chaque phrase doit commencer par un articulateur.

Exemple : *Au début, il est parti de Paris à pied (+ opposition)*
→ Mais très vite, il a eu très mal aux pieds (+ conséquence)

L'expression du regret et du reproche

→ **Observez et relevez le défi.**

1. Comment oses-tu dire ça ?
2. Si j'avais su, j'aurais pu partir plus tôt.
3. Quel dommage que ce soit annulé !
4. Tu aurais pu faire attention !
5. Tu ne fais que des bêtises !

a. Quelles phrases expriment un reproche ? Lesquelles expriment un regret ?

b. Quelles sont les différentes structures employées ?

c. Quels sont les temps et modes utilisés ?

De nombreuses structures permettent d'exprimer un regret :
- *C'est trop bête !*
- *Je regrette que* + subj. présent ou passé / *Je regrette de* + inf.
- *Quel dommage que* + subj. présent ou passé
- *Je m'en veux de* + inf.
- une hypothèse iréelle *(Si j'avais..., j'aurais...)*

Remarque : subjonctif passé = *avoir* ou *être* ou subjonctif passé + participe passé

Le reproche prend des formes très différentes :
- à l'imparfait ou au conditionnel : *il fallait / tu devais* + inf., *tu aurais dû / pu* + inf.
- une fausse interrogation (sans réponse attendue) : *Comment oses-tu... ?*

4 Conjuguez les verbes entre parenthèses.

Je regrette qu'il ne *(vouloir)* .... pas venir. Si j' *(savoir)* ...., je ne l' *(inviter)* .... pas. Il *(pouvoir)* .... faire un effort. J' *(faire mieux)* .... de me taire !

5 Pour chaque situation, exprimez un regret à votre voisin qui vous répond par un reproche.

1. Vous avez échoué au DELF.

2. Vous ne lui avez pas rendu les 20 € qu'il vous avait prêtés.

3. Vous êtes toujours en retard à vos rendez-vous.

4. Vous avez raté votre train pour venir le voir.

5. Vous avez oublié son anniversaire.

6 Votre meilleur ami a oublié votre rendez-vous. Vous lui reprochez cet oubli... mais il se met à vous reprocher d'autres choses. Vous exprimez vos regrets et reproches respectifs !

Exemple : *Ok, j'ai oublié notre rendez-vous, mais toi, tu es toujours en retard !*

Les indéfinis

→ Observez et relevez le défi.

Chacun sait qu'en septembre, la rentrée littéraire est incontournable. Tous les lecteurs passionnés se préparent à découvrir de nouveaux romans. La plupart sont incontournables. Quelques-uns intriguent par leur titre, d'autres encore sont écrits par des auteurs inconnus. Peu d'œuvres recevront un prix littéraire, mais chacune aura droit à une promotion dans les médias.

a. À quoi servent les mots soulignés ?

b. Lesquels expriment une quantité nulle, une quantité indéterminée, une totalité ?

c. Observez leur construction. Que remarquez-vous ?

Les adjectifs et les pronoms indéfinis servent à exprimer une quantité :
- nulle : *personne, nul(le), aucun(e), rien... (+ ne)*
- indéterminée : *plusieurs, certains, beaucoup (de), la plupart (de), quelques(-uns)...*
- totale : *tout (le), tous (les), tout le monde, on...*
- unique : *chaque, chacun, quelqu'un, quelque chose...*

7 Complétez avec l'indéfini qui convient.

beaucoup – certains – chacun – d'autres – la plupart – personne

Observez ces objets qui nous sont familiers. .... jouent un rôle dans notre vie. .... sont indispensables à notre quotidien, ... presque inutiles. .... de ces technologies n'existaient pas il y a 20 ans et très vite, elles ont fait partie intégrante de nos vies. Par exemple, il n'y a pas si longtemps, les gens n'avaient pas de portable. .... ne se plaignait de ne pouvoir être joint à tout moment. .... vaquait à ses occupations quotidiennes.

8 Remplacez les pronoms indéfinis par leur contraire.

1. Tu as vu quelqu'un ?
2. À moi, il ne me dira rien.
3. Personne ne peut comprendre.
4. Tous sont partis à l'heure.
5. Chacune a amené quelque chose.

9 En groupes, vous réalisez un sondage sur les habitudes de lecture de la classe. Rédigez un questionnaire de cinq questions, posez-les à un autre groupe et présentez vos conclusions à la classe.

EXEMPLE : *Certaines personnes préfèrent lire des polars. La plupart lisent quotidiennement, etc.*

L'infinitif

→ Observez et relevez le défi.

1. Dormir est vital !
2. J'adore écouter la pluie tomber.
3. Êtes vous prêts à marcher ?
4. Je m'en veux d'avoir perdu mon appareil photo.
5. Après être sortie, elle lui a téléphoné.

a. Relevez les infinitifs.

b. Quels sont ses différents emplois ? (sujet, complément...)

c. Dans chaque phrase, comment est-il construit ?

On distingue l'infinitif présent et passé.
infinitif passé = *avoir* ou *être* à l'infinitif + participe passé

L'infinitif peut être employé :
- après une préposition ;
- comme sujet ;
- comme complément.

Il peut aussi former une proposition et exprime alors un ordre, un conseil, une question...
Ne pas fumer.
Comment faire ?

La proposition infinitive a un sujet propre.
Elle est complément d'un verbe de perception.
J'entends mon chien ***aboyer****.*

10 Dites ce que chaque phrase exprime.

1. Que faire ? Partir ou rester ?
2. Me faire ça à moi !
3. Frapper avant d'entrer.
4. Prendre deux cuillères à café par jour.
5. Aller tout droit, puis tourner à gauche.

11 Remplacez les éléments soulignés par un verbe à l'infinitif (présent ou passé).

1. On entend les oiseaux qui chantent.
2. Nous sommes désolées, nous sommes arrivées en retard.
3. Je crois que j'ai oublié mes clés chez toi.
4. On essuie ses pieds avant d'entrer.
5. Elle a senti que la catastrophe arrivait.

12 Avec votre voisin, interrogez-vous sur des problèmes de la vie courante et imaginez des conseils de sagesse quotidienne avec des infinitifs.

EXEMPLE : *Comment faire pour mieux dormir ? Rire au moins trois fois par jour !*

Prendre part à un conflit (de voisinage)

1 Réagissez ! 

a. Observez l'illustration. De quoi s'agit-il ?

b. Écoutez le document. Où se passe la scène ?

c. Qui participe à ce conflit ? Quelle est leur attitude ?

d. Quel est l'objet du conflit ?

2 C'est dans la boîte ! 113

Écoutez de nouveau et complétez la boîte à outils avec les exemples du document.

BOÎTE À OUTILS

Prendre part à un conflit

Formuler des reproches

....

....

Exprimer des règles de vie

....

....

Réagir à une insulte, protester

....

....

Apaiser les tensions

....

....

3 Du tac au tac !  

Imaginez qu'on vous accuse à tort de quelque chose.
Écoutez et répliquez du tac au tac à ces phrases.

LE + COMMUNICATION

REJETER UNE FAUSSE ACCUSATION

- Mais pas du tout !
- Comment osez-vous m'accuser ?
- Vous dites n'importe quoi...
- Elle est bien bonne celle-là !
- Alors ça c'est la meilleure !
- Tu délires ! / C'est du délire !

4 Le son et le ton qu'il faut !

1 Repérez ! 115

Réécoutez les extraits.

a. Dites si la consonne qui termine le premier mot est la même que celle qui commence le deuxième. Comment est-elle prononcée ?

b. Dites quel mot ressemble à un son. Puis trouvez sa signification.

c. Dites si vous entendez [ɛ̃], [ɛn].

2 Prononcez ! 

Réécoutez la phrase **b.** et, le plus rapidement possible, trouvez les consonnes géminées.

> Quand deux consonnes identiques et prononcées se suivent dans deux mots différents, il faut les prononcer **comme une seule consonne longue**. Ce sont des consonnes géminées.
> *i**l l**'appelle*
> *une conséquen**c**(e) **s**ur*

3 Mettez-y le ton ! 116

a. Écoutez. Quelles onomatopées sont utilisées et que signifient-elles ?

b. À votre tour, jouez les rôles de Suzon et de madame Pasquier en utilisant des onomatopées !

> • Une **onomatopée** est un mot qui imite un son produit par un être vivant ou par un objet.
> • On en utilise souvent dans le registre familier et dans les bandes dessinées.

Cui-cui (oiseau)
Bof ! (désintérêt)
Cot-cot (poule)
Driiing ! (téléphone)
Aaaaarrh ! (colère)
Chut ! (demander le silence)
Tic tac (réveil)
Oups ! (erreur)
Hmm ! (impatience)
Aïe ! (douleur)
Pff ! (soupir de dédain)

Le fils d'Astérix (p. 5), A. Uderzo.

C'EST À VOUS !

- Formez des groupes de quatre et listez tout ce qui peut être sujet de conflit entre voisins.
- Répartissez-vous les rôles suivants : trois voisins et un médiateur. Donnez-vous une identité, un caractère, puis définissez l'objet de votre conflit et le rôle du médiateur.
- Imaginez les étapes de la scène.
- Jouez votre conflit de voisinage en vous aidant de la boîte à outils.

> **LE + STRATÉGIE**
> Essayez de vous exprimer familièrement et soyez le plus naturel possible !

Réagir au courrier des lecteurs

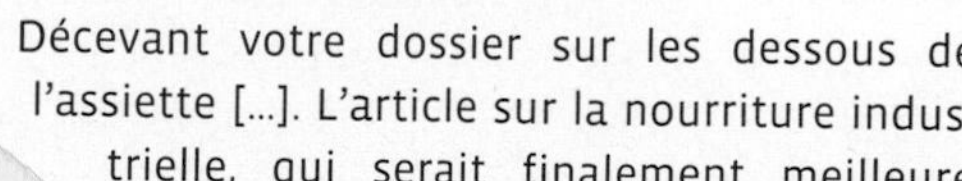

Les (vrais) dessous de l'assiette

Décevant votre dossier sur les dessous de l'assiette […]. L'article sur la nourriture industrielle, qui serait finalement meilleure et moins chère que ce que l'on dit, n'est pas objectif. Les chercheurs de l'Inra[1], puisque vous interviewez l'une d'entre elles, ne sont pas indépendants ; ils ne peuvent que répandre la *pravda*[2] d'une agriculture totalement dévolue […] aux pesticides et qui, comme le dit Pierre Rabhi, reste « la plus chère du monde » étant donné qu'elle est subventionnée à 60 %. Et puis, il n'est pas besoin de chercheurs pour comprendre qu'un plat préparé à la maison est moins cher et meilleur : 3 euros le kilo, au lieu de 7 à 10 euros… J'en fais l'expérience chaque jour, puisque je me prépare mon repas de midi, alors que mes collègues s'achètent des plats préparés. Économie mensuelle : 100 à 140 euros. J'évite au passage tous les additifs, conservateurs, colorants, OGM, etc. qui agrémentent en général ce genre de cocktail fumeux de l'industrie agroalimentaire. L'argument selon lequel les industriels savent mieux cuire que les ménagères suppose que leur objectif serait notre santé à tous, alors qu'ils cherchent exclusivement leur profit, la réduction de leurs coûts et l'augmentation des dividendes à verser à leurs actionnaires. Je ne fais aucune confiance à ces loups, mais à nos petits producteurs bio, qui se démènent pour continuer à nous nourrir correctement, sans subvention ou presque, dans ce monde de fous.

Marie

1 *L'Institut national de la recherche agronomique.*
2 *Journal officiel du parti communiste russe à l'époque de l'U.R.S.S.*

Alternatives Economiques n° 327, septembre 2013.

1 En un clin d'œil !

a. Lisez la première phrase du texte. À quoi répond cet article ?

b. Qui est l'auteur ? À qui s'adresse-t-il ?

2 C'est dans la boîte !

BOÎTE À OUTILS

Réagir au courrier des lecteurs

Introduire son propos

- S'adresser à la rédaction : ……………………………………………………………
- Faire référence à l'article : ……………………………………………………………

Exposer son opinion

……………………………………………………………………………………………………

……………………………………………………………………………………………………

Se justifier

- En citant une référence : ……………………………………………………………
- En donnant un exemple personnel : ……………………………………………………

……………………………………………………………………………………………………

Proposer une conclusion

……………………………………………………………………………………………………

3 Du tac au tac !

a. Avez-vous déjà réagi à des articles de presse ou seriez-vous intéressé pour le faire ? Pourquoi ?

b. Quels sujets vous intéressent dans l'actualité de ces dernières semaines ?

c. Lisez cet article. Quel est son thème ? Quelles idées principales sont exprimées ?

d. Avec votre voisin, réagissez après avoir lu l'article.

LE + INFO

Agriculteur, écrivain et penseur français d'origine algérienne, **Pierre Rabhi** est un des pionniers de l'agriculture biologique. Il défend un mode de société plus respectueux des hommes et de la terre. Depuis 1981, il transmet son savoir-faire dans les terres arides d'Afrique et d'Europe afin de redonner leur autonomie alimentaire aux populations.

Pierre Rabhi lance la « révolution des Colibris » devant une salle comble

Mercredi 30 janvier, le mouvement « Colibris » a lancé sa nouvelle campagne citoyenne, dans une ambiance de raz-de-marée populaire inattendu. *Reporterre* y était.

[...] Mais qu'est-ce qui a donc suscité tant de réactions aux quatre coins de la France ? Il s'agit d'une conférence participative pour lancer la nouvelle campagne du mouvement, intitulée « la révolution des Colibris ».

[...] Colibris, colibris, colibris ? C'est le nom poétique pris en 2007 par le mouvement fondé par Pierre Rabhi. [...] Le prospectus à l'entrée ose une première définition : « Colibris est un mouvement de citoyens décidés à construire une société vraiment écologique et humaine. » Puis une deuxième : « Colibris a pour mission d'inspirer, relier et soutenir toutes les personnes qui participent à construire un nouveau projet de société. » [...]

La raison d'être du mouvement réside probablement dans sa philosophie de l'action : re-responsabiliser l'individu et redonner confiance dans la capacité personnelle et quotidienne d'agir concrètement pour le changement. [...] Le Mahatma[1] des Colibris, c'est Pierre Rabhi, et c'est lui qui exprime le mieux cette pensée : « Tous les jours, à travers nos choix de consommation, nous déterminons un modèle de société. C'est à nous de changer le paradigme[2] dominant. »

1 *Titre donné en Inde à des personnalités spirituelles importantes, comme Gandhi.*
2 *Modèle.*

Barnabé Binctin, www.reporterre.net, janvier 2013.

LE + INFO

Colibris tire son nom d'une légende amérindienne. Il y eut un jour un immense incendie de forêt. Tous les animaux terrifiés, atterrés, observaient impuissants le désastre. Seul le petit colibri s'activait, allant chercher quelques gouttes avec son bec pour les jeter sur le feu. Après un moment, un des animaux, agacé, lui dit : « Colibri ! Tu n'es pas fou ? Ce n'est pas avec ces gouttes d'eau que tu vas éteindre le feu ! » Et le colibri lui répondit : « Je le sais, mais je fais ma part. »

4 Comment ça s'écrit ?

Lisez « le + info » sur la légende du colibris et repérez comment s'écrivent les sons [ɛ̃], [ɛn].

[ɛ̃]	....
[ɛn]	....

C'EST À VOUS !

- Écrivez une lettre au courrier des lecteurs pour réagir à l'article sur la révolution des Colibris. Dans un texte de 200 mots, donnez votre opinion sur l'article ou une idée qu'il développe.
- Pour cela, inspirez-vous de la boîte à outils.

LE + STRATÉGIE

N'oubliez pas de vous adresser soit aux lecteurs, soit au rédacteur de l'article.

Composer une chanson de voyage

Pour nourrir votre quotidien et vous évader, vous allez composer une chanson de voyage. Pour cela, inspirez-vous des éléments culturels proposés et lancez-vous !

1 Respiration

- Regardez et lisez les documents. Que racontent-ils ? Quel est leur point commun ?
- Avez-vous déjà lu, vu ou écouté des récits de voyage ?

2 Inspiration

- Et vous, quel voyage souhaiteriez-vous faire ? Pourquoi et comment ? À l'issue de votre discussion, mettez-vous tous d'accord sur un itinéraire et un mode de voyage.
- Fermez les yeux et imaginez : un paysage ; les gens qui y habitent ; une rencontre singulière ; un objet découvert.
- Puis, à l'oral, mettez en commun vos idées et notez les éléments que vous souhaitez retenir.

3 Création

- Divisez la classe en cinq groupes et répartissez-vous les tâches suivantes. Pour chaque partie de la chanson, chaque groupe rédige un petit texte de 6 à 8 lignes sur une grande feuille.

Couplet 1 : L'azimut	Décrivez votre itinéraire, le mode de voyage et votre objectif.
Couplet 2 : Les modes de vie locaux	Décrivez un ou deux modes de vie que vous découvrez au cours de votre voyage.
Couplet 3 : La rencontre singulière	Racontez une rencontre qui a marqué votre voyage.
Couplet 4 : Le bibelot-souvenir	Décrivez un objet que vous avez ramené de votre voyage et le souvenir qu'il raconte.
Refrain	Composez un refrain qui sera répété entre chaque couplet.

- Si vous le souhaitez, reprenez l'air d'une chanson que vous appréciez. Affichez les couplets et le refrain au tableau et tous ensemble, chantez !

À DÉCOUVRIR

Et si nous prenions le premier train qui passe ? Le bus qui klaxonne et vous appelle à monter... sans en connaître l'exacte destination ? Le sentier qui intrigue ? La route à perte de vue ? En vous invitant cette année à voyager *in extremis* – littéralement, « au dernier moment » – le Grand Bivouac 2014 fait avec vous le pari des voyages « sur le fil » et des rencontres singulières, inattendues, qui laissent dans la mémoire les plus beaux souvenirs, les plus fortes expériences. Et l'irrésistible envie de repartir, pour découvrir, s'enrichir, comprendre encore mieux.

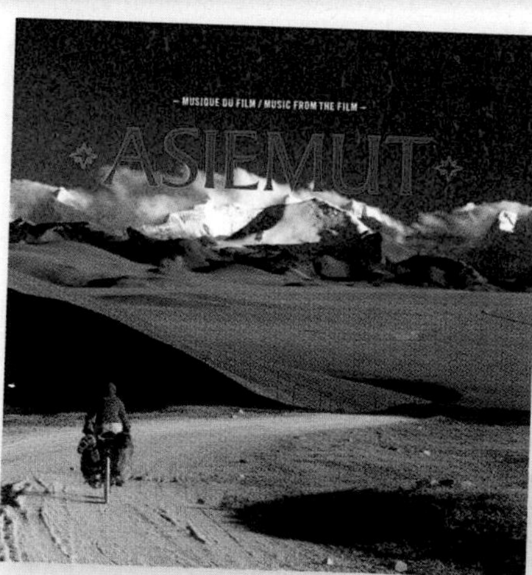

À VOIR ET À ÉCOUTER

À chacun sa route, sa direction, son azimut. Olivier Higgins et Mélanie Carrier ont choisi de partir à vélo pour leur première grande aventure. L'Asie, 8 000 kilomètres, de la Mongolie à la plaine du Gange en Inde, en passant par le Xinjiang, le désert du Taklamakan, le Tibet et le Népal. Après tout, n'avons-nous pas tous un « Asiemut » en commun ? Un film documentaire passionnant à découvrir, ainsi que sa bande musicale.

À LIRE

Il lui suffit de jeter un regard à la dent d'orque posée sur sa bibliothèque et voilà Nicolas Deleau reparti aux îles Kerguelen. Une caresse aux coquillages abandonnés sur son bureau, et il est de retour à Zanzibar. Plumes d'albatros, bois de santal, graines... sont plus que des souvenirs ou des fétiches, ils sont un monde. Complices de la mémoire, mais aussi rêves pour ceux qui partiront bientôt : les objets sont des histoires et ils reprennent vie pour peu qu'on les raconte. De Terre-Neuve aux îles Kerguelen, de Zanzibar à l'Angola, cette chronique nous emmène dans un quotidien voyageur chargé d'odeurs, de rencontres, d'aventures où les hommes et les choses prennent différents reliefs au fil de la lumière du jour ou du temps qui passe.

À ÉCOUTER

De Timbuktu à Essakane

De Bamako à Timbuktu en l'an 2003 :
Amas de pneus, champs de plastique,
Petites vendeuses de racines de manioc,
Coca-Cola, Texaco, cigarettes, American dream,
Vieilles ramasseuses de bois sec des familles
Du fleuve Niger, troupeaux de mobylettes,
Ballets de chèvres, âne portant son ballot de mil
Devant la sécheresse

Tout était simple hier : la vérité était ici
Et l'erreur ailleurs, ce temps est révolu ;
La vérité se faufile entre les pierres du désert
De Timbuktu à Essakane.
Tout était simple hier : caravanes d'ânes
Chargées de l'or des mines de Bouré, de Bambouk
Attelages de chevaux de Garamante
Chargés de sel, d'ivoire, d'armes et d'étoffes.

Lo'Jo, *Bazar savant*, 2006.

À VOIR ET À ÉCOUTER

Ricky avait un rêve : faire de Staff Benda Bilili le meilleur orchestre du Congo. Roger, enfant des rues, désirait plus que tout rejoindre ces stars qui parcourent la ville sur des fauteuils roulants customisés façon Mad Max. Mais avant tout, il faut survivre, déjouer les pièges des rues de Kinshasa, chanter et danser pour s'évader. Pendant cinq ans, des premières chansons à leur triomphe dans les festivals du monde entier, Benda Bilili nous raconte ce rêve devenu réalité.

POINT RÉCAP'

ACTIVITÉ BILAN

Créer et attribuer un label « qualité du quotidien »

- Un label est un nom qui garantit la qualité d'un produit. Réfléchissez aux critères nécessaires pour décerner un label « qualité du quotidien » dans les principaux domaines de la vie et listez-les.
  EXEMPLE : *le choix de son alimentation, les comportements à adopter, l'environnement de travail idéal...*
- En groupes, sélectionnez les cinq critères qui vous paraissent les plus importants. Puis détaillez chaque critère avec trois propositions.
  EXEMPLE : *bien manger =* ***1.*** *boire de l'eau* ***2.*** *manger cinq fruits et légumes par jour* ***3.*** *ne pas manger de sucre*
- Préparez un petit questionnaire pour interroger la classe sur ces critères. Puis, individuellement, interrogez un membre du groupe voisin et notez ses réponses.
  EXEMPLE : *Que bois-tu ? Combien de fois par jour ?*
- Dans votre groupe, comparez les réponses données et attribuez le « label » à la personne qui vous semble le plus répondre aux critères.

Nourrir son quotidien

Qui ?

- les artisans de bouche, les producteurs de l'agroalimentaire, les agriculteurs bio
- des consommateurs (responsables)
- un étourdi, un maniaque
- un psychanalyste, un thérapeute
- un « hipster »
- un barbier

- Prendre part à un conflit
  > les règles de savoir-vivre
  > Occupez-vous de vos affaires !
  > Pour qui vous vous prenez ?
  > La moindre des choses, c'est de + *inf.*
  > Vous pourriez / vous auriez pu faire un effort.
  > Qu'est-ce qu'il faut pas entendre ! *(fam.)*

Quoi ?

- les besoins physiologiques : la respiration, le sommeil, l'alimentation
- les fonctions vitales : la circulation sanguine, la pression artérielle, les défenses de l'organisme
- une culture culinaire, des produits sains / locaux, les labels bio
- l'huile de palme, les OGM, les hormones
- la lecture au format papier / numérique

- Défendre une idée
  > Quel est le fond du problème ?
  > On ne doit pas tricher.
  > Nous n'avons pas le droit de + *inf.*
  > Ce serait prendre le risque de + *inf.*
  > Qu'on ne s'y trompe pas !
  > Oui, je pense que c'est une bonne chose.
  > Aujourd'hui, mon engagement est de + *inf.*
  > En faisant cet effort, on peut...

MEMO Grammaire

➤ Précis grammatical, pp. 202-213

Les articulateurs logiques

Les articulateurs logiques servent à établir des relations entre les idées (précision, opposition, cause...) pour rendre un texte plus cohérent.

EXEMPLE : ***D'un côté****, j'aimerais changer de vie,* ***d'un autre côté****, j'aime bien ma routine.* ***En réalité****, on n'est jamais satisfait !*

❗ > Quelle nuance logique exprimer ?
> L'articulateur est-il bien placé dans la phrase ?
> Quand je relis mon texte, est-il cohérent ?

L'expression du regret et du reproche

Un reproche s'adresse toujours à une personne présente physiquement. Pour exprimer un regret, on dispose également de nombreuses formulations. Bien souvent, la subordonnée est au subjonctif.

EXEMPLE : ***Quel dommage que*** *tu aies manqué le début !* ***Tu pourrais*** *être plus ponctuel !*

❗ > Regret ou reproche ?
> Quelle structure utiliser ?
> Indicatif, subjonctif ou conditionnel ?

Où ?

- le marché de détail, un commerce de proximité, un supermarché, un bar à oxygène
- dans la nature, sur les chemins, un sentier, une randonnée
- un salon (de beauté, de coiffure), une salle de sport, un restaurant, une bibliothèque

Pourquoi ?

- la malbouffe, le surpoids, l'obésité, le diabète
- la pollution, un travail épuisant, l'inactivité, une prison intérieure
- les effets néfastes du stress : des insomnies, une baisse de vigilance, des difficultés d'apprentissage
- surmonter une phobie, apprivoiser ses angoisses, lutter contre la dépression
- échapper à la routine / au train-train quotidien
- prendre sa revanche

- **Décrire une manie**
  > un événement traumatisant
  > un symptôme qui en dit long sur...
  > être sujet à un trouble, avoir tendance à + *inf.*
  > être distrait / tête en l'air, être obsédé par...
  > avoir une mauvaise habitude
  > se heurter aux exigences du réel
  > C'est plus fort que moi !

Comment ?

- un sommeil réparateur, un bol / une bouffée d'air pur, revitaliser son corps
- savoir ce que l'on mange, assurer la traçabilité d'un produit
- redécouvrir la lenteur, s'aérer l'esprit, s'élever, s'évader (hors de soi), se décrasser, prendre soin de soi
- se confronter à l'inconnu, bousculer ses habitudes, se laisser surprendre
- nourrir sa curiosité, lever le regard sur la beauté du monde
- activer la réflexion, découvrir un nouveau schéma de pensée
- voir d'autres pays, vagabonder, faire des rencontres

- **Exprimer un bienfait**
  > des atouts qui servent à + *inf.*
  > développer, stimuler, enrichir
  > avoir des bénéfices innombrables
  > permettre de + *inf.*
  > être transporté par quelque chose
  > se déconnecter de ses soucis
  > C'est excellent pour + *nom*
  > Rien de tel que + *nom* pour + *inf.*

- **Décrire un style**
  > se laisser pousser la moustache
  > être tendance / suivre la tendance
  > accompagner un look avec...
  > rechercher un effet « négligé »
  > Ça pose un visage.
  > Ça attire le regard.

- **Conclure ses propos**
  > Bref...
  > Finalement...
  > En conclusion...
  > En résumé...
  > En définitive...
  > Pour finir...
  > En fin de compte...
  > Pour terminer...
  > Bon, ben voilà quoi ! *(fam.)*

Les indéfinis

Les adjectifs et pronoms indéfinis ont des formes variées et expriment souvent l'idée de quantité.

EXEMPLE : ***Rien*** *ne nous arrêtera,* ***tout*** *nous est possible : nous franchirons* ***chaque*** *épreuve !*

❗ > Quelle quantité : nulle, indéterminée, totale, unique ?
> Faut-il un adjectif ou un pronom ?
> L'indéfini est-il variable ou invariable ?

L'infinitif

Un verbe à l'infinitif peut être employé après une préposition ou seul. On peut aussi le trouver dans une proposition infinitive ; il a alors son sujet propre. Un infinitif ou une proposition infinitive peuvent alléger une phrase.

EXEMPLES : *Après* ***avoir*** *bien* ***réfléchi****, il est parti.*
Où ***aller*** *? Tout est fermé.*
J'entends les voisins ***parler****.*

❗ > Puis-je alléger un élément de la phrase avec un verbe à l'infinitif ?
> Infinitif seul ou après une préposition ?
> Infinitif présent ou passé ?

DIPLÔME D'ÉTUDES EN LANGUE FRANÇAISE

DELF B1

Niveau B1 du cadre européen commun de référence pour les langues

ÉPREUVES COLLECTIVES	DURÉE	NOTE SUR
1 Compréhension de l'oral Réponse à des questionnaires de compréhension portant sur trois documents enregistrés ayant trait à des situations de la vie quotidienne. (2 écoutes) *Durée maximale des documents : 6 minutes*	**25 minutes environ**	**/ 25**
2 Compréhension des écrits Réponse à des questionnaires de compréhension portant sur deux documents écrits : • dégager des informations utiles par rapport à une tâche donnée ; • analyser le contenu d'un document d'intérêt général	**35 minutes**	**/ 25**
3 Production écrite Expression d'une attitude personnelle sur un thème général (essai, courrier, article...).	**45 minutes**	**/ 25**
ÉPREUVE INDIVIDUELLE	**DURÉE**	**NOTE SUR**
4 Production orale **Épreuve en 3 parties :** • entretien dirigé ; • exercice en interaction ; • expression d'un point de vue à partir d'un document déclencheur.	**15 minutes environ** *Préparation : 10 minutes* *(ne concerne que la 3e partie de l'épreuve)*	**/ 25**

Seuil de réussite pour obtenir le diplôme : *50/100*
Note minimale requises par épreuve : *5/25*
Durée totale des épreuves collectives : *1 heure 45 minutes*

NOTE TOTALE : / 100

PARTIE 1 COMPRÉHENSION DE L'ORAL

25 points

Vous allez entendre trois documents sonores, correspondant à trois exercices.
Pour le premier et le deuxième document, vous aurez :
– 30 secondes pour lire les questions ;
– une première écoute, puis 30 secondes de pause pour commencer à répondre aux questions ;
– une deuxième écoute, puis 1 minute de pause pour compléter vos réponses.
Pour répondre aux questions, cochez (☒) la bonne réponse ou écrivez l'information demandée.

EXERCICE 1 *6 points*

Lisez les questions, écoutez le document puis répondez.

1. Quel est le problème du patient ? *1 point*
   - ☐ Il a maigri.
   - ☐ Il dort mal.
   - ☐ Il a toujours faim.

2. Pour quelle raison son travail est-il fatiguant ? *1 point*
   - ☐ Il porte des choses lourdes.
   - ☐ Il travaille beaucoup.
   - ☐ Il travaille la nuit.

3. Pourquoi ne fait-il pas de sport ? *1 point*

   ....

4. Qu'est-ce que lui conseille le médecin quand il rentre du travail ? *1 point*

   ☐ se coucher ☐ faire du sport ☐ manger

5. Qu'est-ce que le patient a l'habitude de manger ? *1 point*
   - ☐ des fruits et des légumes
   - ☐ des plats faits maison
   - ☐ des plats tout prêts

6. Pour quelle raison le médecin lui conseille-t-il de manger des fruits ? *1 point*

   Donnez une réponse.

   ....

EXERCICE 2 *8 points*

Lisez les questions, écoutez le document puis répondez.

1. De quoi parle l'émission ? *1 point*
   - ☐ d'un événement pour faire connaître le métier d'agriculteur
   - ☐ d'une opération destinée à parler de l'agriculture biologique
   - ☐ d'une publicité pour de nouveaux magasins

2. Qu'est-ce que les agriculteurs labellisés bio ont envie de faire connaître ? *1,5 point*

   Donnez deux réponses.

   ....

   ....

3. Pourquoi les agriculteurs disent qu'ils participent à la création d'une dynamique économique locale ? *2 points*

   ....

   ....

4. Que font les agriculteurs pour être solidaires ? *1 point*
   - ☐ Ils aident les agriculteurs qui en ont besoin.
   - ☐ Ils font visiter leurs exploitations agricoles.
   - ☐ Ils offrent des produits aux consommateurs.

5. Que pouvez-vous découvrir lors de la visite d'une ferme ? *1,5 point*

   Donnez une réponse.

   ....

6. Qu'est ce qui est organisé dans le cadre de la campagne ? *1 point*
   - ☐ des conférences et des débats
   - ☐ des cours de cuisine
   - ☐ des ventes de produits

EXERCICE 3 *11 points*

Vous avez 1 minute pour lire les questions ci-dessous. Puis vous entendrez une première fois un document sonore. Ensuite vous aurez 3 minutes pour commencer à répondre aux questions. Vous écouterez une deuxième fois l'enregistrement. Après la deuxième écoute, vous aurez encore 2 minutes pour compléter vos réponses. Pour répondre aux questions, cochez (☒) la bonne réponse ou écrivez l'information demandée.
Lisez les questions, écoutez le document puis répondez.

1. De quoi parle l'émission ? *1 point*
   - ☐ d'un métier peu connu
   - ☐ d'un homme qui adore son métier
   - ☐ d'une nouvelle profession

2. Pour quelle raison Yves-Marie Le Bourdonnec a-t-il choisi son métier ? *2 points*

....

3. Pour quelle raison sa famille a-t-elle été surprise par sa réponse ? *2 points*

....

4. À quel âge a-t-il commencé à travailler ? *1 point*

☐ 8 ans ☐ 18 ans ☐ 25 ans

5. Pourquoi Y.-M. Le Bourdonnec dit-il qu'il s'amuse tous les jours en travaillant ? *1 point*

☐ Car il est passionné par son métier.
☐ Car ses collègues sont drôles.
☐ Car son métier est amusant.

6. Qu'est-ce qui lui plaît le plus dans son métier ? *1 point*

☐ Préparer des plats.
☐ Raconter des histoires.
☐ Trouver de nouveaux clients.

7. Pourquoi le métier de boucher est-il devenu difficile ? *2 points*

Donnez deux raisons.

....

....

8. D'après l'invité, pour quelle raison les boucheries de Paris ne sont-elles pas concurrencées par les supermarchés ? *1 point*

☐ Elles vendent des produits différents.
☐ Elles sont moins chères.
☐ Elles sont moins conviviales.

PARTIE 2 COMPRÉHENSION DES ÉCRITS *25 points*

EXERCICE 1 *10 points*

Nous sommes vendredi. Vous avez envie d'aller au cinéma pour vous détendre. Vous préférez les comédies et vous avez envie de voir un film qui raconte une histoire d'amour. Après le cinéma, vous voulez aller faire du sport : vous voulez donc sortir du cinéma vers 19h. Lisez les critiques. Quel film choisissez-vous ?

Samba	*Pas son genre*	*La liste de mes envies*	*Le dernier diamant*
		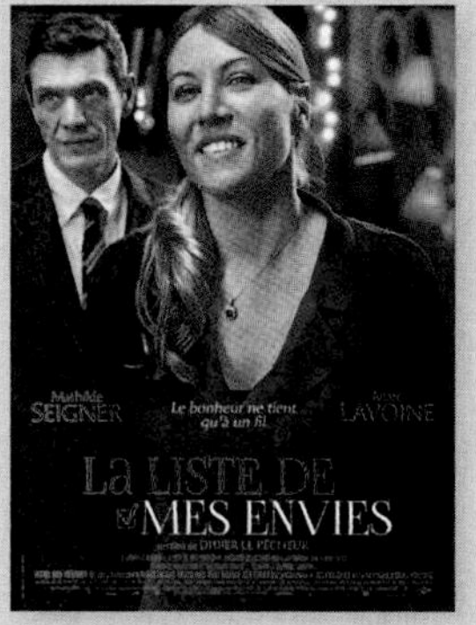	
Samba, Sénégalais installé en France depuis 10 ans, vit de petits boulots. Alice est une cadre supérieure stressée et fatiguée. Chacun cherche à vivre une vie meilleure jusqu'au jour où ils se rencontrent... Entre humour et émotion, leur histoire les entraîne sur le chemin du bonheur et de l'amour.	Clément, jeune professeur de philosophie parisien, est affecté dans le nord de la France, pour un an. Loin de Paris, il ne sait pas à quoi occuper son temps libre. C'est alors qu'il rencontre Jennifer, une jolie coiffeuse. Passé le premier rendez-vous, Jennifer se met peu à peu à croire à l'amour de Clément.	Lorsque la petite vendeuse d'Arras découvre qu'elle a gagné 18 millions à la loterie et qu'elle peut désormais s'offrir tout ce qu'elle veut, elle n'a qu'une peur : perdre cette vie modeste faite de bonheurs simples qu'elle aime par-dessus tout.	Simon, un cambrioleur en liberté surveillée, accepte de monter le plus gros coup de sa vie : le vol du « Florentin », un diamant mythique mis en vente par ses propriétaires. Au-delà d'un cambriolage particulièrement difficile, Simon entraînera Julia vers un destin qu'elle n'aurait pas pu imaginer.
Séances tous les jours à 17h30. Durée : 1h58 Fin de la séance à 19h.	Séances le samedi et le dimanche à 18h. Durée : 1h51 Fin de la séance à 20h.	Séances tous les jours à 14h30. Durée : 1h38 Fin de la séance à 16h.	Séances du lundi au vendredi à 17h. Durée : 1h48 Fin de la séance à 19h.

1. Dans le tableau, cochez les cases lorsqu'un film correspond aux critères énoncés. *(0,5 point par case)*

	Samba		*Pas son genre*		*La liste de mes envies*		*Le dernier diamant*	
	Oui	Non	Oui	Non	Oui	Non	Oui	Non
Jour								
Horaire								
Type de film								
Fin de la séance								
Histoire du film								

2. Quel film choisissez-vous ? ....

EXERCICE 2 *15 points*

Lisez le texte, puis répondez aux questions en cochant (☒) la bonne réponse ou en écrivant l'information demandée.

CONNAISSEZ VOUS LES BARS À SIESTE ?

Voici un lieu idéal pour tous les travailleurs débordés ou épuisés par des journées professionnelles trop longues. Grâce aux bars à sieste, vous pourrez vous reposer et même dormir pendant 15 à 30 minutes dans une cabine individuelle tout confort.

Il existe aujourd'hui une dizaine d'établissements de ce type en France. Chacun offre un espace qui permet de se détendre et de récupérer après une dure journée de travail ou à tout moment de la journée. Dans ces bars, vous découvrirez une ambiance très agréable où tout un ensemble de services vous seront proposés. Dès votre arrivée, le personnel du bar vous propose des soins : vous pouvez vous faire masser par les coussins mis à disposition dans le hall d'accueil ou boire tranquillement un thé ou un café en écoutant de la musique douce. Ensuite, vous déposez vos chaussures et vos vêtements au vestiaire et vous partez faire une petite sieste dans une cabine individuelle.

Vous pouvez choisir votre fauteuil de massage. Chaque bar propose cinq types de fauteuils. Celui qui rencontre le plus grand succès s'appelle le « fauteuil apesanteur[1] ». Il place le corps dans la position idéale pour l'endormissement, le libérant ainsi de toutes sortes de tensions. Mais l'expérience ne s'arrête pas là : une fois installé dans le fauteuil, un massage complet du corps commence. Les mains et les pieds ne sont pas oubliés. Vous entendrez même de la musique zen et vous serez bercé par des lumières reposantes !

Si vous avez besoin de davantage de mouvement, il existe des programmes très toniques et d'autres plus calmes qui favorisent la digestion. Au bout de 15 minutes, si l'on ne s'est pas endormi, on se sent en tous cas bien reposé !

Au Japon et aux États-Unis, les bars à sieste sont principalement utilisés par les cadres et directeurs d'entreprise qui n'ont pas le temps de rentrer chez eux le midi. Mais en France, ces bars accueillent un plus large public, hommes comme femmes. Le concept est idéal pour les personnes qui se sentent stressées ou qui veulent se reposer pendant la journée. Ces bars sont des lieux parfaits pour se faire plaisir quand on a très peu de temps. Sans oublier les autres services que ces établissements proposent : manucure, massage, gymnastique ou soins de beauté.

Un dernier argument pour vous convaincre d'essayer ? Saviez-vous que le manque de sommeil peut avoir des effets dramatiques ? En effet, 45 % des personnes ayant des insomnies ou manquant de sommeil ont plus de difficultés à se concentrer et ont une humeur changeante. 32% d'entre eux ressentent même ces effets sur leur travail. Or, la micro-sieste semble être une bonne solution pour remédier à la fatigue : une bonne sieste (pas trop longue) permet de récupérer les heures perdues dans la nuit.

1 *Absence de gravité.*

1. À quoi sert principalement un bar à sieste ? *1 point*
- ☐ faire une pause
- ☐ se faire masser
- ☐ prendre un verre

2. Comment est l'ambiance dans un bar à sieste ? *1 point*
- ☐ conviviale
- ☐ tranquille
- ☐ animée

3. Quels sont les autres services offerts dans le bar à sieste ? *2 points*

Donnez deux réponses.

....

....

4. Vrai ou faux ? Cochez (☒) la bonne réponse et recopiez la phrase ou la partie du texte qui justifie votre réponse. *3 points*

Le fauteuil apesanteur masse uniquement les mains et les pieds.

☐ Vrai ☐ Faux

....

Certains massages ont une action sur la digestion.

☐ Vrai ☐ Faux

....

5. Pour quelle raison, au Japon et aux États-Unis, ces lieux sont-ils fréquentés par les cadres et directeurs d'entreprise ? *1 point*

☐ Ils n'ont pas le temps de rentrer chez eux.
☐ Ils peuvent continuer à travailler.
☐ Ils travaillent mieux ensuite.

6. Vrai ou faux ? Cochez (☒) la bonne réponse et recopiez la phrase ou la partie du texte qui justifie votre réponse. *3 points*

En France, les bars à sieste sont réservés aux hommes qui travaillent.

☐ Vrai ☐ Faux

....

Le bar à sieste est ouvert 24h/24h.

☐ Vrai ☐ Faux

....

7. Que doit vous apporter un moment dans un bar à sieste ? *2 points*

....

8. Quelle est l'une des conséquences d'un manque de sommeil, d'après une étude de l'INPES ? *1 point*

☐ avoir du mal à se concentrer
☐ perdre du poids
☐ être stressé(e)

9. Pour être efficace, une sieste doit durer... *1 point*

☐ quelques dizaines de minutes
☐ plusieurs heures
☐ toute une nuit

PARTIE 3 PRODUCTION ÉCRITE

25 points

Sur Internet, vous trouvez un forum qui propose un débat sur l'agriculture biologique. Vous décidez d'y participer en écrivant un article. Vous parlez de l'agriculture biologique et vous dites ce que vous en pensez. Vous donnez les avantages et les inconvénients. Vous rédigez un texte construit et cohérent de 160 mots minimum.

....

....

....

....

....

....

....

....

....

....

....

....

....

....

....

....

PARTIE 4 PRODUCTION ORALE

25 points

L'épreuve se déroule en 3 parties qui s'enchaînent. Elle dure de 10 à 15 minutes. Pour la troisième partie seulement, vous disposez de 10 minutes de préparation. Cette préparation a lieu avant le déroulement de l'ensemble de l'épreuve.

EXERCICE 1 – Entretien dirigé
(2 à 3 minutes sans préparation)
Dans cet exercice, vous devez parler de vous, de vos activités, de vos centres d'intérêts, de vos loisirs et de votre travail. Vous allez également être amené(e) à présenter des événements passés et à parler de vos projets. Le jour de l'examen, l'examinateur pourra vous poser des questions, comme par exemple : « Où faites-vous vos courses ? » « Quels sont vos loisirs ? »

EXERCICE 2 – Exercice en interaction
(3 à 4 minutes sans préparation)
Vous tirez au sort deux sujets et vous en choisissez un. Vous jouez le rôle qui vous est indiqué.

Sujet 1

Vous travaillez à Paris depuis plusieurs mois. Vous voulez faire du sport pendant votre pause déjeuner. Vous proposez à votre directeur d'organiser des cours de gymnastique dans les locaux de l'entreprise pour le personnel. Il n'est pas convaincu par votre proposition. Vous essayez de le convaincre.

L'examinateur joue le rôle du directeur.

Sujet 2

Vous habitez dans une résidence universitaire en France. Pour gagner du temps et manger des produits de bonne qualité, vous aimeriez proposer aux autres habitants de mettre en place un service de livraison de paniers de la ferme (légumes, fruits, œufs et viande) dans votre immeuble. Vous en parlez au responsable de l'immeuble. Il pense que ce n'est pas une bonne idée et s'y oppose. Vous essayez de le faire changer d'avis.

L'examinateur joue le rôle de l'employé de l'immeuble.

EXERCICE 3 – Monologue suivi *(5 à 7 minutes)*
Vous dégagez le thème soulevé par le document et vous présentez votre opinion sous la forme d'un exposé personnel de 3 minutes environ. L'examinateur pourra vous poser quelques questions.

Pour ou contre les open spaces ?

Pour mieux gérer l'espace dans les entreprises, les directeurs décident de supprimer les bureaux individuels et choisissent de mettre en place des « open spaces », c'est-à-dire des espaces ouverts. Mais cette forme d'organisation des bureaux est de plus en plus critiquée.

Faut-il refermer les espaces ouverts ?

Certainement pas ! Les open spaces permettent tout d'abord de gagner de la place. Mais surtout, ces espaces ouverts améliorent considérablement le travail d'équipe en favorisant une meilleure circulation de l'information. Il y a plus de convivialité dans l'entreprise. Il faut simplement trouver le juste milieu. Comment ? En créant des espaces ouverts avec une dizaine de bureaux seulement. En divisant les grands espaces à l'aide de meubles. En installant des plantes vertes. Et enfin, en gardant quelques espaces fermés, pour les réunions, les appels téléphoniques importants et les entretiens.

Source : www.chefdentreprise.com

Qu'en pensez-vous ? Aimez-vous ou aimeriez-vous travailler dans un open space ?

Précis de phonétique

Les voyelles et les semi-voyelles

Les sons

	Langue en avant ←		Langue en avant ←	Langue en arrière →
ouverture de la bouche ↓	Lèvres tirées	Lèvres arrondies		
	[i] • d**i**t [j] • solei**l**		[y] • d**u** [ɥ] • p**ui**s	[u] • d**ou**x [w] • l**ou**é
	[e] • d**é**		[ø] • d**eux**	[o] • d**o**s [ɔ̃] • d**on**
	[ɛ] • p**ai**x [ɛ̃] • p**ain**		[œ] • p**eu**r	[ɔ] • p**o**rt
	[a] • l**a**	[ɑ̃] • l**en**t		

Les graphies

on entend	on écrit	exemples
[i]	i – î – ï – y	lit – île – haïr – cycle
[e]	é – er/ez/ed (à la fin du mot)	thé – dîner – nez – pied
[ɛ]	è – ê – e (+ consonne prononcée dans la même syllabe)	père – fête – sel
[a]	a – à – â – e (+ -mm)	la – là – pâtes – femme
[y]	u – û – eu (verbe *avoir*)	tu – dû – j'ai eu
[ø]	eu/oeu (à la fin d'une syllabe) • eu + [z]/[t]	feu – chanteuse – feutre
[œ]	eu/oeu (+ consonne prononcée dans la même syllabe)	chanteur – sœur
[u]	ou – où – oû – aoul – aoû	ou – où – goût – saoul – août
[o]	o (à la fin d'une syllabe) – o + [z] – au – eau – ô	photo – rose – autre – eau – hôtel
[ɔ]	o (+ consonne prononcée dans la même syllabe) • um (à la fin du mot)	mode – maximum
[ɛ̃]	in – im – un – ain – aim – ein – ien – yen – yn – ym	quinze – simple – lundi – pain – faim – plein – chien – moyen – synthèse – sympathique
[ɑ̃]	an – am – en – em – ean – aon – ient	danse – chambre – cent – temps – jean – paon – client
[ɔ̃]	on – om	non – nom
[j]	i (+ voyelle) – il – (i)ll – y	plier – soleil – travailler – payer
[ɥ]	u (+ voyelle)	tuer
[w]	ou (+ voyelle) • oi	louer – loin

Les consonnes

Les sons

	Les cordes vocales ne vibrent pas. (consonnes sourdes)	Les cordes vocales vibrent. (consonnes sonores)	Un peu d'air passe par le nez. (consonnes nasales)		Les cordes vocales ne vibrent pas. (consonnes sourdes)	Les cordes vocales vibrent. (consonnes sonores)
	[p] **p**ot	[b] **b**eau	[m] **m**ot		[f] **f**in	[v] **v**in
	Les lèvres, fermées, sont en contact et s'ouvrent d'un seul coup.				Les dents du haut touchent la lèvre du bas.	
	[t] **t**hé	[d] **d**é	[n] **n**ez		[s] **s**ot	[z] **z**oo
	La pointe de la langue, contre les dents du haut, se retire d'un seul coup.				La pointe de la langue contre les dents du haut.	
	[k] **qu**i	[g] **gu**i			[ʃ] **ch**oix	[ʒ] **j**oie
	La langue est en contact avec les dents du bas. Le dos de la langue est relevé.				La langue est en haut et en avant.	

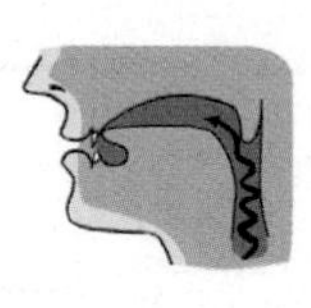	[l] **l**oue La pointe de la langue vient se coller en haut et en avant.		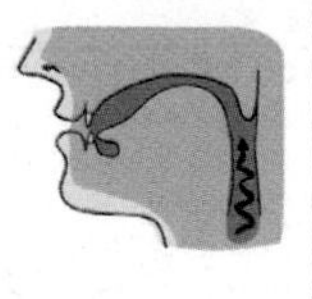	[ʀ] **r**oue La pointe de la langue est en bas et en avant, en contact avec les dents du bas. La langue ne bouge pas.

Les graphies

on entend	on écrit	exemples
[p]	p – pp – b (+ s)	père – appel – absolu
[b]	b – bb	ballon – abbé
[t]	t – tt – th	pâte – patte – thé
[d]	d – dd	donner – addition
[k]	c (+ a, o, u) – k – q – ch – x	cas – corps – kilo – quitter – chœur – axe
[g]	g (+ a, o, u) – gg – x	garder – guider – agglutiner – exercer
[f]	f – ff – ph	café – effort – physique
[v]	v – w	venir – wagon
[s]	s (en début de mot) – ss – sc – ç – c (+ e, i) – x – t (+ ion/ient)	sonner – passer – scène – façon – ceci – axe – action – patience
[z]	s (en milieu de mot) – z – x	causer – zone – exercer
[ʃ]	ch – sch	chat – schéma
[ʒ]	j – g (+ e, i)	jeune – gentil
[m]	m – mm	mère – commode
[n]	n – nn	nez – colonne
[l]	l – ll	lit – belle
[ʀ]	r – rr – rh	riz – terre – rhume

1. Structurer un texte

La cohérence d'un texte tient à son **organisation** et au regroupement des idées.

Généralement, un texte comprend :
- une **introduction** ;
- un **développement** avec des paragraphes qui forment, chacun, une unité de sens ; chaque paragraphe se distingue par un alinéa et tous sont liés par une **transition**, qui est généralement exprimée par un articulateur logique ;
- une **conclusion**.

Visuellement, il faut veiller à ce que ces parties se voient !

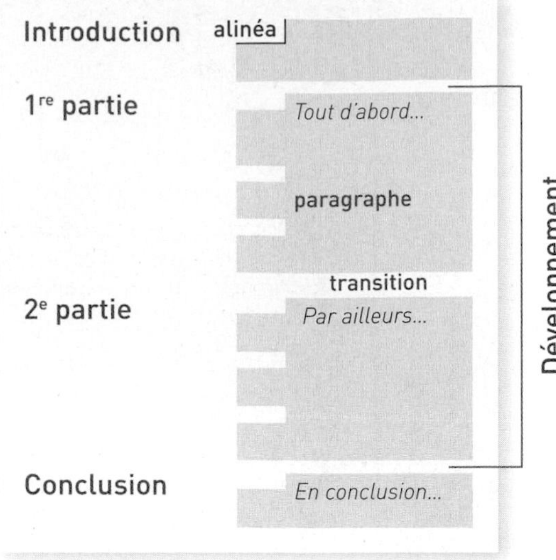

2. Articuler un texte et lui donner du sens

Quand on rédige un texte, on utilise des articulateurs qui permettent :
- d'indiquer la place d'une information dans un texte ;
- d'expliciter une connexion logique entre deux idées.

À quoi ça sert ?	Quels mots ?	Nuances d'emploi
indiquer l'ordre des arguments	*(tout) d'abord* *ensuite, puis, après* *enfin, bref* *finalement*	 → indique un résultat
introduire un élément ou une information nouvelle	*aussi, de même, également* *de plus, en plus, en outre** *non seulement... mais encore* *d'ailleurs*	 → avec ou sans lien avec l'idée précédente
signaler des informations équivalentes	*d'un côté... de l'autre* *d'une part... d'autre part*	
introduire un exemple	*par exemple, ainsi, en effet*	
introduire une exception	*excepté, sauf, à part*	
introduire une cause	*parce que* *car* *comme* *puisque* *étant donné (que)*	→ ces mots sont rarement placés en début de phrase → souvent en début de phrase → cause connue de l'interlocuteur
introduire une conséquence	*alors, du coup,* *donc, d'où, ainsi,* *en conséquence* *par conséquent** *c'est pourquoi**	→ à l'oral, en tête de phrase → en tête de phrase, après une pause forte

*langue soutenue

introduire une opposition	*par contre* *en revanche** *au contraire* *contrairement à ce que* *contrairement à* + nom *(et) pourtant* *cependant, néanmoins, toutefois* *bien que* + subj.	→ langue courante → en tête de phrase → renforce une négation dans la phrase précédente → pour souligner un paradoxe → pour nuancer les propos précédents
reformuler	*c'est-à-dire* *autrement dit* *en d'autres termes**	
résumer ou conclure	*ainsi, pour conclure, en résumé, en un mot, bref, en conclusion, en définitive**	

*langue soutenue

3. Rédiger une candidature

➤ Unité 2, pp. 36 et 44-45

Pour proposer sa candidature – à un travail ou à une formation universitaire, par exemple –, un *curriculum vitæ* (C.V.) et une lettre de motivation sont généralement exigés.

- Un **C.V.** comprend les rubriques suivantes :
  - l'état civil et les coordonnées ❶
  - les expériences professionnelles (de la plus récente à la plus ancienne) ❷
  - La formation (études et diplômes, des plus récents aux plus anciens) ❸
  - les compétences (langues, connaissances informatiques...) ❹
  - les centres d'intérêt ❺
- Une **lettre de motivation** peut éventuellement se faire par mail.

Éric Gern ❶
16 août 1981
8 rue de Montreuil
69000 Lyon
06 01 01 01 01
egern@monmail.com

Expériences professionnelles ❷
2012-2015 : ....
2010-2012 : ....
2006-2010 : ....

Formation ❸
2003-2006 : ....
2002-2003 : ....

Compétences ❹
....
....

Centres d'intérêt ❺
....
....

4. Écrire un mail ➤ Unité 7 p. 136 et unité 8 pp. 164-165

On utilise généralement des formules plus courtes et moins formelles que dans une lettre.

○ Des formules générales

À qui je m'adresse ?	Formules d'appel	Exemples de premières lignes	Formules de politesse
un supérieur hiérarchique	*Madame, Monsieur* (+ statut) ex. : *Madame le Maire*, etc.	*Suite à notre discussion / conversation téléphonique, je me permets de vous contacter pour...*	*Salutations distinguées* *Sincères salutations*
d'égal à égal	*Bonjour* (+ prénom)	*Je vous écris pour...* *Je vous informe que...* *Je t'écris pour...*	*Cordialement* *Bien cordialement (+)* *Très cordialement (++)* *Bien à vous (nuance affectueuse)*

un ami, un proche	*Bonjour* *Salut !* *Coucou !* + prénom	*Comment vas-tu ?*	*Bien à toi,* *À bientôt, A+, @+*
plusieurs destinataires	*Bonjour à tous* *Chers collègues*	*Pour information, ...*	*Cordialement* *Bien cordialement* *Bien à vous*

○ Des formules plus précises

	Demander d'accuser réception	Accuser réception	Relancer
Formulation formelle	*Je vous remercie d'avance de bien vouloir confirmer la bonne réception de ce mail.*	*J'accuse réception de votre mail et vous en remercie.*	*N'ayant reçu de vos nouvelles, je me permets de vous relancer au sujet de mon mail en date du...*
Formulation courante	*Merci d'avance de me confirmer la réception de ce mail.*	*J'ai bien reçu votre mail et vous en remercie.*	*Pourriez-vous accuser réception de mon mail envoyé le... dernier ?*
Formulation informelle	*Merci de me dire si tu as bien reçu mon mail.*	*Merci pour ton mail.* *Bien reçu.* *C'est noté !*	*Dis, t'as vu mon mail ?*

5. Rédiger une lettre formelle

- On utilise un **modèle type** avec les éléments suivants :
- coordonnées de l'expéditeur ❶
- coordonnées du destinataire ❷
- lieu et date ❸
- objet de la lettre, référence ❹
- formule d'appel ❺
- corps de la lettre ❻
- formule de politesse ❼
- signature ❽

❶ ....
....

❷ ....

❸ ....
....

Objet : ❹ ....

Madame, Monsieur, ❺

....
....
....
....
.... ❻ ....
....
....
....
....

❼
Sincères salutations,

❽ ....

• On utilise des **formules types** :

À qui je m'adresse ?	Formule d'appel	Formule de politesse
un supérieur hiérarchique	*Madame, Monsieur* (+ statut) ex. : *Madame le Maire, Monsieur le Directeur, etc.*	• *Nous vous prions d'agréer, Madame / Monsieur, nos salutations distinguées.* • *Je vous prie d'agréer, Madame / Monsieur, l'expression de mes sentiments les meilleurs.* • *Je vous prie d'agréer, Madame / Monsieur, l'expression de ma considération distinguée.*
d'égal à égal	*Cher / Chère* Prénom,	*Bien cordialement*
un ami, un proche	*Bonjour* *Salut !* *Mon cher* + prénom	*Amicalement* *Affectueusement* *Je t'embrasse* *Bises*

• On utilise des **phrases types** :

Demander quelque chose à quelqu'un	*Est-ce qu'il serait possible de... ?* *Vous serait-il possible de... ?* *Puis-je vous demander de... ?*
Demander une information	*Je souhaiterais savoir...* *Nous aimerions connaître...* *Pourriez-vous m'indiquer... ?*
Donner une information	*J'ai le plaisir de vous annoncer...* *Nous souhaiterions vous informer de...* *Je vous informe que...*
Inviter quelqu'un	*Nous serions très heureux de...* *Nous serions ravis / honorés de...*
Donner son avis	*Selon moi, ...* *Il me semble que...* *D'après ce que vous dites, il apparaît... que*
Solliciter un contact	*J'espère avoir l'occasion de vous rencontrer...*
Signaler que l'on peut nous contacter	*Dans l'attente de votre réponse, je reste à votre disposition pour tout renseignement complémentaire.* *N'hésitez pas à me contacter pour toute information complémentaire.*

Précis de grammaire

LA PHRASE

Une phrase se construit généralement à partir de :

un sujet + un verbe + un complément

Les signes de ponctuation

➤ Unité 3, pp. 60 et 68

La ponctuation permet de séparer ou de relier des phrases pour expliciter le sens d'un texte, ou bien de séparer les éléments d'une phrase pour les mettre en relief.

Quelle ponctuation ?		Quelle fonction ?	Exemples
.	le point	• marque la fin d'une phrase déclarative	*Il ne veut plus manger. Il peut aller se coucher.*
,	la virgule	• détache un complément • marque une mise en relief • sépare des éléments juxtaposés • est généralement placée avant : *mais, c'est-à-dire, car, puis, sinon* • est généralement placée après : *cependant, en effet, par contre, pourtant, néanmoins, en revanche*	*Chaque jour, il lit un magazine.* *Moi, je n'aime pas les bananes.* *Elle parle, elle rit, elle chante.* *Il est sympa, mais un peu naïf.* *Il parle bien. En revanche, il n'est pas très fort en grammaire.*
;	le point-virgule	• sépare des éléments d'énumération • sépare des phrases liées par le sens	*Pour apprendre le français, il faut : un dictionnaire ; un livre ; le sourire.* *Julien l'aime ; Paul ne l'aime pas.*
:	les deux-points	• introduisent une explication • introduisent une énumération • introduisent le discours direct	*Je l'ai convoquée : elle était souvent absente.* *Il y a trois mots dans la devise : liberté, égalité, fraternité.* *Il demande : « Comment vas-tu ? »*
!	le point d'exclamation	• marque la fin d'une phrase exclamative • s'emploie après une interjection	*Comme il fait beau aujourd'hui !* *Oh ! Qu'elle est jolie !*
?	le point	• marque la fin d'une question • marque la fin d'une phrase non verbale	*Tu es français ?* *Pardon ? Je n'ai pas compris.*
...	les points de suspension	• signalent une énumération non terminée • marquent l'hésitation dans le discours	*Au musée, il y a des tableaux, des peintures...* *Je suis... peut-être un peu timide.*
« »	les guillemets	• ouvrent et ferment un dialogue • introduisent une citation • introduisent une modalisation	*Il est entré dans son bureau en disant : « Je pense que je viendrai pas demain. »* *Il est un peu « fourbe ».*
M	la majuscule	• s'emploie en début de phrase • signale un nom propre	*Je connais bien Lucie.*

La négation

➤ Unité 2, pp. 41 et 49

Quelle négation ?	Où est-elle placée ?	Quel contraire ?
ne... pas *ne... guère* *ne... plus* *ne... jamais*	*Je* ***n'****ai* ***pas*** *faim.* *Je* ***n'****ai* ***guère*** *faim.* *Je* ***n'****ai* ***plus*** *faim.* *Elle* ***n'****a* ***jamais*** *mangé cela.* *Elle* ***n'****a* ***jamais*** *faim.*	*J'ai faim.* *J'ai un peu faim.* *J'ai encore faim.* *Elle a déjà mangé cela.* *Elle a souvent faim.*
ne... rien... *rien ne* *ne... personne...* *personne... ne* *ne... nulle part*	*Je* ***ne*** *mange* ***rien****.* *Je* ***n'****ai* ***rien*** *vu.* *Je* ***n'****ai vu* ***personne****.* ***Personne ne*** *m'aime !* *Je* ***ne*** *vais* ***nulle part*** *cet été.*	*Je mange quelque chose.* *J'ai tout vu !* *J'ai vu quelqu'un.* *Tout le monde m'aime !* *Je vais à Montréal cet été.*
aucun(e)... ne	*Elle* ***n'****a* ***aucun*** *ami.*	*Elle a quelques amis.*
ne... ni... ni *ne... pas... ni* *ne... ni ne*	*Je* ***n'****ai* ***ni*** *chat* ***ni*** *chien.* *Je* ***n'****ai* ***pas*** *de chien,* ***ni*** *de chat.* *Je* ***ne*** *mange* ***ni ne*** *dors bien en ce moment.*	

Devant une voyelle ou un *h* muet, ne devient *n'*.
Souvent, à l'oral (en français familier), le *ne* disparaît.

Le groupe prépositionnel

➤ Unité 6, pp. 121 et 129

Le groupe prépositionnel sert à ajouter un complément informatif dans une phrase. Il est introduit par une préposition. Cette préposition peut dépendre d'un verbe *(parler à, proposer de...)*.

Quelle fonction ?	Quoi ?	Exemples
+ groupe nominal	*à, avec, de, chez, par, pour, sur, sous, dans, en, parmi, sans, contre, entre...*	*C'est la fille* ***de*** *ma sœur.* *C'est une pince* ***à*** *sucre.*
+ groupe infinitif		*J'ai un travail* ***à*** *finir.*
+ groupe adverbial		*Ils sont passés* ***par là****.*
+ pronom		*Il est venu* ***chez*** *moi.*

Le groupe adverbial

➤ Unité 8, pp. 160 et 168

Quelle formation ?	Exemples
en général, adjectif au féminin + *-ment*	*positif → positive + -ment = positiv****ement***
pour les adjectifs qui finissent en : *-ant : -amment* *-ent : -emment*	 *méchant → méchamment* *fréquent → fréquemment*
autres adverbes	*plutôt, trop, très, peu, mal, bien, fort...*

Un adverbe modifie et précise le sens d'un adjectif, d'un verbe ou d'un autre adverbe.

Quelle fonction ?	Exemples
qualifier un adjectif	*Ce jeu est* ***très*** *bruyant.*
qualifier un verbe	*Il parle* ***merveilleusement*** *français.*
qualifier un adverbe	*Il est* ***trop*** *tôt : retourne te coucher !*

La mise en relief

➤ Unité 6, pp. 120 et 128

La mise en relief permet d'insister sur un élément de la phrase.

Quel élément mettre en relief ?		
le sujet → *qui*	le complément d'objet direct → *que*	le complément d'objet indirect avec *de* → *dont*
C'est *elle* ***qui*** *chante.* *Sourire,* ***c'est ce qui*** *est important.* ***Ce qui est*** *important,* ***c'est*** *(de) sourire.*	***C'est*** *la couleur rouge* ***que*** *je déteste.* *Le rouge,* ***c'est*** *la couleur* ***que*** *je déteste.* ***Ce que*** *je déteste,* ***c'est*** *le rouge.*	*Partir en vacances,* ***c'est ce dont*** *je rêve.* ***Ce dont*** *je rêve,* ***c'est*** *de partir en vacances.*

La forme passive

➤ Unité 3, pp. 60 et 68

La forme passive permet de mettre en valeur le bénéficiaire ou la victime d'une action. Une phrase active doit avoir un complément pour pouvoir être mise à la forme passive.

Quelle forme ?	Quelle construction ?	Exemples
Forme active	sujet + verbe + complément	*Le chat mange la souris.*
Forme passive	• inversion du sujet et du complément • *être* (au temps du verbe) + participe passé • complément introduit par *de* ou *par*	*La souris est mangée par le chat.*
	se faire + inf. (responsabilité du sujet) *se laisser* + inf. (passivité du sujet)	*La souris* ***se fait*** *manger.*

LES ADJECTIFS ET LES PRONOMS

Les adjectifs se placent avant un nom ou un groupe nominal. Les pronoms permettent de relier deux phrases pour éviter une répétition.

Les pronoms personnels

➤ Unité 7, pp. 141 et 149

• Ils servent à remplacer une personne ou un objet.

Quel pronom ?	Quelle fonction ?
je, tu, il / elle / on, nous, vous, ils	sujet
me, te, le (l') / la (l'), nous, vous, les	complément d'objet direct
me, te, lui, nous, vous, leur	complément d'objet indirect
moi, toi, lui / elle, nous, vous, eux / elles	utilisés après une préposition
en	• avec une expression de quantité • une construction avec *de*
y	• pour remplacer un lieu • une construction avec *à*

LES RELATIONS LOGIQUES

Le but

➤ Unité 1 pp. 20 et 28, unité 9 pp. 180 et 188

Le but est ce que l'on se propose d'atteindre. Il répond aux questions : « Dans quel but ? », « Pour quoi faire ? »

Pour exprimer quoi ?	Subjonctif ou infinitif ?		Exemples
	+ subjonctif (sujets différents)	+ infinitif (même sujet)	
un but en général	*pour que* *afin que*	*pour* *afin de* *dans le but de* *en vue de*	*Je le note* ***pour qu'****il s'en souvienne.* *Je mets un réveil* ***afin de*** *me réveiller à temps.*
un but avec un sentiment	*de peur que** *de crainte que** *dans l'espoir que*	*de peur de* *de crainte de* *dans l'espoir de*	*Nous attendons* ***dans l'espoir que*** *quelque chose se passe.* *Il ne bouge pas* ***de peur de*** *casser quelque chose.*
une manière d'atteindre un résultat	*de façon (à ce) que* *de manière (à ce) que*	*de façon à* *de manière à*	*Il polit le meuble* ***de façon que*** *le résultat soit parfait.*

*Avec ces expressions, le *ne* est souvent absent.

La cause et la conséquence

➤ Unité 6 pp. 120 et 129, unité 9 pp. 180 et 188

Pour exprimer quoi ?	+ indicatif	+ nom	autres
une cause	*parce que* *car* *puisque* *comme*	*grâce à* (+) *à cause de* (-) *en raison de*	*en effet*
une conséquence	*c'est pourquoi* *de sorte que* *si bien que* *de façon que* *au point que*		*donc* *d'où* *du coup* (à l'oral) *alors* *c'est pourquoi*

L'opposition et la concession

➤ Unité 5 pp. 101 et 109, unité 9 pp. 180 et 188

Pour exprimer quoi ?	Subjonctif ou indicatif ?		Autres formes	
	+ subjonctif	+ indicatif	+ nom	autres
une opposition (= pour opposer deux faits de nature équivalente)		*alors que* *tandis que*	*contrairement à* *au contraire de*	*mais* *or* *pourtant* *au contraire* *par contre* (oral) *en revanche* (écrit)
une concession (= opposition de deux idées qui ne suivent pas la même logique)	*bien que* *quoi que*	*même si*	*malgré* *en dépit de*	*mais* *or* *cependant* *néanmoins* *toutefois*

La comparaison

➤ Unité 4, pp. 80 et 88

- La comparaison permet de mesurer une différence entre deux éléments.

Exprimer quoi ?	avec un adjectif	avec un nom	avec un verbe
une supériorité (+)	*Il est* ***plus*** *grand* ***que*** *moi.* *C'est lui* ***le plus*** *grand !*	*Il a* ***plus de*** *chance* ***que*** *moi.* *L'été : la saison avec* ***le plus de*** *soleil !*	*L'été, c'est la saison pendant laquelle on se repose* ***le plus****.*
une infériorité (-)	*Il est* ***moins*** *grand* ***que*** *moi.* *C'est moi* ***le moins*** *grand !*	*Il a* ***moins de*** *chance* ***que*** *moi.* *L'été : la saison avec* ***le moins de*** *neige !*	*L'été, c'est la saison pendant laquelle on travaille* ***le moins****.*
une égalité (=)	*Il est* ***aussi*** *grand* ***que*** *moi.*	*Il a* ***autant de*** *chance* ***que*** *moi.*	*Il parle* ***autant que*** *moi.*

- Attention aux comparatifs et superlatifs irréguliers :
  bon → meilleur (que) / le meilleur
  mauvais → pire (que) / le pire

- D'autres outils pour exprimer :

une similitude	• *comme, semblable (à), identique (à), similaire (à), pareil (à), égal (à), le / la / les même(s)... que* • *se ressembler, ressembler (à)*
une différence	• *différent (de), inégal, inférieur (à), supérieur (à), incomparable* • *surpasser, se différencier (de)*

L'hypothèse

➤ Unité 4, pp. 81 et 89

- Avec *si*

Quelle hypothèse ?	Quels temps ?		Exemples
réelle au présent	*Si* + présent	impératif	***Si tu veux partir****, pars !*
		présent	***Si on se dépêche****, on peut arriver à temps !*
		futur simple	*On ira voir ta tante demain,* ***si tu veux****.*
irréelle au présent (= condition difficile à réaliser car éloignée de la réalité du présent)	*Si* + imparfait	conditionnel présent	***Si on avait plus d'argent****, on achèterait un château au bord de la Loire !*
irréelle au passé (= condition impossible car non réalisée dans le passé)	*Si* + plus-que-parfait	conditionnel passé	***Si j'avais pu****, j'aurais changé de métier.*

- Avec d'autres expressions

avec / sans + nom	***Avec de l'argent****, on peut tout faire !* *Tu aurais pu réussir* ***sans tricher****.*
au cas où + conditionnel	***Au cas où tu aurais le temps****, lis cet article !*
en + participe présent ou passé	***En prenant notre temps****, nous y arriverons.*

Les articulateurs du discours

➤ Unité 9 pp. 180 et 188

Pour exprimer quoi ?	Quels articulateurs ?
débuter	*pour commencer, au début, (tout) d'abord...*
énumérer des idées	*premièrement, deuxièmement, troisièmement...* *ensuite, puis, enfin...*
ajouter une idée	*en plus / de plus, par ailleurs, également, de même...*
illustrer ou renforcer une idée	*ainsi, en effet, qui plus est...*
préciser sa pensée	*en fait, en réalité, autrement dit, effectivement...*
présenter deux idées	*d'une part... d'autre part ; d'un côté... d'un autre côté...*
conclure	*pour terminer, pour finir, en résumé, en bref, en conclusion...*

LES INDICATEURS DE TEMPS

➤ Unité 4 pp. 80 et 88, unité 5 pp. 101 et 109

• Exprimer le temps écoulé, une durée, une date

Exprimer quoi ?	Quoi ?	Exemples
une date	*en*	*En **2000**, j'ai obtenu mon master.*
le temps écoulé	*il y a* *il y a... que* *cela / ça fait... que* *voilà... que*	***Il y a** 10 ans, j'ai commencé à travailler.* ***Il y a** 10 ans **que** j'ai commencé à travailler.* ***Ça fait** 10 ans **que** j'ai commencé à travailler.*
le début d'une action	*depuis / depuis que* (passé) *dans* (idée future)	***Depuis qu'**il est parti, je me sens revivre !* ***Dans** deux ans, je pars au Japon.*
la durée d'une action	*depuis / depuis que* *pendant*	*Je travaille dans cette entreprise **depuis** 10 ans.* *J'ai travaillé **pendant** 10 ans et ensuite, j'ai fait le tour du monde.*
la date de fin d'une action	*jusqu'à ce que* + subj.	*J'ai travaillé **jusqu'à ce que** j'en aie assez.*

• Situer une action par rapport à une autre

Exprimer quoi ?	+ indicatif	+ subjonctif	+ infinitif	+ nom	autres
une simultanéité	*quand* *lorsque* *tandis que* *pendant que*				*en même temps*
une antériorité		*avant que*	*avant de* (+ inf. présent)	*avant*	*auparavant* *déjà* *plus tôt*
une postériorité	*après que* *dès que* *aussitôt que* *une fois que*		*après* (+ inf. passé)	*après*	*ensuite* *puis* *plus tard*

LE DISCOURS ET LE TEXTE

➤ Unité 7, pp. 140 et 148

Pour passer du discours direct au discours indirect (ou rapporté), on opère certaines modifications.

Quels changements au discours rapporté ?	
ajout du verbe introducteur	• verbe de parole + *que* + indicatif • *demander si* (question « Est-ce que ? ») • *demander ce que* (question « Qu'est-ce que ? ») • *demander qui, comment, pourquoi...*
changement de ponctuation	suppression des apostrophes, des points d'interrogation, d'exclamation
changement des pronoms personnels	
changement des temps du verbe (quand le verbe de parole est au passé)	

Exemples :
« Les enfants ont mangé. » → Il dit que les enfants ont mangé.
« Est-ce que tu es heureux ? » → Elle me demande si je suis heureux.

La concordance des temps

Au discours rapporté, quand le verbe de parole est au passé, on change parfois le temps du verbe.

Discours direct	Discours indirect	Exemples
présent	imparfait	*« Je **chante**. » → Il a dit qu'elle **chantait**.*
		*« Je **vais** chanter. » → Il a dit qu'elle **allait** chanter.*
passé composé	plus-que-parfait	*« J'**ai chanté**. » → Il a dit qu'elle **avait chanté**.*
futur	conditionnel	*« Je **chanterai**. » → Il a dit qu'elle **chanterait**.*

Il n'y a pas de changement pour les autres temps.

La reprise nominale

➤ Unité 8, pp. 161 et 168

Quand on souhaite reprendre un élément dans un texte sans le répéter, il y a plusieurs astuces.

Quelle astuce ?	Comment ?	Exemples
faire varier le déterminant	avec un démonstratif	*Un chat est sur le canapé. **Ce** chat est gris.*
	avec un possessif	*Le chat de Léo est sur le canapé. **Son** chat est gris.*
	avec un article défini	*Un chat est sur le canapé. C'est **le** chat de Léo.*
	avec un article indéfini	*Le chat de Léo est sur le canapé. C'est **un** chat gris.*
faire varier le nom	avec un autre nom	*Un animal est sur le canapé. C'est **un chat** gris.*
apporter une information nouvelle	avec un groupe nominal	*Un chat est sur le canapé. Attention : c'est **une bête sauvage**. Ne vous approchez pas de **ce quatre-pattes qui miaule** !*

LES FORMES VERBALES ET LES TEMPS

○ Généralités

➤ Unité 2 pp. 40 et 48, unité 3 pp. 61 et 69, unité 5 pp. 100 et 108, unité 7 pp. 141 et 149

	Pour exprimer quoi ?	Quelle formation ?
Les temps du passé		
passé composé	• une action ponctuelle (qui peut être répétée) • une action limitée dans le temps • une succession d'actions	*être* ou *avoir* au présent + participe passé
imparfait	• une action passée qui continue de se dérouler • une description • une habitude dans le passé • le cadre d'une action ponctuelle (exprimée au passé composé)	radical de la 1re personne du pluriel au présent + *-ais, -ais, -ait, -ions, -iez, -aient*
plus-que-parfait	• une action antérieure à une action passée	*être* ou *avoir* à l'imparfait + participe passé
passé simple	• des actions, à l'écrit principalement (dans les récits historiques, contes, romans...)	*-ai,-as,-a,-âmes,-âtes,-èrent* *-is,-is,-it,-îmes,-îtes,-irent* *-us,-us,-ut,-ûmes,-ûtes,-urent* *-ins, -ins, -int, -înmes, -întes, -inrent*
Les temps du futur		
futur simple	• une action située dans un avenir lointain • un fait précis et programmé • une demande	verbe à l'infinitif + *-ai,-as,-a, -ons, -ez, -ont*
futur proche	• une action située dans un avenir immédiat • une action qui a plus de chances de se réaliser	*aller* au présent + infinitif
futur antérieur	• une action future antérieure à une autre action future	*être* ou *avoir* au futur simple + participe passé
Les temps du conditionnel		
conditionnel présent	• une demande polie • un souhait, un désir • une proposition • un conseil • un reproche • un événement non confirmé	verbe à l'infinitif + *-ais, -ais, -ait, -ions, -iez, -aient*
conditionnel passé	• un regret • un reproche • un événement non confirmé	*être* ou *avoir* au conditionnel présent + participe passé
Les temps du subjonctif		
subjonctif présent	• une obligation, un ordre • un souhait • un doute	*que* + radical de la 3e personne du pluriel au présent + *-e, -es,-e, -ions,-iez,-ent*
subjonctif passé	• un fait antérieur à celui exprimé par le verbe introducteur	*que* + *avoir* ou *être* au subjonctif présent + participe passé

Les tournures impersonnelles

➤ Unité 6, pp. 120 et 129

Les tournures impersonnelles ont pour sujet le pronom *il* qui ne désigne pas un sujet réel.

Quelle fonction ?	Quelle tournure ?	Exemples
indiquer le temps qu'il fait ou le temps qui passe	*il fait* *il* + verbe *il est* + heure	***Il fait** beau aujourd'hui.* ***Il pleut** chez toi ? Chez nous, **il neige** !* ***Il est** huit heures : il est temps de se lever.*
exprimer une obligation ou une nécessité	*il faut* + inf. *il faut que* + subj. *il s'agit de* + inf. *il est nécessaire de* + inf.	***Il faut** éteindre les lumières.* ***Il faut que** vous sortiez !* ***Il s'agit de** travailler à présent !* ***Il est nécessaire de** travailler.*
donner un conseil	*il suffit de* + inf. *il suffit que* + subj.	***Il suffit d'**ajouter un peu de sel et ce sera parfait !*
présenter une personne, un événement, un objet	*il s'agit de* + nom *il y a*	***Il s'agit d'**un livre qui parle de…* *Dans ma famille, **il y a** ma sœur…*
exprimer une possibilité	*il paraît que* + ind. *il est possible que* + subj. *il est impossible que* + subj. *il semble que* + subj.	***Il paraît que** ce magasin va fermer.* ***Il est possible qu'**il ferme.* ***Il est impossible qu'**il ferme.* ***Il semble que** ce magasin ferme.*
exprimer une opinion	*il est* + adjectif + *de* (+ inf.) / *que* (+ subj.)	***Il est** normal **que** tu viennes.* ***Il est** important **de** dormir.*

Le participe passé

➤ Unité 2 pp. 40 et 48, unité 8 pp. 161 et 169

- Le participe passé sert à former les temps composés.

1er groupe	2e groupe	3e groupe
terminaison *-é*	terminaison *-i*	formes irrégulières
mangé, chanté, parlé…	*fini, réussi, agi…*	*mis, vu, ouvert, parti, peint…*

- Il est employé avec *avoir* ou *être*.

être	ces verbes + leurs dérivés : *naître, mourir, descendre, monter, sortir, entrer, tomber, arriver, partir, rester, retourner, rentrer, venir, aller…*	*Je suis **né** un 16 août par un jour de grande chaleur.*
être	les verbes pronominaux	*Paul est passé voir ta mère qui s'est **réveillée** à son arrivée.*
avoir	tous les autres verbes	*Paul a **passé** l'aspirateur et a **fait** les courses.*

- Quelles sont les règles d'accord générales ?

avec *être*	accord avec le sujet	*Marie est sort**ie**.*
avec *avoir*	pas d'accord	*Marie a mang**é** une pomme.*
avec *avoir* + COD placé avant	accord avec le COD	*La pomme que Marie a mang**ée** est verte.*

• Et avec les verbes pronominaux ?

Verbes toujours pronominaux*	accord avec le sujet	*Elle s'est réveill**ée**.*
Verbes quelquefois pronominaux**	**construction directe :** accord avec le sujet ou le COD placé avant	*Nous nous sommes appel**és** hier. Nous nous somme lav**é** les mains et nous nous les sommes essuy**ées**.*
	construction indirecte : pas d'accord	*Ils se sont téléphon**é**.*

* Ils sont toujours employés avec *se*. ** Ils peuvent être employés sans *se*. Ex. : *(se) laver, (s')appeler, (se) téléphoner...*

○ L'infinitif

➤ Unité 9, pp. 181 et 189

infinitif présent	radical + *-er, -ir, -ire, -oir(e)*, etc.
infinitif passé	*avoir* ou *être* à l'infinitif + participe passé

Quels emplois ?	Exemples
• sujet	***Danser**, c'est ce que je préfère.*
• complément	*Il m'a invitée à **danser**.*
• proposition simple	*Que **faire** ? **Se résigner** ? Ne pas **renoncer** !*
• proposition infinitive (après des verbes de perception)	*Le public regarde **passer** les coureurs.*

○ Le gérondif

➤ Unité 2, pp. 41 et 49

On l'utilise avec deux verbes qui ont le même sujet. Il sert à compléter une phrase.

Quelle formation ?	Pour exprimer quoi ?	Exemples
en + radical de *nous* au présent + *-ant*	la simultanéité	*Il mange **(tout) en parlant** à sa voisine.*
	la manière	*Il est entré **en passant** par la fenêtre !*
	la cause	*Il a pris froid **en sortant** sans pull.*
	la condition	***En mangeant** 5 fruits et légumes par jour, il restera en bonne santé.*

○ Indicatif ou subjonctif ?

➤ Unité 1, pp. 20 et 28, unité 3 pp. 61 et 69, unité 9 pp. 181 et 189

Certains verbes ou expressions sont suivis de l'indicatif, d'autres du subjonctif.

Pour exprimer quoi ?	+ indicatif	+ subjonctif
un degré de certitude	*je suis sûr / certain que...* *je pense que... je crois que...* *je me doute que...* *il est évident / certain que...* *je suppose que...* *il me semble que...* *il paraît(rait) que...* *il est (fort) probable que...*	*je doute (fortement) que...* *je ne pense / crois pas que...** *je ne suis pas sûr que...** *il semble que...* *il n'est pas certain que...* *il est possible que...* *il est peu probable que...* *c'est impossible que...*
un souhait, une envie, une préférence	le verbe *espérer*	*je souhaiterais que, j'aimerais que, je voudrais que, je préférerais que...*
un regret		*je regrette que...* *il est regrettable que...* *Quel dommage que... !*

*Ces expressions peuvent aussi être suivies de l'indicatif dans le cas d'une action future : elles expriment alors une certitude (*Je ne crois pas qu'il appellera*).

Unité 1

« Ça fait sens ! » p. 13 

Le 6-7. Audrey Pulvar sur France Inter. « À la recherche du temps perdu. »
Et si on parlait, en ce lundi matin et alors que vous vous apprêtez à reprendre le collier pour une nouvelle semaine de lutte, si on parlait de prendre son temps ? Prendre le temps, prendre son temps, luxe après lequel nous... courrons tous, c'est se mettre hors le monde. Faire ce pas de côté qui peut sembler vital à certains et laisser passer, en rugissant, le train fou des événements. Résister à la pression. Prendre son temps : s'offrir, quelques minutes par jour, le présent d'un exil, volontaire, intérieur voire intime. Rechercher le temps juste plutôt que le temps à tout prix, presque un programme économique en soi.

Activité 2 p. 15 

Société maintenant, avec cette étude du Crédoc qui vient d'être publiée. Entre 1986 et 2010, le temps libre des Français a augmenté de 47 minutes par jour, passant de 7h19 à 8h06. Ce temps est consacré aux loisirs, à la sociabilité, aux repas, au bricolage, au jardinage et au soin des enfants. À l'inverse, le temps consacré au sommeil et à la toilette a diminué de 12 minutes, le temps accordé au travail ou aux études, de 25 minutes et celui réservé aux travaux ménagers, de 23 minutes. Avec le temps libre, le temps de transport est le seul à augmenter, de 17 minutes par jour. Les ménages français octroient également une part croissante de leur budget aux loisirs : 8,1 % en 2012, contre 6,5 en 1959.

Activité 3 p. 15 

a. 1986 – **b.** 2010 – **c.** 7h19 – **d.** 8h06 – **e.** 8,1 – **f.** 6,5

Activité 5 p. 16 

Alors, c'est justement... c'est le grand avantage d'Internet, c'est qu'on peut modifier le contenu du site heure par heure, en fonction des actions, en fonction des promos et en fonction des spasmes dans le monde, donc, on peut vraiment changer le site, mettre en avant des promotions, très rapidement, chose qu'une agence de voyage classique peut, peut-être, moins bien faire.

Activités 1 à 4 p. 19 

Et si demain, les cartes postales du littoral français devenaient des images d'Épinal ? On n'en est pas si loin ! Plus de 1 700 kilomètres de plages et de côtes sont en effet victimes aujourd'hui de l'érosion marine. Pas moins d'un quart du littoral français est concerné. Un phénomène qui menace à terme la survie de nombreux bords de mer. On parle de 50 % du littoral soumis à l'érosion, du Nord-Pas-de-Calais à l'Aquitaine en passant par le Poitou-Charentes, sans oublier les falaises calcaires de Normandie. Le danger est encore plus présent à l'arrivée de l'automne, saison propice aux tempêtes fréquentes qui réduisent la taille des plages. Il ne s'agit pas seulement des paysages français réputés pour leur attrait touristique, mais également des habitants qui les peuplent. Sur la côte basque, on parle de quelque 400 habitations qui disparaîtront totalement d'ici 30 ans. Bref, un bilan dont on ne sait que faire. Alors, quelle alternative, si ce n'est celle d'accueillir les populations à l'intérieur des terres ?... au risque, ne nous y trompons pas, de voir disparaître champs, vallées, forêts et montagnes que la France a su préserver jusqu'ici.

Activité 5 p. 19 

a. On n'en est pas si loin.
b. sans oublier les falaises
c. des habitants qui les peuplent

L'expression du souhait, activité 5 p. 20 

1. Je crois qu'il va pleuvoir ce week-end !
2. C'est une surprise, c'est ça ?
3. C'est les 50 ans de Béa. On pensait lui offrir un bijou. Elle adore ça !
4. Tu pars où ? Au Brésil ?
5. Je ne suis pas sûre qu'elle ait envie de faire du tennis.

Les pronoms possessifs, activité 8 p. 21 

1. Dis-moi, c'est le manteau de Pascal, non ?
2. Cette voiture est à eux ?
3. Franchement, j'adore ces illustrations !
4. Nous avons de drôles d'habitudes, vous savez. Pas vous ?
5. Ces traces sur le sol sont celles du voleur, n'est-ce pas ?

Les pronoms possessifs, activité 9 p. 21 

– J'ai acheté le mien il y a peu de temps alors que le tien ne semble pas très neuf.
– Tu plaisantes ! Regarde, le tien est déjà tout abîmé. Ce n'est pas comme celui de Marine.
– Oui, c'est vrai. Sauf que dans le sien, il n'y a rien d'écrit.
– Dans le mien non plus.
– C'est parce que toi, tu ne fais jamais le travail demandé !
– Aaah, vous parlez d'un cahier !

Les pronoms relatifs, p. 21 

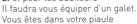

– Tu ne devineras jamais ! J'étais dans le métro et y'avait un mec que tout le monde regardait.
– Ouais, et alors ?
– Il portait un costume qui t'aurait plu : un costume de super-héros. Il s'est mis à nous parler. C'est le genre de mec dont tu te méfies facilement dans le métro. Mais en fait, il avait l'air très sérieux. Il nous a expliqué que ce dont il rêvait, c'était de sauver le monde qu'il croit en danger. Il a créé une assoc' dont tous les membres sont des supers-héros... t'imagines ! Évidemment j'ai pensé à toi... et au jour où tu oseras enfin porter le costume qu'on t'a offert pour ton anniversaire...

Activités 1 et 2 p. 22 

– ... et pour les auditeurs qui nous rejoignent, nous sommes depuis le 10 au salon Eurosciences de Copenhague pour vous présenter les dix dernières nouveautés en matière d'innovation climatique. Et en ce début d'après-midi, je suis avec Paul Demain et Grégory Clerc qui nous présentent « Luminew »... Alors, dites-nous tout, cela consiste en quoi ?
– « Luminew », c'est une fausse fenêtre équipée de dizaines de LED à installer au mur ou au plafond. L'objectif est simple : il s'agit de reproduire la lumière naturelle du ciel... ou plutôt d'un ciel car... car trois modèles sont proposés. Je m'explique : vous pouvez choisir d'apporter chez vous la luminosité d'un pays tropical, les rayons du soleil d'un environnement méditerranéen ou la lumière douce d'un pays scandinave.
– En fonction de votre choix, la luminosité sera plus ou moins chaude, et son orientation plus ou moins verticale. Rassurez-vous, la lampe ne génère pas de chaleur – vous ne risquez pas de coup de soleil !
– Ingénieux ou plutôt, lumineux, ce concept !... Autrement dit, si j'habite à Lille et que je m'installe tranquillement chez moi dans mon salon équipé d'une fenêtre « Luminew », je peux profiter du soleil de la côte d'Azur.
– Oui, c'est tout à fait cela. Sauf que pour entendre la mer, il faudra vous équiper d'un galet sonore ! Ce qui nous plaisait, c'était de ne plus avoir à dépendre d'une météo dans notre quotidien.
– Et comment vous est venue cette idée ?
– D'un simple pari d'étudiant ! Vous savez, quand vous êtes dans votre piaule en train de bosser comme un fou avant les partiels. On est en plein mois de janvier : il fait un temps de chien dehors et vous vous dites : « Mais qu'est-ce que je fous là ? Pourquoi je suis pas sur une plage en Australie avec ma planche de surf ? » « Chiche » m'a répondu Grégory ce jour-là ! Et ça nous a plus quittés.
– Justement, ce produit, il est destiné à qui précisément ?
– À des gens comme vous et moi, par exemple, qui ne supportons plus la grisaille des jours de pluie, le ciel blanc des jours où la pollution atteint de sacrés pics ! Le système a des avantages évidents pour la maison car, vous l'aurez compris, il permet aux habitants de n'importe quel pays de profiter de la lumière du soleil thérapeutique à tout moment.
– J'imagine que vous ne comptez pas vous arrêter là ?
– Effectivement, nous avons envie de développer ce produit dans des endroits souterrains comme les métros, les parkings, ou offrir un éclairage spécifique selon l'humeur du visiteur. Ce que je veux dire par là, c'est qu'il y a certains lieux où on pourrait imaginer une lumière adaptée au ressenti, comme dans les musées ou les hôpitaux...
– Ou encore offrir un peu de luminothérapie lorsque la météo estivale est comme cette année, un peu pourrie !
– Merci à tous les deux d'avoir pris le temps de répondre à mes questions... nous ne manquerons pas de suivre l'évolution de vos projets futurs !

Activité 3 p. 23 

a. Cela consiste en quoi ?
b. À quel public est-il destiné ?
c. Son lancement est prévu pour quand ?
d. Quels sont ses avantages ?
e. Quand peut-on utiliser ce produit ?
f. Et vous avez d'autres ambitions ?

Activité 4 « Repérez » p. 23 13

a. et pour les auditeurs
Il faudra vous équiper d'un galet.
Vous êtes dans votre piaule
b. Ingénieux ou plutôt, lumineux, ce concept !
c. « Luminew », c'est une fausse fenêtre équipée de dizaines de LED à installer au mur ou au plafond. L'objectif est simple : il s'agit de reproduire la lumière naturelle du ciel... ou plutôt d'un ciel car car... trois modèles sont proposés.

Activité 4 « Prononcez » p. 23 

À des gens comme vous et moi, par exemple, qui ne supportons plus la grisaille des jours de pluie, le ciel blanc des jours où la pollution atteint de sacrés pics ! Le système a des avantages évidents pour la maison car, vous l'aurez compris, il permet aux habitants de n'importe quel pays de profiter de la lumière du soleil thérapeutique à tout moment.

Activité 4 « Mettez-y le ton » p. 23 

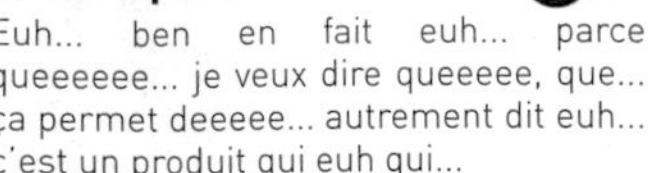

Euh... ben en fait euh... parce queeeeee... je veux dire queeeee, que... ça permet deeeee... autrement dit euh... c'est un produit qui euh qui...

Unité 2

« Ça fait sens ! » p. 33 

Le monde de l'éducation, votre rendez-vous avec l'actualité de l'éducation.
Selon une étude que viennent de publier des chercheurs de l'université de Montréal, 80 % des Français seraient favorables à l'usage de tablettes tactiles en classe. L'étude met en avant de nombreux avantages, dont le fait que la tablette simplifie l'accès à l'information. C'est aussi un outil vraiment léger dans les cartables et une motivation supplémentaire pour apprendre. D'ailleurs, les élèves le disent : « cool », « stimulant » et « amusant », ce sont leurs mots pour résumer l'expérience.

Activité 2 p. 35 

– Les chiffres, c'est pas très beau, mais combien d'enfants sortent du système scolaire, après l'école primaire ?
– Je n'ai pas du tout les chiffres en tête mais je sais qu'il y en a beaucoup trop. Très peu réussissent, très peu vont jusqu'au bac, très peu poursuivent après le bac, très peu passent des concours. Je sais que... y a quelque chose à faire, y a du travail à faire mais... moi, mon rôle, vraiment, c'est accueillir mes élèves dans ma classe et enseigner. Je m'interdis de penser à ce qu'il va leur arriver plus tard. Ce serait vraiment trop démoralisant pour moi. Je connais les difficultés qu'on rencontre en Guyane, je connais les problèmes de chacun et, sincèrement, quand je m'entretiens avec les familles, je leur dis toujours : « Cette année, je m'occupe de vos enfants. Je vous guiderai. Je vous dirai ce qu'il y a à savoir pendant l'année scolaire de vos enfants. Mais plus tard, ce ne sera plus à moi de le faire. » Donc, mon père disait une chose : « Quand on décide de scolariser un enfant bushinengué, il faut avoir autant de souffle que quand on le met au monde. »

Activité 3 p. 35 

a. Je n'ai pas du tout les chiffres en tête.
b. et enseigner
c. quand je m'entretiens avec les familles

Activité 5 p. 36 19

Ce qui les amène ici : leur intérêt pour le graphisme, le web ou la vidéo.

Activités 1 à 4 p. 39 20

Europe 1. Il est 6h50.
Fini les longues heures passées sur les bancs de la fac à écouter les monologues du professeur. En 2014, vous n'aurez peut-être plus besoin d'aller en cours, vous, amis étudiants, mais pas que. Bonjour Victor Dhollande.
– Bonjour Maxime.
– Tout au long de ces fêtes, on a essayé avec vous de décoder tous les mots-clés du net. Aujourd'hui on s'intéresse donc

aux MOOC. Les MOOC, encore un mot anglais. MOOC, M 2 O C, ça veut dire, attention, Massive Open Online Courses. On va expliquer dans un instant ce que c'est. Vous avez promené votre micro, Victor, dans les rues de Paris. Visiblement, tout le monde ne maîtrise pas encore ce terme.
« Alors, là, mais aucune idée quoi !
– Le MOOC, c'est le cours sur Internet.
– J'ai vu qu'en Amérique, c'est la tendance maintenant : ils font des conférences ou bien des cours où le professeur parle.
– Si j'avais l'occasion d'en suivre un sur un sujet qui me plaît, qui me tente, ouais, je le ferais, ouais.
– Pour entendre poser les questions, les réactions, je trouve qu'on ressent plus l'atmosphère dans la salle que derrière son ordinateur. »
Alors, on va récapituler tout ça, Victor. Les MOOC, ce sont donc des cours qui sont mis à disposition des étudiants sur Internet.
– C'est exactement, ça, Maxime. Le concept a été lancé il y a trois ans par la très célèbre université américaine de Harvard. Vous pouvez désormais donc suivre les cours des meilleures facs du monde dans votre salon, sur votre ordinateur et ces cours sont accessibles à tous puisqu'ils sont gratuits.
– Ok mais comment ça fonctionne ? Comment est-ce qu'on s'inscrit ?
– C'est très simple. Vous vous inscrivez en ligne et vous avez accès à une série de cours en vidéos. Si vous aviez déjà du mal à rester concentré pendant un cours de 4 heures en amphithéâtre...
– Comment vous savez ?
– ... les MOOC sont faits pour vous, Maxime. Ce sont de petites vidéos, d'une dizaine de minutes en général. C'est très dynamique. Les cours sont scénarisés. Il y a des graphiques, des schémas. Comme pour les cours traditionnels, il y a des évaluations à la fin du cycle. Vous serez donc notés, mais, car il y a un « mais » Maxime, vous n'aurez qu'un certificat qui n'est pas encore reconnu, mais ça devrait rapidement changer.

Activité 5 p. 39

a. dans un instant
b. c'est la tendance
c. des conférences
d. Est-ce qu'on s'inscrit ?
e. pendant un cours

Les temps du passé, p. 40

a. J'ai fait un stage de 6 mois dans une horlogerie. C'était très enrichissant. Je n'avais jamais travaillé auparavant.
b. Tous les ans, j'allais à La Baule pour les vacances. C'est là que j'ai rencontré Pierre. Je crois que je ne l'avais jamais vu auparavant.
c. Je me souviens, c'était aux derniers J.O. J'avais rêvé ce moment pendant des années. J'y suis allée avec des amis. On est restés 10 jours et on s'est éclatés comme des fous !
d. Au moment où je décidais de partir seule, il m'a appelée pour me dire qu'il avait réservé un voyage pour deux !

Le gérondif, p. 41

a. Je suis sûre qu'en apprenant son texte par cœur, il risque de rater son exposé.
b. Pas étonnant qu'il ait du mal à se lever en se couchant aussi tard le soir !
c. Elle m'a expliqué qu'il ne fallait pas parler trop fort tout en me criant dessus !
d. En sortant de la conférence, je suis tombé nez à nez sur une copine de fac que je n'avais pas vue depuis des années.
e. Tu sais, c'est en activant son réseau qu'il a trouvé du travail. Tu devrais faire comme lui.

Activités 1 et 2 p. 42

Bonjour à tous, c'est Ludovic, votre expert jeu pour ludiworld.com. Aujourd'hui, je vais vous proposer un jeu qui s'appelle *Ouga Bouga*. C'est un jeu assez fun, assez animé, jouable à partir de trois joueurs jusqu'à huit joueurs, à partir de 7 ans. Alors, dans *Ouga Bouga*, les joueurs vont incarner des hommes préhistoriques qui vont élire un nouveau chef de tribu. Donc, *Ouga Bouga* se compose exclusivement de cartes. Vous avez simplement deux petites cartes de règles, recto-verso. Les règles sont vraiment très très simples.
Donc imaginons une partie à trois joueurs. Nous allons distribuer trois cartes à chacun des joueurs. Donc, chaque joueur va avoir trois cartes devant lui. Le principe : le premier joueur va retourner une carte et va devoir indiquer le son décrit sur cette carte. Par exemple, « Miti ». Ensuite, il va devoir passer la main à un autre joueur. Et pour passer la main, il doit dire l'indication : « Ha ! » « Miti – Ha ! » Ce joueur-là, à son tour, va devoir tourner une carte, dire l'indication de cette carte-là, plus celle qu'il va rajouter : « Miti – Kana ! » Il va passer la main « Ha », ainsi, de suite : « Miti – Kana – Atrrr – Ha ! », « Miti – Kana – Atrrr – Grrr – Ha ! », « Miti – Kana – Atrr – Grrr – Bouga – Ha ! », « Miti – Kana... » « Booouhh ! » Donc à ce moment-là, les autres joueurs peuvent huer avec un plaisir intense le joueur qui vient de se tromper car, évidemment, il n'a pas réussi à refaire la bonne séquence.

Activité 3 et activité 4 « Prononcez » p. 43 

a. Tu distribues ? C'est trois cartes par personne.
b. Non, désolée, pioche !
c. Arrête, tu triches.
d. Tu peux mélanger, s'il te plaît ?
e. C'est à toi de couper.
f. Tu dois passer la main !
g. Allez, on compte les points !

Activité 4 « Repérez » p. 43 

a. assez animé
Imaginons une partie à trois joueurs.
passer la main à un autre joueur
b. avec un plaisir intense le joueur qui vient de se tromper
c. Ce joueur-là, à son tour, va devoir tourner une carte, dire l'indication de cette carte-là, plus celle qu'il va rajouter.

Activité 4 « Mettez-y le ton » p. 43 

Bonjour à tous, aujourd'hui je vais vous présenter un jeu qui s'appelle *Dixit*. Il a eu tellement de succès qu'il a été décliné sous plusieurs versions, *Dixit 2*, *Dixit Odyssée* et le tout nouveau *Dixit Jinx*.

Unité 3

« Ça fait sens ! » p. 53 

Un être humain. Il a des bras, des jambes, une tête. Il est capable de faire du cheval, de prendre le train, de rire, de pleurer et même de mourir. Il est fait avec des atomes, de la matière. Et en plus, il pense. On a l'habitude de dire qu'il a un esprit. Un esprit qui lui sert à des tas de choses. Alors posons-nous la question : Où se trouve l'esprit ? Et comment il se débrouille avec le corps, cet esprit ?

Activité 2 p. 55 

7 milliards de voisins, avec Emmanuelle Bastide.
– Avant toute chose, Laennec Hurbon, pouvez-vous nous expliquer, pour les profanes, ce qu'est exactement le vaudou ? C'est une religion, c'est une croyance, c'est une magie, c'est une secte, c'est quoi ?
– C'est plus qu'une croyance, c'est un système religieux, ce n'est pas une secte. C'est un système religieux de type animiste, qui consiste à reconnaître qu'il existe dans différents éléments de la nature des divinités ou des esprits.
– L'eau, le feu... ?
– Dans l'eau, dans les arbres, dans les montagnes, dans les rivières... et de toute façon, un petit peu partout dans l'environnement, on reconnaît qu'il y a des esprits, des âmes. Et à ce moment-là, le travail d'un individu consiste à entrer en rapport avec ces esprits, que l'on appelle des divinités, et ces divinités forment un Panthéon organisé. Ils entrent en rapport de reconnaissance à ces esprits et ils se sentent un peu mieux et se sentir mieux, c'est se sentir ainsi dans un rapport...
– En harmonie...
– En harmonie avec le monde de la nature, mais également avec les autres.

Activité 3 p. 55 

1. ce qu'est exactement le vaudou
2. Ces divinités forment un Panthéon.
3. Ils se sentent un peu mieux.

Activité 5 p. 56 

1. Chaque jour, à la même heure, je cherche des idées.
2. Il y a un sujet qui s'impose, c'est « l'Union Européenne décroche le prix Nobel de la paix ».

Activités 1 à 3 p. 59 

« Ce qui est intéressant c'est qu'en apparence cette pièce ne vaut pas grand chose et elle semble très légère. Et finalement, il est impossible de la soulever. Il y a 40 ans, on aurait fait une œuvre d'art avec un sac de couchage, je pense que personne n'aurait compris cette œuvre-là. »
« L'art contemporain, c'est cette hyper ou ultrasensibilité à son époque. »
« L'art en train de se faire, l'art qui se construit au jour le jour. Et donc qui est en relation très forte avec l'actualité et avec le monde dans lequel on vit. »
« Il est totalement protéiforme, en lien avec le design, en lien avec les industries, en lien avec le social, avec l'économique. »
« L'art, c'est quelque chose qui se passe au second degré. C'est une réflexion, c'est une transversalité. »
« Les artistes sont toujours hantés par les mêmes questions qui sont liées à l'existence, qui sont liées à la fragilité du monde, qui sont liées aux relations amoureuses, à l'humanité. Ce sont toujours les mêmes thèmes. En revanche, ils sont abordés avec une époque qui forcément colore et détermine autrement la création. »
« Il y avait des vrais courants artistiques et aujourd'hui, ça explose absolument dans tous les sens. »
« Je pense qu'on est de plus en plus dans une sorte d'éclectisme et d'ouverture de l'art à une diversité de disciplines. L'art contemporain, c'est un mode de recherche. »
« La jeune génération artistique ose s'aventurer dans beaucoup de formes d'expression. »
« J'utilise le chant, j'utilise les objets, j'utilise les post-it, le dessin, la vidéo. »
« Quelque part, mes techniques sont contemporaines, c'est très contemporaines et parlent de mon époque, de ma génération, de mon histoire. Je suis pas non plus dans la vidéo, je suis pas non plus dans l'art numérique, mais je fais quelque chose qui est un peu, ben qui est très personnel tout simplement, quoi. »
« On n'est pas là pour partager un goût commun. On n'est pas là pour avoir un goût uniforme, on est là pour comprendre. Donc une œuvre par nécessité nous pose des questions. »
« Si on n'a rien à dire d'intéressant, que ça soit dans le bonheur ou dans le malheur ou dans l'intelligence intellectuelle, alors je crois pas que ça donnera grand chose. »

Activité 5 p. 59 

a. Il est impossible de la soulever !
b. Ça explose absolument dans tous les sens.

L'événement incertain et le conditionnel passé, p. 61 

Un *hoax*, c'est quoi ? La plupart des messages révoltants ou alarmants qui circulent sur Internet seraient des *hoax* ou canulars informatiques. Généralement, un *hoax* part de faits ou de rumeurs très flous et douteux : un ami à vous aurait perdu ses papiers à l'étranger, un de vos contacts serait en grande difficulté financière... Ce sont souvent des programmateurs et créateurs de sites qui sont à l'origine de ces canulars. Il paraîtrait même que certains *hoax* diffusent des virus dans les ordinateurs. Il est possible que vous receviez ce type de message. Alors, soyez vigilants et gardez l'esprit critique !

L'expression de la certitude et du doute, p. 61 

a. Je ne crois pas que nous puissions trouver une solution.
b. Je suis sûre qu'il va y arriver.
c. Je doute qu'il ait pensé à aller voter.
d. C'est évident qu'ils ne seront pas prêts pour ce soir.
e. Il me semble que chacun est libre de croire ce qu'il veut.

Activités 1 et 2, p. 62

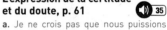

– Bonjour à tous, aujourd'hui nous allons découvrir ensemble un tableau célèbre de Paul Gauguin, qui s'appelle *Arearea*. Alors, vous le savez peut-être, Paul Gauguin est considéré comme l'un des peintres français majeurs du XIXe siècle. En 1891, il s'installe à Tahiti où il espère pouvoir fuir la civilisation occidentale et tout ce qui est artificiel et conventionnel. Sur place, il s'inspire de ce qu'il voit, mais également de contes locaux ou d'anciennes traditions religieuses pour représenter des scènes imaginaires. Gauguin est fortement influencé par l'œuvre d'Émile Bernard qui simplifie les formes et utilise les aplats de couleurs.
Alors, ce tableau que nous découvrons aujourd'hui, *Arearea*, c'est une peinture à l'huile. Il est très représentatif de ces œuvres où se côtoient le rêve et la réalité. Que voyons-nous ? Au premier

plan, deux femmes assises, un arbre qui découpe la surface du tableau et un chien rouge. Le ciel a disparu, la succession de plans verts, jaunes et rouges forme le cœur de la composition. Au second plan, on voit des femmes qui rendent un culte à une statue. Regardez bien : chaque élément est peint en une seule teinte et aucun détail n'apparaît : la couleur remplit des surfaces facilement délimitables, parfois séparées d'un trait sombre. L'ensemble crée un univers d'enchantement harmonieux et mélancolique. C'est une œuvre riche et énigmatique, un vrai paradis bien loin de la société occidentale. Pourtant, cette œuvre n'a pas provoqué l'enthousiasme espéré par l'artiste. Ses titres en langue tahitienne ont agacé ses amis et le chien rouge a provoqué des moqueries. Et vous, qu'est-ce que vous en pensez ?

– Ah moi j'aime beaucoup ! Ces couleurs chaudes, vraiment, c'est la joie même !

– Moi je trouve ça pas mal... c'est vrai qu'on sent la dimension du rêve. Mais ce chien devant, c'est bizarre quand même...

– Moi, c'est clairement pas mon truc. Je préfère de loin l'art contemporain.

– Très bien, poursuivons notre visite.

Activité 3 p. 62 et activité 4 « Prononcez » p. 63  37

a. L'art abstrait, c'est complètement incompréhensible !

b. C'est incroyable la précision des détails dans les œuvres de ce peintre naturaliste !

c. Quel mélange des tons et des couleurs, ces aplats sont magnifiques !

d. Mouais, bof ! Je n'aime pas du tout cette composition !

e. Cette œuvre me laisse perplexe ! Je ne sais pas trop quoi en penser !

f. Quelle horreur cette installation ! Et on appelle ça de l'art !

g. C'est fabuleux la luminosité qui pénètre dans ce monument !

h. Cette scène est très sombre et morbide !

Activité 4 « Repérez » p. 63  38

a. Il s'installe à Tahiti.
la civilisation occidentale
des scènes imaginaires

b. deux femmes assises, un arbre qui découpe la surface du tableau et un chien rouge
Au second plan, on voit des femmes qui rendent un culte à une statue.

Activité 4 « Mettez-y le ton » p. 63  39

– Moi, l'art abstrait, j'y comprends rien et je trouve ça horrible !

– Ah ?! C'est marrant ! Moi, au contraire, je trouve ça épatant !

À écouter, p. 67 40

On s'arrête aujourd'hui devant une nature morte, peut-être le genre le plus peint au monde, depuis l'Antiquité jusqu'aux *Pommes* de Cézanne au tout début du XXe siècle. Alors dans le lot, il y a quelques chefs-d'œuvre, beaucoup de croûtes, mais un seul devant lequel vous pourrez entendre ça :

« J'ai pas vu l'équivalent jusqu'à aujourd'hui, j'crois pas avoir vu « ça ». »

Et vous avez 100 secondes pour découvrir ce que c'est ça. Pour vous aider :

« Brigitte.

– Claire.

– Michel. »

Ils sont les yeux, vous êtes les oreilles. Mais d'abord, description...

« Au début, je me suis demandé ce que c'était. Je me suis dit : « C'est une pièce de boucherie ou quoi ? » Puis non, après j'ai reconnu la forme du poisson. On dirait un petit fantôme qui sourit. »

Et ce poisson qui sourit c'est le titre du tableau. Ne comptez donc pas sur moi pour vous dire de quelle espèce il s'agit. Sachez tout de même qu'il est pendu à un crochet, éventré et qu'il coupe en deux cette composition. À gauche, des carafes, une casserole, une nappe, un couteau et à sa droite...

« Des huîtres, le chat est sur les huîtres, mais je suis pas sûre qu'il aime ça.

– Il est tellement expressif aussi avec ses oreilles pointées en l'air, sa queue qui part en l'air, ses petites pattes qui ont l'air de bien pousser.

– Le chat s'approche, le chat est attiré par l'odeur avec un air espiègle et presque apeuré en même temps. »

Il a l'air comme prêt à bondir, au moins au premier abord. Mais quand on s'approche, on s'aperçoit qu'il est plutôt effrayé, surpris par quelque chose qui n'est pas dans le tableau. Quelque chose qui pourrait être quelqu'un, en l'occurrence, nous, qui sommes devant la toile et qui l'avons dérangé, alors qu'il s'apprêtait à chaparder. Et ce détail, cet instant suspendu, c'est ce qui rend cette nature morte unique, vivante. Diderot disait : « Ce n'est pas du blanc, du rouge ou du noir que tu broies sur ta palette. C'est la substance même des objets, c'est l'air et la lumière » (fin de la citation). C'est la vie aussi.

« Ce qui fait un chef d'œuvre, c'est que le peintre réussit à rendre vivante une nature morte, comme s'il restait un fil de vie à ce poisson mort pour nous interroger sur notre propre existence. »

Vous avez peut-être reconnu l'effet que peut produire *La raie*, huile sur toile, 1725-1726, de Jean-Baptiste Siméon Chardin.

Unité 4

« Ça fait sens » p. 73  41

– Bonjour Dorothée.

– Alors ce matin, vous nous emmenez au musée, ou plutôt au centre de recherche et de restauration des musées de France et tout ça pour poser une drôle de question, celle de l'identité des œuvres d'art.

– Oui Dorothée, parce que cette semaine le musée du Louvre a annoncé que la *Bethsabé* de Rembrandt allait être restauré à partir de février prochain.

– Alors, le tableau restauré est-il encore le même tableau qu'avant ?

– Eh ben, il faut commencer par distinguer. En tant qu'objet, assurément le tableau restauré n'est plus tout à fait le même : il a été modifié. De même que chaque interprétation de telle symphonie n'est pas tout à fait la même. Mais en tant qu'œuvre d'art, le tableau reste le même. Alors, comment c'est possible ? Eh bien, simplement parce que les œuvres d'art ne sont pas seulement des objets que l'on perçoit, mais ce sont des objets qui ont un certain fonctionnement esthétique, c'est-à-dire qu'ils nous procurent une certaine expérience esthétique, du genre, qu'ils nous plaisent ou qu'ils nous rebutent, qu'ils nous émeuvent ou qu'ils nous laissent indifférents.

Activité 2 p. 75  42

– Par exemple, Simon, si je me fais passer pour vous sur Internet...

– Essayez-donc !

– Voilà, je promets que je ne tenterai pas. Et que je porte atteinte à votre réputation par exemple, ou que j'ai des activités frauduleuses en votre nom. Et bien ça, ça pourra tomber sous le coup des lois contre la fraude, contre la diffamation, etc. Donc, on peut pas faire complètement n'importe quoi sur Internet, en Suisse, mais disons que le droit suisse n'a pas fait de mise à jour, si je puis dire, pour s'adapter à cette question. On peut dire, effectivement, qu'on n'est pas à l'avant-garde là-dessus.

– Oui, c'est un euphémisme, on peut dire qu'on est carrément à la traîne. Cette absence de législation spécifique, c'est unique au monde, comme le dit l'avocat Sébastien Fanti ?

– Non, on est loin d'être le seul pays en Europe à ne pas avoir opéré de tournant numérique en la matière. Alors, certains pays, par contre, s'y sont mis comme la France, où depuis 2011, l'usurpation d'identité sur Internet est passible d'un an de prison et de 15 000 euros d'amende. Mais dans l'ensemble, on peut dire que c'est un domaine juridique qui est encore largement en chantier.

Activité 3 p. 75 43

1. Je ne tenterai pas.
2. en votre nom
3. complètement
4. effectivement
5. là-dessus
6. largement

Activité 5 p. 76 44

1. Je te présente mon cousin de la France.
2. Je suis français, je veux juste rentrer chez moi.
3. Depuis que je suis tout petit, quand on me demande d'où je viens, je dis que je viens d'Algérie.

Activités 2, 3 et 5 p. 77 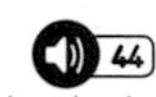 45

Myriana, 60 ans, femme de ménage

« Je viens d'ex-Yougoslavie, de Serbie précisément, donc je me sens européenne. Je suis en France depuis mes 18 ans, cela fait donc plus de 40 ans. Comme je n'ai pas la nationalité française, et que je vis et travaille dans un pays qui n'est pas le mien, je ne peux pas considérer les autres Européens comme des étrangers. »

Pascal, 53 ans, médecin chercheur

« Compte tenu de mon travail – je travaille avec des personnes de nationalités très différentes –, je me sens aussi proche de personnes européennes que de personnes françaises. Mais ce n'est pas qu'un sentiment européen, je crois surtout en certaines valeurs. Ce n'est pas non plus de l'universalisme, c'est la croyance en des principes comme la démocratie ou la tolérance, par exemple. »

Tania, 15 ans, lycéenne

« Mon père est hollandais et ma mère est allemande. J'appartiens aux deux cultures. Souvent, quand il y a des matchs de foot à la télé, je suis pour les deux pays. Je n'ai pas vraiment de préférence. Bon après, je crois que je préfère quand même l'Allemagne. Je crois que les joueurs jouent vachement mieux mais je sais pas, je dirais que c'est à peu près pareil... En fait, de racines, je suis européenne au fond de moi-même. »

Jérôme, 35 ans, enseignant

« Si l'on en croit la devise « Unie dans la diversité », l'Union européenne regroupe des identités différentes. Les institutions, les politiques et la monnaie commune ne suffisent pas à créer un lien suffisamment fort entre les citoyens et l'UE. Je pense qu'on peut faire partie d'un tout, tout en gardant sa propre identité... C'est pour cela que je suis d'abord français, ensuite, européen. »

Alexandra, 42 ans, maire d'une commune de 3 500 habitants

« Européenne, et même europhile ! On partage des valeurs semblables, celles qui figurent à l'article 2 du traité de l'UE et qui sont réaffirmées dans la Charte des droits fondamentaux... la démocratie, le respect de la dignité humaine, l'égalité, les droits de l'homme... et puis les symboles, tout ça crée un sentiment d'appartenance : le drapeau, l'hymne, le 9 mai qui est la journée de l'Europe et qui devrait d'ailleurs devenir un jour férié dans toute l'Europe ! »

Activités 1 à 4 p. 79  46

Les experts, Europe 1. 14h – 15h30. Roland Perez.

– Bonjour à toutes et bonjour à tous, bonjour Olivia !

– Bonjour Roland !

– Et si vous décidiez enfin de choisir une autre vie, en un mot de changer de vie ? Alors pour m'accompagner, justement, pour ce grand saut, nous avons un expert qui a fait ses preuves en matière de changement de vie en la personne de Julien Perret. Bonjour Julien.

– Bonjour Roland.

– Merci d'être avec nous. Vous êtes diplômé d'une grande école française. Vous avez passé près de dix ans à conseiller des entreprises et des investisseurs financiers. Votre quotidien professionnel : côtoyer des grands groupes de la planète.

– Exactement !

– Et bien que captivé par votre métier, quelque chose manquait au fond de vous et vous l'avez, un jour, réalisé. Expliquez-nous.

– Tout à fait Roland. Effectivement, au-delà de l'aspect idéal de la vie que je pouvais mener, et surtout de ma carrière, j'avais toujours cette sensation de vouloir quelque chose d'autre, quelque chose qu'était pas ce qu'on apprenait à l'école, qui était pas ce qu'on apprenait dans les grandes écoles, surtout, et j'avais ce sentiment de pas être accompli à la fois professionnellement et sur le plan de ma vie privée. Sentiment qui est devenu tellement fort que j'ai ressenti le besoin de partir pendant quelques mois faire le tour du monde, il y a trois ans de cela maintenant. Suite à quoi j'ai réalisé que finalement, ma vie n'était pas celle que j'attendais et j'ai quitté mon ancien employeur pour monter un blog sur lequel je parle de mon changement de vie, mais surtout pour monter une société à moi et créer mon...

– Devenir votre propre patron, on va voir que c'est une des motivations importantes pour changer de vie. Alors, ce blog s'appelle justement, TheLifeList.fr, c'est comme ça qu'on vous a connu d'ailleurs. Expliquez-nous ce qu'est ce blog, alors, exactement. Est-ce qu'il... c'est quoi l'objet de ce blog ?

– Alors, au tout départ, c'était un blog qui était simplement, comme beaucoup de blogs, quelque chose pour raconter ce que je vivais. Il s'avère que très vite, voyant que je ralliais beaucoup de personnes qui avaient cette motivation profonde de changer de vie ou qui simplement ressentaient un mal-être dans leur quotidien ou un manque d'épanouissement, se sont mis à me suivre et j'ai un peu enrayé sur ce concept de liste de vie, Life List, qui consiste à dire : finalement, de quoi est-ce que vous rêvez dans la vie ? Qu'est-ce que vous avez toujours voulu faire et pourquoi est-ce que vous attendez pour le réaliser ? Pourquoi ne pas vous lancer maintenant ?

Activité 5 p. 79

a. quelque chose qui était pas
b. Et j'avais ce sentiment de pas être accompli.
c. Il y a trois ans de cela maintenant.
d. C'était un blog qui était simplement un…
e. Il s'avère que très vite…

Activités 1 et 2 p. 82

Et maintenant, c'est *Eclectik* !
Mathieu Amalric est un acteur… époustouflant ! C'est bien bête à dire… mais c'est comme ça. Cette impression que tout peut le traverser. Moi, j'en suis scotchée dans mon fauteuil. Et pour preuve, s'il en fallait, rendez-vous mercredi prochain dans les salles pour *L'Amour est un crime parfait*, le nouveau film des frères Larrieu, dont il est l'acteur fétiche. C'est leur quatrième collaboration. Mathieu Amalric suscite les complicités, comme avec Arnaud Desplechin depuis longtemps et récemment, avec Sophie Fillières. Être acteur, c'est une chose. Mais il y en a une autre pour Mathieu Amalric, peut-être plus importante encore : fabriquer des films. Réalisateur, quoi. En 2010, grand succès avec *Tournée*, où il filmait les strip-teaseuses du cabaret New Burlesque. Mais avant cela, il y avait eu plusieurs films, dans lesquels il racontait sa famille ou ses amours. Citons *Mange ta soupe* (1997) et *Le stade de Wimbledon* (2001). Et tout prochainement, un nouveau bébé : *La chambre bleue*.
Mais pour l'heure : promo oblige, *L'Amour est un crime parfait*… Et l'interview aussi, pour Mathieu Amalric. Imaginez un peu : une essoreuse à salade. Vous voyez ? On le met dedans et ben, c'est à peu près l'effet que cela lui fait. J'arrive chez lui. Il avait bien pourtant tenté de me semer : « Oui, bonjour, ne prenez surtout pas l'ascenseur que vous verrez sur votre droite. Vous prenez un ascenseur caché après quelques marches, à gauche. »
Je le retrouve : un Mathieu Amalric, pieds nus et clope au bec. Il a une grande pudeur au bord de l'explosion et cette inquiétude douloureuse chevillée au corps et à l'âme. Et résultat, il serait prêt à tout pour faire parler n'importe qui, plutôt que lui.
« Miaule, miaule, miaule, tu es à la radio. Mais oui, je te fais mal pour que tu miaules ! »
Voilà, c'est Gris-Gris, le chat de la maison. Il préférait ne pas, mais il se prête au jeu. Alors, merci Mathieu. Et hop, c'est parti, un café du matin à la Amalric pour démarrer la journée, what else ? Enfin…

Activité 3 p. 83 et activité 4 « Prononcez » p. 83

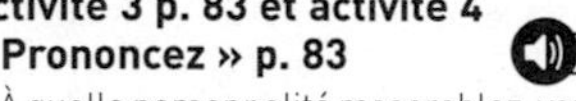

a. À quelle personnalité ressemblez-vous ?
b. Quels sont les objets qui vous représentent le mieux ?
c. Si vous pouviez changer un trait de votre caractère, que changeriez-vous ?
d. Quel est votre mot préféré ?
e. Racontez-nous une anecdote de votre enfance…

Activité 4 « Repérez » p. 83

a. et tout prochainement
b. Mais oui, je te fais mal pour que tu miaules !
c. Vous verrez sur votre droite…

Activité 4 « Mettez-y le ton » p. 83

Je m'appelle Matthias et je suis étudiant. J'ai 20 ans. Je fais 1,85 mètre, je suis brun et j'ai les yeux marron. Sinon, je crois que je suis assez sociable : j'aime bien aller vers les gens, leur parler.

Unité 5

« Ça fait sens » p. 93

Là, au même moment, vous avez une crise économique – l'industrie ne fonctionne plus –, vous avez une crise sociale – le chômage –, vous avez une crise morale – les individus s'interrogent sur les valeurs sur lesquelles ils fonctionnaient jusqu'à présent –, vous avez une crise politique – les partis politiques n'existent quasiment plus, abstention. Et tout ça au même moment. Quand vous aviez une crise sociale, des chômeurs, mais que d'un côté, les valeurs permettaient aux gens de se repérer dans leur vie quotidienne, que les partis politiques continuaient à structurer la vie du pays, bon… Il y avait une crise dans un secteur, mais les autres marchaient. Là, tous les secteurs de la société patinent. Et quand tous les secteurs de la société patinent, nous sommes dans un moment, non pas de trou d'air, du genre « on fait le dos rond, attendons, les choses vont revenir comme avant »… Nous sommes dans une période de mutations, de grandes mutations économiques, sociales, morales et politiques.

Activité 2 p. 95

« Nous sommes solidaires et ensemble, nous résisterons ! Nous refusons de payer plus ! »
Un millier de personnes environ se sont retrouvées square Phillips, en plein cœur de Montréal, afin de contester les hausses de prix de 5,8 % demandées par Hydro-Québec. Dans le cortège se trouvaient les membres de près de 90 groupes issus des mouvements populaires et communautaires.
« Y a un paradoxe : en ce moment, le parti québécois continue sa politique libérale en offrant aux entreprises financières et bancaires 1,2 milliard de dollars… Vous vous rendez compte de ce que c'est, 1,2 milliard de dollars ? C'est 1 200 millions de dollars offerts sur la taxe et le capital des entreprises… Eh bien logiquement, les gens se posent la question : pourquoi devons-nous payer à leur place ?
– Tout augmente ! Les loyers, l'électricité… C'est illégal ! Ils veulent nous tuer. »

Activité 3 p. 95

a. Vous vous rendez compte de ce que c'est, 1,2 milliard de dollars ?
b. Pourquoi devons-nous payer à leur place ?

Activité 5 p. 96

a. pour une raison ou pour une autre
b. à partir du moment où mon téléphone capte

Activités 1 à 4 p. 99

Gabrielle Bonheur Chanel, mondialement connue sous le surnom Coco Chanel, est non seulement une grande créatrice de mode, mais c'est aussi et surtout une libératrice.
La petite Gabrielle apprend le métier de couseuse dès sa majorité, au début du XXe siècle. Une modiste se charge de son initiation jusqu'à ce que Coco réalise seule ses premières créations : des petits chapeaux qui descendent sur le front. Peu de temps après avoir rencontré son premier amoureux, Balsan, elle ouvre avec son aide sa première boutique à Paris, boulevard Malesherbes. Ses chapeaux, sans plumes ni froufrous, ressemblent à ceux des hommes : ce rapprochement entre la mode féminine et la mode masculine est une première étape vers plus d'égalité. Quelques temps plus tard, c'est avec un autre amoureux, l'Anglais Boy Capel, qu'elle ouvre sa deuxième boutique dans la très chic station balnéaire de Deauville. Et c'est le succès ! Puis à Biarritz. Grand succès ! Mais c'est au moment où elle ouvre sa boutique à Paris, tout près de la place Vendôme, qu'elle connaît un véritable triomphe !
Bien entendu, une si belle réussite était exceptionnelle à l'époque pour une femme. Mais ce n'est pas uniquement pour cette raison que Coco Chanel est une figure du féminisme. Son apport dans la lutte pour l'égalité des femmes et des hommes est surtout visible dans sa création et dans ses inventions. Car elle a causé une véritable révolution vestimentaire pour les femmes. Comment ? En raccourcissant les jupes et les cheveux, et toutes ces longueurs qui distinguaient l'homme et la femme depuis la Révolution. Elle supprime aussi les vêtements contraignants pour la femme, comme le corset. Elle libère la taille. Et elle va encore plus loin dans la masculinité en inventant le pantalon. Rendez-vous compte ! Une femme en pantalon ! Comme un homme !
Est-ce que la femme est égale à l'homme ? Quelles sont leurs différences ? Ce débat est celui des philosophes et des biologistes… Ce qui importe à Coco Chanel – et à nous ! –, c'est que la femme s'habille comme elle veut ! Merci Coco !

Activité 5 p. 99

a. Gabrielle Bonheur Chanel
b. ses premières créations
c. la place Vendôme
d. un véritable triomphe

Le futur proche et le futur simple, p. 100

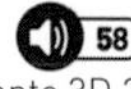

– Dis, t'as vu la nouvelle imprimante 3D ? Tu vas te l'acheter ?
– Je sais pas…
– Si tu l'achètes, tu me la prêteras ?
– On verra… Ce qui est sûr, c'est que je ne vais pas l'acheter tout de suite : elle vient de sortir et coûte très cher, t'as vu ?
– Ouais…
– Et puis, c'est l'anniversaire d'Assma en juin. Elle fêtera ses 30 ans. Alors, je vais d'abord économiser pour ça et ensuite, on verra !
– Je pourrai venir ?
– Ben, évidemment !

Le futur antérieur, p. 100

On n'arrête pas le progrès. Quand nous aurons créé des vaisseaux spatiaux assez rapides, nous irons facilement sur la lune. Imaginez ! Nous ferons le voyage en quelques heures seulement : une petite sieste, et on sera déjà arrivé à destination ! Nous logerons dans des hôtels de luxe que nous aurons bâtis avec des matériaux locaux inconnus aujourd'hui. Une fois que nous aurons développé le tourisme lunaire, il faudra penser à explorer les autres planètes du système solaire.

L'opposition et la concession, p. 101

« Au lieu de débattre, venez vous battre ! »
– Pourquoi participez-vous à la marche des mécontents ?
– C'est tout simple : j'ai un bac + 5 en lettres. Pourtant je suis au chômage. Malgré mes diplômes, impossible de trouver du travail ! Ras le bol ! J'ai beau postuler partout, je bosse maintenant comme vendeur dans une librairie… J'aime beaucoup ça, mais je ne gagne vraiment pas grand chose.
– En effet, c'est frustrant ! Mais vous avez quand même du travail. Mon fils, contrairement à vous, ne trouve rien du tout.
– Et vous alors ? Vous êtes mécontent parce que ?…
– J'habite dans un quartier qui se dégrade de jour en jour à cause de la pauvreté et de la violence tandis que nos dirigeants, eux, s'enrichissent et vivent dans les beaux quartiers…

Activités 1 et 2 p. 102

– Vous allez à quel étage ?
– Euh…
– Au 26e.
– Je descends juste…
– Mais qu'est-ce qui se passe ?
– Ah bah ça ! Il m'est arrivé la même chose ce matin dans le métro… Les pannes sont fréquentes à Paris !
– C'est étrange, quand même, parce que chez nous, les ascenseurs sont reliés à un réseau interne ultra-sécurisé. Mais depuis quelque temps, il y a justement eu des tentatives de piratage… Je le sais, car c'est moi l'informaticien chargé de la sécurité de…
– Chut ! Taisez-vous ! Écoutez !
– Au secours ! On est enfermés ! Faites-nous sortir ! Au secours !
– Lucas, du calme ! Il n'y a pas de raison de paniquer ! Ce n'est pas si grave.
– Pas si grave ?!
– S'il te plaît ! Voyons voir… Analysons calmement la situation : nous sommes coincés dans un ascenseur, voilà tout. Une situation assez banale, en fait ! N'aie pas peur, ça va s'arranger !
– Mais arrête de dire n'importe quoi ! Si on analyse les faits, on voit bien que nous sommes coincés au 15e étage d'une tour où il y a peut-être un incendie et nous allons tous…
– Excusez-moi de vous interrompre : ce n'est pas la peine de s'énerver. Réfléchissons un peu…
– Il faut déclencher l'alarme. Voilà, c'est fait !
– Oui, mais avec l'alarme incendie, c'est complètement inutile : personne ne va l'entendre, il y a déjà trop de bruit. Mieux vaut l'arrêter.
– Peut-être qu'on pourrait utiliser la ligne de secours ?
– Impossible : elle est coupée aussi. Je l'avais bien dit qu'une ligne comme ça, ça ne servait à rien, mais bien entendu la direction ne veut jamais rien entendre quand…
– Mais ce n'est pas le moment de parler de ça ! Comment fait-on pour sortir ? Je veux sortir ! À l'aide ! Nous sommes coincés !
– Pourquoi ne pas simplement utiliser nos portables ?
– Bonne idée ! Flûte ! Évidemment, ici, le réseau ne passe pas !
– Et si on essayait d'ouvrir les portes de force ?

– Je crois que j'aurais dû passer moins de temps au restaurant et plus de temps à la salle de gym ! Aidez-moi, messieurs !
– Vous savez, je ne suis plus tout jeune... Je pars à la retraite cette année !
– Mais laissez tomber : vous n'allez jamais y arriver ! Même avec mon aide ! C'est impossible à ouvrir !
– On pourrait alors essayer de sortir par en haut ? Faites-moi la courte échelle !
– Je ne vous le conseille pas. Vous risqueriez d'être électrocutée.
– Ah ! Dans ce cas alors, je vais éviter... Mais il reste peut-être une autre solution.
– Laquelle ?
– Débloquer l'ascenseur ! Je viens de m'apercevoir que j'avais sans faire exprès enclenché le bouton « stop »...

Activité 3 et activité 4 « Prononcez » p. 103

a. Oh la la ! Je ne trouve plus les clés de la maison... Je vais être très en retard !
b. Mon Dieu ! Qu'est-ce que j'ai fait ? Le fichier sur lequel je travaillais a disparu de l'écran !
c. Oh nooon ! Mon costume est taché et j'ai une réunion importante aujourd'hui... comment je vais faire ?
d. Zut ! C'est l'anniversaire de Léon aujourd'hui, j'ai complètement oublié de lui acheter un cadeau...

Activité 4 « Repérez » p.103

a. Pas si grave ! Mais arrête de dire n'importe quoi !
b. une situation assez banale en fait même avec mon aide
c. C'est complètement inutile : personne ne va l'entendre.

Activité 4 « Mettez-y le ton » p. 103

– T'as vu ? Ils ont annoncé qu'ils fermaient le resto U cette année. Apparemment, c'était pas assez rentable...
– Assez rentable ?! Non mais n'importe quoi ! Et comment les étudiants vont faire maintenant ?! Les restos du quartier sont trois fois trop chers pour nous ! Ah, ça me met hors de moi ! Je vais en parler aux syndicats étudiants !

Unité 6

« Ça fait sens », p. 113

Cette semaine, la passion. Voilà un sujet passionnant, la passion pour ma belle, l'amour, la passion du jeu, la passion de l'aviation, la passion des jardins, la Passion du Christ avec un grand P majuscule – les moments sacrés de sa souffrance sur Terre –, l'île de la passion, le fruit et puis le crime passionnel – quand on aime on a toujours vingt ans... Comment vivre sans passion, comment ne pas être passionné par la vie – quand elle n'est pas trop dure, ce qui n'est pas le cas de tous sur cette Terre ? Poètes, peintres, romanciers, artistes de tous bords vivent de la passion qui dévore leurs lecteurs ou leurs admirateurs, certains qui vous écoutent, ne rougissez pas Michel Serres ! Mais la passion n'a pas que des aspects séduisants.
– C'est-à-dire il y a la passion, c'est-à-dire l'entraînement et puis il y a les passions, la multiplicité des passions.

Activité 2 p. 115

– Alors on vous a étiqueté « journaliste politique ». C'était une vocation très jeune chez vous la politique ? C'est une passion que vous aviez tout jeune étudiant en journalisme ? Ou c'est venu en grandissant ?
– Ah non, bien avant, vous dites étudiant en journalisme, mais...
– Bien avant ?
– Chez moi, je pense que ça peut relever de ce que certains appelleraient une forme de pathologie. Je vais vous dire, sans faire une très longue histoire, mais, ça remonte, j'ai un souvenir très, très précis... Moi, ma passion de la politique, elle remonte au 10 mai 1981.
– Vous étiez gamin ?
– Voilà, j'avais... un peu plus de huit ans et je regardais la soirée électorale, enfin mes parents regardaient la soirée électorale dans le salon familial où je regardais avec eux, comme ça. Et j'étais absolument fasciné de ce que j'ai vu, de la passion que générait l'élection d'un homme, en l'occurrence, François Mitterrand. Je savais pas trop qui c'était, mais je voyais que ça déclenchait tout un tas de chose, des réactions : d'émotions, de pleurs, de colère. Et vers 9h du soir, ma mère m'a dit : « Bon, ben c'est bon maintenant, tu vas te coucher, t'as école demain. » Et là, je me suis effondré en larmes. Je voulais voir toute la soirée électorale. Je me suis pris de passion pour ces trucs-là. Depuis, je n'ai pas raté une soirée électorale de ma vie. D'abord en les regardant à la télévision. Mais je regardais ça comme les furieux, les amateurs de match de foot regardent ça, c'est-à-dire avec des pizzas, des cacahuètes et des copains.
Et puis, maintenant, je les fais ou en tout cas j'y participe. Ouais, c'est une passion absolue. Et le fait d'être étiqueté, catégorisé, je sais pas comment on dit, « journaliste politique », ça c'est une fierté que j'assume totalement.

Activité 3 p. 115

a. C'était une vocation très jeune chez vous la politique ?
b. C'est une passion que vous aviez tout jeune étudiant en journalisme ou c'est venu en grandissant ?

Activité 5 p. 116

D'où vient cette tradition ?

Activités 1 à 4 p. 119

Rien de tel qu'un vieux film de famille pour brasser mes souvenirs. Mais ces images suffisent-elles à résumer une famille dans toute sa complexité ? Surtout une famille d'aujourd'hui. Des changements, chaque famille en a connu ces dernières décennies et tous n'ont pas été immortalisés en super 8. Plus ou moins réussie, plus ou moins solide, la famille semble se modifier en profondeur. Pour autant, faut-il craindre une disparition de la famille ou parler de « famille à la carte » ?
Le terme qui sans doute résume le mieux ce qu'est devenu la famille aujourd'hui c'est le terme « pluralisme ». Pluralité des formes familiales : couples mariés, couples non mariés, couples pacsés, couples remariés, remise en couple après une séparation sans nécessairement remariage, etc. Et pluralité aussi des fonctionnements familiaux, des fonctionnements conjugaux et aussi des fonctionnements éducatifs. Donc la famille aujourd'hui se décline sans doute plus que jamais au pluriel.

« Je suis une famille monoparentale avec un petit garçon. Avant tout, je le prends pas comme un échec, mais plutôt comme une victoire. Pour moi, j'ai fermé une porte. Il y en a une autre qui s'ouvre. Pour moi, dans la rupture, il y a toujours un pas en avant qui est fait, donc c'est une évolution. Comme la famille évolue, j'évolue avec elle. »
« Je ne suis pas choquée de voir des familles se décomposer, se recomposer. Je pense que c'est comme ça que ce siècle est et évoluera. »
« Derrière une famille recomposée, malheureusement on ne peut pas nier qu'il y a deux familles décomposées. Il faut dire ce qui est. Et les études confirment que cette famille décomposée est souvent celle qui compte le plus pour l'enfant. »
« Bonjour !
– Alors est-ce qu'on peut parler de la famille ?
– Pourquoi pas ! Allez suivez-moi !
Bruno, lyonnais, famille plutôt classique, petite bourgeoisie, éducation scolaire chez les Marises, très traditionnelle, un modèle parfait avec tout qui est parti en cacahuètes. Et la famille, bon ben on était cinq, on n'est plus que deux dans la cellule. Donc voilà, ça a été un peu dur, mais ça se vit. Et puis, la vie continue avec des rencontres, avec d'autres personnes, avec d'autres gens et voilà, on fait une, aujourd'hui, je fais une famille avec Patrick, voilà. »
« J'ai un... une enfant, deux petits-enfants, aujourd'hui je vis avec un garçon, enfin depuis quand même 25 ans déjà et, ben, tout se passe bien dans le meilleur des mondes. »
« Et alors, il y a une chose aussi qui est vraie, c'est que les enfants de Patrick sont pas mes enfants, si vous voulez. Pour moi, c'est très clair dans ma tête, je veux dire. Et ils seront jamais mes enfants. Même si je les aime beaucoup, même si j'ai de l'affection, de la tendresse et des sentiments pour eux. »
« On a, en Europe, c'est une réalité, aussi des configurations parentales nouvelles. Par exemple, l'homoparentalité et un désir grandissant d'enfantement du côté aussi de ces couples qui trouvent de plus en plus dans nos sociétés occidentales une officialisation. »

Activité 5 p. 119

a. se modifier en profondeur
b. des formes familiales
c. des fonctionnements conjugaux
d. J'ai fermé une porte.
e. le meilleur des mondes

La mise en relief, p. 120

a. Une aventure ? Mais c'est le grand amour que j'attends !
b. Un coup de foudre... c'est ce dont je rêve.
c. Ce qui est important dans un couple, c'est d'entretenir la flamme.

Les tournures impersonnelles, activité 4 p.120

1. Il est important que les deux membres d'un couple partagent une même passion.
2. Ton équipement de saut à l'élastique n'est pas complet, il manque des accessoires.
3. Il est probable que je me présente aux élections municipales.
4. Il arrive que le coup de foudre frappe lorsqu'on ne s'y attend pas.
5. Il existe des sites de vidéos de sports extrêmes.

Activités 1 et 2 p. 122

Bonjour à tous !
Aujourd'hui je voudrais vous parler d'un concept qui est souvent mal interprété : le concept de l'amour ! On dit souvent que l'amour, c'est de la passion et du désir. Ce que j'aimerais vous montrer, aujourd'hui, c'est que cette équation n'est pas forcément exacte.
Tout d'abord, de quoi parle-t-on ? Hé bien l'amour, ce n'est pas un sentiment ou une émotion, c'est un état. Quand on dit « je suis amoureux », là, d'accord, on ressent des émotions ou des sentiments. Alors que l'état d'amour, pour moi, c'est un état de paix. Un peu comme si l'on était au fond de la mer où il n'y a rien qui bouge, rien qui se passe. C'est simplement un état de bien-être.
Ensuite, on ne peut pas non plus dire que l'amour, c'est de la passion, parce que la passion est éphémère, elle ne dure qu'un temps très court, puis elle diminue pour s'éteindre. Mais cela ne veut pas dire que l'état d'amour, lui, s'arrête. Vous le savez bien, au début d'une relation amoureuse, la passion vous déchaîne, mais après quelque temps, vous connaissez bien votre partenaire, une douce routine s'installe, et à ce moment-là, la passion disparaît. En revanche, l'état d'amour, lui, ne disparaît pas (du moins normalement !).
Par exemple, imaginez la vie de Roméo et Juliette si leurs familles ne les avaient pas séparés. Ils se seraient tranquillement installés dans un appartement au 4e étage d'un immeuble, comme nous !
Enfin, quand on dit « tomber amoureux », c'est vraiment pareil qu'aimer ? Il me semble que c'est plutôt « désirer quelqu'un ». Ce n'est pas parce qu'on se sent désiré ou que l'on désire quelqu'un qu'automatiquement, il faut appeler ça de l'amour. Prenez l'exemple des contes de fées, on parle tout le temps d'une belle femme dont le prince charmant tombe amoureux. Ce sont toujours de ravissantes jeunes femmes que le prince voit pour la première fois et là, surprise, il tombe amoureux ! Mais il ne peut pas tomber amoureux, puisqu'il ne connaît pas la personne. Je dirais plutôt qu'il a du désir pour elle au premier regard.
Donc, pour conclure, retenons que l'équation amour = passion + désir est à revoir. Pour moi, l'amour peut exister au-delà de la passion et du désir. C'est un état de paix. Et de même, le désir peut exister sans l'amour. Et pour vous, ce serait quoi l'équation ?

Activité 3 et activité 4 « Prononcez » p. 123

a. Pourriez-vous articuler davantage ?
b. C'est important de sortir les mains de vos poches.
c. À votre place, je parlerais un peu moins vite.
d. En regardant le public, ce serait mieux.
e. Et n'oubliez pas de sourire !
f. Essayez de ne pas regarder l'heure !

Activité 4 « Repérez » p. 123

a. De quoi parle-t-on ?
C'est vraiment pareil qu'aimer ?
Ce serait quoi, l'équation ?
b. Au 4e étage d'un immeuble, comme nous !

Activité 4 « Mettez-y le ton » p. 123

Voilà ! Je vous remercie pour votre attention et je reste à votre écoute pour vos questions !

Activité 2 p. 124 et activité 3 p. 125

Les examens approchent à grands pas. Malheureusement, certains étudiants ne consultent leurs notes qu'à la veille d'un examen. Cependant, il est important de réviser les notes d'un cours dans les plus brefs délais, de préférence le jour même. Car la mémoire oublie l'information rapidement. Et parfois, certains attendent trop longtemps avant de relire leurs notes et ils ne comprennent plus ce qu'ils ont voulu dire. Les étudiants qui ne révisent pas leurs notes après un cours ne se souviennent que d'environ 10 % du cours trois semaines plus tard. Ceux qui révisent leurs notes ont un meilleur taux de mémorisation atteignant 80 % après le même laps de temps...

Activités 4 et 5 p. 125 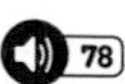

1. Le stylo est meilleur que le clavier : la prise de notes à la main favorise la mémorisation des étudiants.
2. Pour présenter ses notes, il faut laisser une marge pour y faire des annotations et revenir à la ligne pour chaque idée importante.
3. Dans un discours oral, tout n'a pas la même importance, il faut donc différencier l'idée principale de son exemple.
4. Les abréviations facilitent la prise de notes, mais si l'on manque de rigueur, elles peuvent devenir indéchiffrables. Il ne faut donc jamais improviser une abréviation et bien respecter le code que l'on a soi-même établi.
5. Lorsqu'on relit ses notes, on doit être actif : on souligne, on numérote et on complète ce qui n'est pas clair. Il est même conseillé d'en faire une fiche de révisions.

Activité 6 p. 125 

Un million et demi d'enfants de moins de 18 ans, soit un enfant sur dix en France, résident dans des foyers recomposés, c'est-à-dire dans une famille où les enfants sont issus d'unions précédentes. Ce sont les chiffres de l'Institut national de la statistique et des études économiques (l'Insee), parus dans une étude sur « les enfants en famille recomposée ». Parmi eux, 940 000 vivent avec un seul de leurs parents (généralement, la mère accompagnée d'un beau-père). Et parmi eux, 410 000 cohabitent avec des demi-frères ou des demi-sœurs. Une situation difficile devenue pourtant courante dans la société française d'aujourd'hui. Difficile pour plusieurs raisons. La première étant que le « nouveau couple » à peine construit doit gérer, dès le début, la complexité d'une famille alors que leur relation est peu solide.
La seconde réside dans le fait que le beau parent ne choisit pas les enfants de son ou sa partenaire. Ils font partie, pour ainsi dire, du « package » : aimer son ou sa partenaire implique d'accueillir ses enfants dans sa propre vie, ce qui ne signifie pas pour autant qu'il est facile de les aimer.
La troisième est que la réciproque est tout aussi complexe. L'arrivée du beau parent vient perturber un équilibre acquis depuis des années, après un divorce ou le décès d'un des parents. L'enfant doit s'adapter à ce changement alors qu'il est encore sous le traumatisme de la séparation, ce qui entraîne colère et agressivité.
Difficile donc, pour chacun de trouver sa place. Quelques conseils ?
Tout d'abord, ne pas présenter son nouveau partenaire tant que la relation n'est pas suffisamment construite, d'autant qu'il n'y a aucune urgence à le faire : les enfants ne sont pas forcément impatients de rencontrer le ou la future partenaire.
Ensuite, montrer à l'enfant que le « nouveau couple » est sur la même longueur d'ondes au niveau de l'éducation, ce qui suppose de se mettre d'accord avant sur certains principes. Si l'enfant ne reçoit pas le même discours, il ne saura pas de lui-même faire le choix. Alors, montrez-leur que vous êtes bien d'accord même s'il vous arrive parfois de ne pas l'être complètement !
Enfin, veiller à laisser une place à la construction du couple, c'est-à-dire à ne pas se laisser envahir par les enfants. Ceux-ci ont souvent tendance à prendre toute la place alors que le couple a justement besoin d'un peu d'espace !

À écouter, p. 127 

– Il vient de s'acheter un tableau.
– Ah bon ? Beau ?
– Blanc.
– Blanc ?
– Blanc. Représente-toi une toile d'environ 1, 60 m sur 1, 20 m, fond blanc, entièrement blanc. En diagonale, de fines rayures transversales blanches. Tu vois ? Et, peut-être... une ligne horizontale blanche, en complément vers le bas.
– Comment tu les vois ?
– Pardon ?
– Les lignes blanches, puisque le fond est blanc, comment tu vois les lignes ?
– Parce que je les vois, parce que mettons que les lignes soient légèrement grises, ou l'inverse, y a des nuances dans le blanc. Le blanc est plus ou moins blanc !
– Mais ne t'énerve pas ! Pourquoi tu t'énerves ?
– Tu cherches tout de suite la petite bête... Tu ne me laisses pas finir.
– Bon, alors ?
– Bon. Donc, tu vois le tableau.
– Je vois, oui.
– Maintenant tu vas deviner combien Serge l'a payé.
– Qui est le peintre ?
– Antrios. Tu connais ?
– Non, il est côté ?
– J'étais sûr que tu allais poser cette question.
– Logique !
– Mais non c'est pas logique.
– Si, c'est logique, tu me demandes de deviner le prix, tu sais bien que le prix est fonction de la côte du peintre.
– Je ne te demande pas d'évaluer ce tableau en fonction de tel ou tel critère, je ne te demande pas une évaluation professionnelle, je te demande ce que toi, Yvan, tu donnerais pour un tableau blanc agrémenté de quelques rayures transversales blanc cassé.
– Zéro centime.
– Bien. Et Serge ? Non articule un chiffre au hasard...
– 10 000 ? 50 000 ? 100 000 ?
– Mais non, vas-y, vas-y...
– 15 ? 20 ?
– 20 ! 20 briques !
– Non !
– Si !
– 20 briques !
– 20 briques !
– Il est dingue !
– N'est-ce pas.
– Remarque...
– Remarque quoi ?
– Si ça lui fait plaisir.

Unité 7

« Ça fait sens », p. 133 

Qu'elle soit vraie ou fausse, une histoire, c'est d'abord un récit, c'est-à-dire un enchaînement de faits qui se succèdent et qui s'organisent. Ça se fabrique en mettant en rapport une suite d'actions et de personnages. Donc une histoire, ça n'existe que si on l'écrit ou bien si on la raconte ; ou simplement si on l'écoute, qu'on la lit, qu'on la comprend. Ça peut être long ou court, en tout cas, une histoire, ça ne dit pas tout ; ça sélectionne, ça met en lumière certains individus et certains faits. Ce n'est pas vraiment la réalité, ce qui a existé mais c'est la façon dont on le rapporte.
Et l'Histoire des hommes, et l'Histoire de France alors ? Quel rapport ? Est-ce que c'est le passé de tous les humains, ou de tous ceux qui ont habité la France ? Est-ce que c'est le passé de la nation française ? C'est une façon de mettre en ordre ce qui s'est passé avant qu'on existe, pour qu'on sache mieux ce qu'ont fait nos parents, nos ancêtres, pourquoi ils vivaient, à quoi ils tenaient. Et ainsi, on comprend mieux comment nous vivons aujourd'hui.

Activité 2 p. 135 

Bonaparte, lui, quand il devient premier consul en 1800, dans un premier temps souhaite récupérer la Louisiane et Saint-Domingue. Parce qu'il y voit une forte source de revenus pour la France dans les guerres qu'elle doit mener en Europe selon lui. Et au moment de la rupture de la paix d'Amiens, et après l'expédition complètement avortée, complètement ratée à Saint-Domingue, les Français n'ont pas réussi à récupérer Saint-Domingue, n'ont pas réussi à faire la paix avec l'Angleterre et Napoléon se rend compte qu'il faut vendre la Louisiane aux Américains parce que les Américains la défendront beaucoup mieux que nous contre les Anglais.

Activité 3 p. 135 

a. Les Français n'ont pas réussi à récupérer Saint Domingue, n'ont pas réussi à faire la paix avec l'Angleterre.
b. Et Napoléon se rend compte qu'il faut vendre la Louisiane aux Américains.

Activité 5 p. 136 

a. Donc c'est aussi nous prendre pour des idiots, quoi.
b. La presse people, ça me divertit mais j'y crois pas une seule seconde, quoi.
c. Moi, j'y crois pas du tout, quoi.

Activités 1 à 3 p. 139 

RFI, *Grand reportage*. Laurent Sadou.
Voyage, en France, avec la Cinéscénie. Grâce au succès et aux recettes de cette saga vendéenne animée par trois mille deux cents comédiens bénévoles, un grand parc de loisirs à thème, le Puy du Fou, a vu le jour. Il reçoit plus d'un million de visiteurs par an, une réussite commerciale où se côtoient bénévoles et salariés. Situé en Vendée, sur la commune des Épaisses, le Puy du Fou est l'un des parcs d'attraction préférés des Français. Selon un sondage Ifop, le Puy du Fou est considéré par les Français comme le parc le plus impressionnant. Il arrive en tête de classement de popularité des parcs, devant le Futuroscope, le Parc Astérix et Disneyland, c'est dire ! Du bénévolat à l'entreprise, grand reportage signé Patricia Lecompte.
« La nuit est tombée sur le grand parc du Puy du Fou et les spectateurs attendent le début de la représentation de la Cinéscénie. Cette fresque géante de l'Histoire de la Vendée se déroule à ciel ouvert, sur une scène de vingt-trois hectares. La plus grande du monde. Face aux gradins, une immense pièce d'eau avec en toile de fond un vrai château en ruine. Chaque soir, quatorze mille spectateurs viennent applaudir mille deux cents comédiens bénévoles. Les bénévoles forment une communauté. On les appelle les Puyfollets.
Durant deux heures, le spectacle retrace deux siècles d'Histoire d'une famille vendéenne. Au cours de la saison, cette grande fresque historique est jouée chaque vendredi et samedi soir. En tout, ils sont trois mille deux cents bénévoles à se relayer pour assurer les vingt-huit représentations. Il n'y a pas que les comédiens de bénévoles. Les placeurs, la sécurité, les secouristes, les techniciens le sont aussi. »
« Patricia Lecompte, Bonjour.
– Bonjour Laurent.
– Alors près de cinquante millions de chiffres d'affaires avec un bénéfice de trois millions d'euros. Le Puy du Fou, disons-le tout net, est une affaire très rentable.
– Eh oui, Laurent, alors toutes proportions gardées, il est même plus rentable que Disneyland Paris pourtant dix fois plus gros que lui. Ouvert uniquement de mi-avril à fin septembre, le taux de fréquentation du Puy du Fou est chaque année en hausse avec un taux de revisite croissant, *a contrario* de Disney qui lui est ouvert toute l'année et a accusé l'année dernière une légère baisse de son nombre de visiteurs. Alors bien sûr, il faut relativiser : le parc Disney est toujours loin devant avec ses quinze millions de visiteurs par an alors que le Puy du Fou en voit passer un million et demi.
– Alors est-ce à dire que Mickey aux grandes oreilles est battu par les Gaulois ?
– Eh bien, écoutez, en tout cas Laurent Albert, le directeur général du parc, reconnaît que depuis des années, il surfe sur la mode des héros historiques qui séduit aussi bien les petits et les grands. D'ailleurs, on le voit dans les allées du parc, ce sont souvent des familles au complet qui s'y rendent. Les jeunes enfants, les parents et les grands-parents, chacun y trouve son compte. »

Activité 5 p. 139 

a. Eh oui Laurent, alors toutes proportions gardées
b. Eh bien écoutez en tout cas, Laurent Albert, le directeur général du parc
c. D'ailleurs, hein, on le voit dans les allées du parc

Le discours rapporté au présent p. 140 

– Allô ? Ah salut Mathis ! Ça va ?
– Ah ! C'est Mathis ? Dis-lui bonjour de ma part !
– Lena me dit de te saluer... Mathis te demande si ton rhume va mieux.
– Bof. Pas trop !
– Elle est encore malade...
– Mais je me soigne ! Je prends du lait chaud tous les soirs.
– Mais elle précise qu'elle se soigne au lait chaud... Mathis te conseille plutôt d'aller chez le médecin.
– Tiens, à ce propos, rappelle-lui de me rendre l'écharpe que j'ai oubliée chez lui.
– Lena t'ordonne de lui rendre son écharpe !... Il affirme qu'il te l'a déjà rendue.
– Bizarre... Je ne m'en souviens pas...
– Il insiste : il l'a fait la semaine dernière.
– Ah bon ? Quand ça ?
– Bon, vous me cassez les pieds tous les deux ! Je te passe le combiné, Lena... À plus, Mathis !

Le passé simple, p. 141

Madame de Maintenon est l'une des favorites de Louis XIV les plus connues de l'Histoire de France. Elle naquit en prison et ses parents l'abandonnèrent. Elle épousa l'écrivain Scarron mais se retrouva veuve à 24 ans. Elle devint célèbre grâce à son pouvoir sur le roi qui en fit secrètement sa femme. C'était une première ! Jamais en France aucun roi n'avait épousé de favorite ! Son histoire romanesque a passionné les foules et on la raconte encore dans de nombreux livres et films.

Activités 1 et 2 p. 142 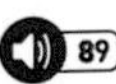

– Je suis l'inspecteur Bergson et voici ma collègue, l'agent Dautet. Nous allons devoir vous poser quelques questions.
– Écoutez, expliquez-moi au moins ce que je fais ici. Je ne comprends rien à cette histoire...
– Vous ne savez pas pourquoi vous êtes là ?
– Je n'en ai aucune idée.
– Vous êtes en garde à vue pour avoir participé au braquage de la place du marché...
– Quoi ? Qu'est-ce que vous dites ?
– Vous avez très bien compris.
– Mais non, je ne comprends vraiment pas de quoi vous parlez.
– On vous accuse d'avoir volé trois petits pots de beurre et plusieurs kilos de crème entière !
– C'est absurde ! Je suis allergique au lait ! Je n'ai rien fait.
– Où étiez-vous vendredi 22 octobre à 18h50 ?
– J'étais au travail.
– Et que faisiez-vous ?
– Ben, je travaillais, quoi...
– Y avait-il quelqu'un avec vous ?
– Ouais, vous avez un alibi ?
– Non. Je travaille tout seul dans mon atelier.
– Ben voyons !
– Mais je vous assure que c'est vrai !
– Vous mentez ! Vous êtes allé aux halles !
– Mais pas du tout !
– Vous moquez pas de nous ! On a des preuves.
– Je vous assure, je dis la vérité.
– Passez-moi le dossier, agent Dautet. Regardez : on a une vidéo de vous sortant du marché couvert à 19h10.
– J'avais deux-trois courses à faire.
– Dites donc, et d'où vient cette tâche de gras, là, sur votre chemise ?
– Ce sont mes tartines au beurre de ce matin...
– Hé, vous allez arrêter un peu de nous mener en bateau ?
– Bon, on va essayer autre chose. Reconnaissez-vous cette personne ?
– Ben... non, qui est-ce ?
– C'est votre futur copain de taule... Parce qu'on va vous y envoyer fissa, en prison, j'vous le dis moi !
– C'est un pâtissier récidiviste : il a déjà été arrêté trois fois pour escroquerie à la crème au beurre...
– Jamais vu !
– Ne nous racontez pas d'histoires ! Des témoins vous ont vu avec lui au casting de *Master Chef* !
– Impossible ! Je ne regarde même pas cette émission !
– Je vous préviens, vous allez cracher le morceau, je commence sérieusement à perdre patience, moi !
– Calmez-vous, agent Dautet !
– Mais puisque je vous dis que je ne connais pas ce Renaud.
– Et... dans ce cas, comment savez-vous alors qu'il s'appelle Renaud ? Je ne vous l'ai pas dit...
– Je... Je ne parlerai qu'en présence de mon avocat ! J'ai droit à un avocat !
– Bon ben, alors, puisque vous ne voulez rien dire, on va employer les grands moyens. Le détecteur de mensonges.
– Euh, non. En fait, il est en panne...
– Ah ! Dans ce cas, on va vous reposer la question. Est-ce vous avez participé au braquage ?
– Non, pas du tout ! Ce n'est pas moi !

Activité 3 et activité 4 « Prononcez » p. 143 

a. Vous êtes accusé d'avoir volé du matériel de bureau dans un magasin.
b. Reconnaissez-vous cet homme ?
c. Je suis sûr que c'est toi qui as piqué dans la caisse.
d. Avoue ! Ce n'est pas toi qui as rédigé ce texte, tu l'as copié !
e. Je sais que c'est toi qui m'as pris le livre *La cuisine pour tous* !

Activité 4 « Repérez » p. 143 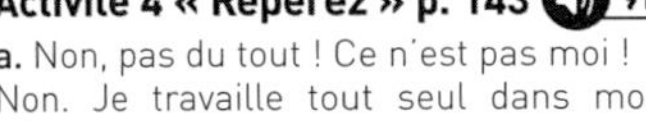

a. Non, pas du tout ! Ce n'est pas moi ! Non. Je travaille tout seul dans mon atelier.
b. Quoi ? Qu'est-ce que vous dites ? Ben, je travaillais, quoi...
c. Bon ben, alors, puisque vous ne voulez rien dire, on va employer les grands moyens.

Activité 4 « Mettez-y le ton » p. 143 

– On a retrouvé toutes les boîtes aux lettres de votre immeuble taguées. Qu'est-ce que vous faisiez à minuit, à l'heure où cet acte a été commis ?
– J'ai un alibi en béton ! J'étais au cinéma.
– Vous avez une preuve ?
– Bien sûr, j'ai mon ticket !

Unité 8

« Ça fait sens », p. 153 

Bonjour ! S'il est une image d'Épinal au sujet de nos campagnes françaises et de notre identité plus largement, c'est bien celle du clocher dominant le petit village. Plus rarement, on pense à celle de la cheminée en briques rouges dressée dans un décor industriel ou encore à cette image du chevalement s'élevant au-dessus du puits au cœur d'un paysage minier. Et pourtant, ces lieux d'industrie, ces emblèmes d'acier, de fonte ou de pierre font désormais partie intégrante du patrimoine français et continuent de façonner les paysages urbains et ruraux de l'hexagone. À eux seuls, ces lieux racontent les pages d'une histoire populaire, pas si lointaine, celle de nos usines. Longtemps délaissés ou tombés dans l'oubli, ces hauts fourneaux, ces silos rouillés, ces manufactures en friche ou ces ateliers en toit de shed suscitent depuis quelques années, un regain d'intérêt. On les recense, on les reconvertit, on les protège pour les mettre en valeur, on les classe. Ils deviennent, ainsi, patrimoine.

Activité 2 p. 155 

Et puis le gwoka a été classé cette semaine au patrimoine culturel immatériel de l'UNESCO comme l'avait été le maloya réunionnais il y a 5 ans. Le gwoka combine chant, rythme des tambours et danse : une tradition ancrée dans l'âme de la Guadeloupe. Elle a été ardemment défendue devant le comité intergouvernemental de l'UNESCO par le Guadeloupéen Félix Cotellon, du Comité Lyannaj Pou Gwoka.
« Élément représentatif de l'identité guadeloupéenne, le gwoka est porteur de valeurs universelles, de résistance, de dignité, de respect, de partage qui font humanité. Et c'est l'une des raisons pour lesquelles nous sommes fiers de son inscription sur la liste ».
Jean-Marie Chazeau, *Outremer première* pour France info.

Activité 3 p. 155 

Élément représentatif de l'identité guadeloupéenne, le gwoka est porteur de valeurs universelles, de résistance, de dignité, de respect, de partage qui font humanité. Et c'est l'une des raisons pour lesquelles nous sommes fiers de son inscription sur la liste.

Activité 5 p. 156 

a. La notion d'héritage est quand même vachement inégalitaire.
b. Votre oncle était un hominidé remarquable.
c. Tu sauras certainement faire bon usage...

Activités 1 à 4 p. 159 

– C'est une femme dont l'enthousiasme est contagieux, une Lilloise qui était Dircom dans une grande boîte et qui s'est dit un jour : je change de direction ! C'est bien ça ?
– Oui, tout à fait.
– Elle s'est inventé un nouveau métier : celui de permettre à chacun d'entre nous de rencontrer l'art et je peux vous dire que c'est une vraie fonceuse. Alors, Marion Derval, racontez-nous : comment fonctionne votre « Inventaire » ?
– Merci pour cette présentation élogieuse. Effectivement, l' « Inventaire », c'est une structure associative, plus qu'une boîte en fait, qui a pour objectif de prêter des œuvres d'art. L'idée, c'était de donner l'opportunité à un large public de pouvoir découvrir, expérimenter, rencontrer l'art de plus près, dans l'intimité de son domicile, dans son « chez soi », en particulier pour ceux qui ne fréquentent pas les lieux d'art contemporain – on sait bien qu'un Français sur deux n'a jamais mis les pieds dans une expo ou une galerie d'art.
– Alors ce service a un coût, n'est-ce pas ?
– Un coût qui reste très accessible : il y a une adhésion à l'association qui est modulée en fonction de votre situation financière : de 15 à 45 euros par an selon votre taux d'imposition. Et puis, à cela s'ajoute à chaque prêt 10 euros par mois pour une œuvre ou 15 euros les deux œuvres.
– Alors, quelle est votre clientèle ? Et quels sont ses goûts ? Ses habitudes ?
– Alors, d'abord, moi je parle pas de clientèle mais d'adhérents, excusez-moi.
– Oui, d'accord.
– On a un public varié, vraiment, parce que l'artothèque rayonne sur tout le territoire de notre région. 80 % de nos adhérents sont des particuliers. Des familles, adultes comme enfants : à partir de deux ans et demi, vous pouvez aller à l'artothèque. On a d'ailleurs une carte familiale qui propose des prêts gratuits pour les enfants, pour leur plaisir. Ils ont généralement un grand goût pour l'art plastique. Tout comme les scolaires. On intervient auprès d'une vingtaine d'établissements : on va dire qu'ils représentent 15 % et les cinq autres, ce sont les collectivités et les entreprises.
– Justement, pour les entreprises, comment est-ce que ça peut se développer ?

Activité 5 p. 159 

a. une Lilloise
b. les lieux d'art contemporain
c. dans son « chez soi »
d. des prêts gratuits pour les enfants

Le groupe adverbial à valeur d'opinion, p. 160 

– Moi, j'ai trouvé que le guide parlait rapidement. Pas vous ?
– Je dirais plutôt qu'il était ennuyeux.
– Moi, j'ai adoré ! À part le moment où il s'est mis à chanter. Faut dire qu'il chante franchement mal !

Le groupe adverbial à valeur d'opinion, activité 2 p. 160

1. Les monuments historiques coûtent trop cher à l'État.
2. Tu ne trouves pas qu'elle parle étonnamment bien ?
3. Thibaut aimerait bien aller avec toi aux Journées du patrimoine.
4. C'était vraiment impressionnant !
5. J'ai énormément apprécié que l'artiste nous explique son travail.

Les doubles pronoms, p. 161

– Vous lui en avez reparlé ?
– De quoi ?
– Ben, de votre projet d'écrire un testament !
– Ah, non ! Il ne l'acceptera jamais. Je le connais bien. D'ailleurs, Arthur me le déconseille !
– Arthur ?
– Ben oui, Arthur, le perroquet ! Je le lui ai raconté. Il me comprend, lui, au moins !

Activités 1 et 2 p. 162 

Le téléphone sonne. Vos questions au 01 45 24 70 00 ou sur franceinter.fr.
Et oui, Alain Passerel vous le disait, voilà, c'est fait ! L'opération transparence ou « journée du patrimoine », comme l'ont écrit avec ironie de nombreux éditorialistes : les patrimoines des ministres sont consultables sur le site gouvernement.fr. C'est une première en France. Entre 4 000 et 5 000 personnes devraient être concernées. Une haute autorité sera créée pour vérifier ces déclarations. Alors, que pensez-vous de cette opération transparence qui a donc commencé aujourd'hui avec les 37 membres du gouvernement ? Est-ce un progrès démocratique ou du voyeurisme ? *Le téléphone sonne*, c'est votre émission, n'hésitez pas. Dites-nous ce que vous pensez. Évidemment, le débat est ouvert. Beaucoup de courriels, beaucoup d'appels téléphoniques. On va commencer en compagnie d'Isabelle qui se trouve dans l'Aisne. Bonsoir Isabelle.
– Bonsoir !
– Alors, cette opération transparence, qu'en pensez-vous ?
– Ben écoutez, moi, je trouve ça...ça part d'un bon sentiment, hein ! L'idée est sympathique, mais honnêtement, je trouve ça... complètement inutile et même un peu ridicule...
– Pourquoi ?
– Parce que dans le fond, je me dis, mais pourquoi pas à tous les Français, finalement, en parlant de transparence ?
– Donc, vous avez le sentiment que finalement, il y a des déclarations qui sont publiées aujourd'hui...
– Ben oui !
– Mais vous voudriez être certaine que tout cela est bien vrai et qu'on pourra le...

– Voilà !
– Merci Isabelle de nous avoir appelés. Barbara Pompili, députée Europe-Écologie-Les Verts de la Somme, votre commentaire sur ce que vient de dire Isabelle dans l'Aisne.
– Ah, mais Isabelle a complètement raison sur le fait que tout simplement, faire des déclarations de patrimoine, ça ne suffit pas. Elle a parfaitement raison. Il faut qu'il y ait un organe de contrôle suffisamment puissant pour pouvoir vérifier tout ça. Et ça, ça va être mis dans la loi qui va être, donc, déposée au Conseil des ministres la semaine prochaine. Donc, ça, d'accord avec elle. Cela dit, sur les déclarations de patrimoine, moi, je pense que, enfin, on rentre dans ce qui est normal, c'est-à-dire que tous les pays – à l'exception d'un – pays européens font, donc, à partir du moment où tout le monde le fait et où ça permet aussi quand même (parce que le fait de devoir dévoiler son patrimoine, il faut quand même oser mentir). Donc, c'est une démarche qui me paraît assez saine mais évidemment, il faut des contrôles.

Activité 3 et activité 4 « Prononcez » p. 163 103

a. Alors, que pensez-vous de l'opération de transparence concernant la déclaration du patrimoine des ministres ?
b. Faut-il tout savoir des richesses de ceux qui nous gouvernent ?
c. Pensez-vous que ce genre de déclaration permette d'être en confiance avec les politiques ?
d. Le montant du patrimoine de chacun est-il un sujet tabou ?
e. Est-ce que la mise en place d'un organe de contrôle puissant est nécessaire ?

Activité 4 « Repérez » p. 163 104

a. Évidemment, le débat est ouvert.
b. Isabelle a complètement raison.
un organe de contrôle suffisamment puissant
Mais évidemment, il faut des contrôles.
c. cette opération transparence
suffisamment puissant
le fait de devoir dévoiler son patrimoine

Activité 4 « Mettez-y le ton » p. 163

Aujourd'hui, dans *La minute débat*, on se pose la question : faut-il oui ou non préserver le patrimoine ? *La minute débat*, c'est votre émission ! Dites nous ce que vous en pensez au 01 44 56 76 86 !

Unité 9

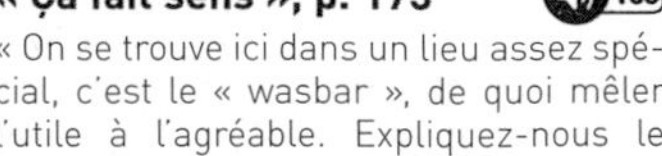

« Ça fait sens », p. 173

« On se trouve ici dans un lieu assez spécial, c'est le « wasbar », de quoi mêler l'utile à l'agréable. Expliquez-nous le concept Driss !
– Le wasbar en fait est une combinaison d'un bar et une laverie. Alors les gens peuvent faire leur laverie ici et se rencontrer et boire quelque chose, etc. »
Voilà, vous l'avez compris, le principe du wasbar, c'est de faire sa petite lessive tout en créant des liens en allant boire son petit verre avec des copains, en rencontrant d'autres gens, tout simplement. Très marrant aussi – ça c'est la petite touche humoristique –, c'est que chaque machine à lessiver n'a pas un numéro mais un petit nom. Donc par exemple, y a Mariette, y a Marcel qui peut faire votre lessive, et puis alors c'est hyper bien pensé, ça aussi faut le dire, y a des petits concerts, y a des brunchs qui sont organisés, mais y a aussi un coiffeur qui vient une fois par semaine... Donc voilà, vous rentrez chez vous, vous n'avez pas le temps de faire votre lessive, vous n'avez pas le temps de manger, hé ben vous allez au wasbar pour tout ça, et en prime, vous vous faites couper les cheveux, c'est un coiffeur qui vient là une fois par semaine, voilà une idée qui tend à être exploitée. Ça existe donc maintenant le wasbar à Anvers, à Courtrais, depuis peu à Gand donc, et puis à Bruxelles peut-être bientôt dans le quartier d'Anssart, ça c'est prévu pour la fin de l'année.

Activité 2 p. 175 107

Bonjour à tous, le sommeil est un besoin vital, nous passons d'ailleurs un tiers de notre vie au lit. Il exerce un rôle de régulation des fonctions : respiration, circulation sanguine, digestion, pression artérielle. Il a également un effet sur les fonctions psychiques. En particulier, c'est principalement au cours du sommeil paradoxal que se fixent les apprentissages et les souvenirs. Le manque de sommeil peut avoir des conséquences sur la santé : baisse de la vigilance, difficultés d'apprentissage, surpoids. Alors comment bien dormir et lutter contre les insomnies ? Quels sont les rythmes du sommeil ? Comment trouver un sommeil réparateur ?

Activité 3 p. 175

Le manque de sommeil peut avoir des conséquences sur la santé.

Activité 5 p. 176

Heu, ça ne me va pas. J'ai l'air d'un mexicain.

Activités 1 à 4 p. 179

– Je n'ai rien prévu, rien anticipé, j'ai juste pris mon sac, ma boussole et un train de nuit. Quitter Paris. C'est en France que je vis, là aussi que j'ai failli mourir. C'est ce pays que je veux traverser, seul, à pied, de la frontière espagnole jusqu'à la mer du Nord. Peu importe le temps nécessaire. J'aurais pu choisir une autre saison, une autre destination, j'aurais pu même ne jamais partir, mais j'avais besoin de changement, besoin de bousculer les habitudes en allant me confronter à l'inconnu. Je compte sur le voyage pour nourrir ma curiosité et sur le hasard pour faire des rencontres. Je serai à pied pour ressentir l'effort et redécouvrir la lenteur. À pied, aussi parce que j'ai une revanche à prendre sur les automobiles.
L'humeur vagabonde, sur France Inter.
– Un jour, la vie bascule, elle manque de s'arrêter et puis après un temps d'hésitation, elle repart. Mais comment faire semblant de rien quand on a vécu cela ? Comment éviter de se poser à soi-même des questions sur ce que l'on a fait jusque-là de son talent comme dit l'Évangile de Matthieu ? Et depuis l'invention de la philosophie, nous savons que pour réfléchir mieux, il faut marcher. Marcher, Nicolas Bouvier et Sylvain Tesson l'ont expérimenté, permet non seulement d'activer la réflexion, mais aussi de lever le regard sur la beauté du monde et le visage de l'autre. Contraindre son corps aère l'esprit, le décrasse des pesanteurs de la consommation, le désenglue des faux besoins. Et pour cela, qu'importe le chemin, l'important est de cheminer.
Un jour, Laurent Hasse s'est élancé de la frontière espagnole dans les Pyrénées Orientales jusqu'à Dunkerque sur la mer du Nord, remontant la méridienne verte, il a parcouru à pied 1 500 km en trois mois. Seul, sac au dos, caméra à portée de main, il s'est laissé surprendre par ces rencontres de hasard, à qui, une fois le café de bienvenue avalé, il a à chaque fois demandé carrément une définition du bonheur.

Activité 5 p. 179

a. Je n'ai rien prévu, rien anticipé.
b. un train de nuit
c. les Pyrénées Orientales jusqu'à Dunkerque
d. remontant la méridienne verte

Les articulateurs logiques, p. 180

J'ai testé le restaurant dont tu m'avais parlé hier. Pour commencer, le serveur a apporté l'entrée, un velouté de courgettes divin. Ensuite, le plat est arrivé : un poisson du lac pêché le matin. Un vrai délice ! Enfin, le dessert, c'était l'apothéose : une mousse au chocolat onctueuse. Tu avais raison en effet, ce restaurant est à recommander. Il sert une cuisine simple et délicate, avec des produits locaux. D'une part, le cadre est agréable et d'autre part, le service est irréprochable. En plus, ce n'est pas cher du tout ! Bref, on s'est régalés !

Activités 1 et 2 p. 182

Melle Pasquier. – Tiens, bonjour Suzon, comment allez-vous ?
Suzon. – Bien, merci, madame Pasquier et vous ?
Melle Pasquier. – On fait aller... Dites-moi, mon petit, vous savez que je vous aime beaucoup, vous voudriez bien me rendre un petit service ?
Suzon. – Bien sûr, lequel ?
Melle Pasquier. – J'ai remarqué que vous laissiez souvent vos poubelles sur le palier avant de les descendre. Sauf que parfois, vous ne les descendez qu'un ou deux jours plus tard. Vous savez, ça sent vraiment mauvais. La moindre des choses serait de...
Suzon. – Oui, oui, j'y penserai, c'est promis.
Melle Pasquier. – ... Oui, parce qu'il y a tout de même des règles de savoir-vivre à respecter entre voisins... C'est comme votre petite fête de la semaine dernière...
Suzon. – Je ne comprends pas. Où voulez-vous en venir ?
Melle Pasquier. – Hé bien, vous auriez pu faire un effort pour me rapporter mon tire-bouchon, et puis aussi le saladier que vous m'aviez empruntés.
Suzon. – Mais je vous les ai rendus !
Melle Pasquier. – Pas le lendemain, que je sache... il a fallu que je vous le rappelle.
Suzon. – Ça arrive à tout le monde d'oublier... vous devez en savoir quelque chose.
Melle Pasquier. – Hmpf... Qu'est-ce que vous insinuez ? Que je perds la boule ?
Suzon. – Mais pas du tout !
Melle Pasquier. – Tout de même, qu'est-ce qu'il ne faut pas entendre ! Les jeunes n'ont vraiment plus de savoir-vivre aujourd'hui !
Suzon. – Non mais ça suffit, là ! Est-ce que je me plains moi, quand vous mettez la télé à fond le soir parce que vous n'entendez rien ? Vous pourriez faire attention, je vous l'ai déjà demandé plusieurs fois...
Un voisin. – Que se passe-t-il ?
Melle Pasquier. – Ah tiens, c'est vous !... Il ne manquait plus que ça : le fouineur de service ! On ne vous a pas sonné ! Occupez-vous de vos affaires !
Un voisin. – Mais enfin, qu'est-ce qui vous prend ?
Melle Pasquier. – Je sais ce que je dis...
Un voisin. – Non, mais oh, dites-donc, vous allez me parler autrement. On n'a pas élevé les cochons ensemble ! Pour qui vous vous prenez avec vos airs supérieurs ? D'ailleurs, j'ai jamais rien dit mais, si vous pouviez arrêter de vous garer sur MA place de parking.
Le concierge. – Mais qu'est-ce que c'est que tout ce ramdam ?
Melle Pasquier. – Et maintenant, le concierge !! De mieux en mieux !
Le concierge. – Allons allons calmez-vous ! Dites-donc, vous êtes tous bruyants et grognons, ce matin !
Melle Pasquier. – Ces deux-là m'accusent de tous les maux.
Suzon. – Oh ben, elle est bien bonne celle-là !
Le concierge. – Allons Melle Pasquier, soyez raisonnable, vous savez très bien que les places de parking sont nominatives !
Melle Pasquier. – Hmpf... oui j'ai pu parfois me tromper, ça arrive à tout le monde, n'est-ce pas Suzon ?
Le concierge. – C'est bien de reconnaître ses torts ! Et vous Suzon, faites un effort pour penser à descendre vos poubelles le soir même...
Suzon. – C'est bon, c'est bon, je ferai attention...
Melle Pasquier. – Quant à vous, monsieur Henri, si vous pouviez éviter de laisser traîner vos vieilles baskets dans l'entrée de l'immeuble, ce serait parfait !
Suzon. – Ah oui, la liberté des uns s'arrête là où commence celle des autres !

Activité 3 p. 182 et activité 4 « Prononcez » p. 183

a. Rendez-moi ce que vous m'avez volé !
b. C'est de votre faute si nous nous sommes magistralement perdus !
c. À cause de toi, on va perdre le projet.
d. Vous avez tout fait pour que ce dîner n'ait pas lieu.
e. Je sais très bien que tu veux prendre ma place !

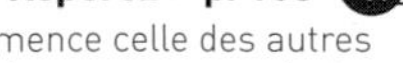

Activité 4 « Repérez » p. 183

a. là où commence celle des autres
b. Hmpf... Qu'est-ce que vous insinuez ?
c. la semaine dernière
pas le lendemain

Activité 4 « Mettez-y le ton » p. 183

Aaarrh, cette nuit, c'était l'enfer, les voisins ont fait la fête jusqu'à 5h du matin. Le boum boum de la techno, c'était insupportable ! Alors, je suis allée les voir, j'ai fait toc toc à leur porte et je leur ai dit : « Chut ! un peu de silence, s'il vous plaît ! » Ils m'ont regardé en faisant « pff ! » et m'ont fermé la porte au nez ! Et vlan !

Unité 1

Activités 2, 3 et 4 p. 16 et activité 5 p. 17

La gestion du risque météo, c'est tout un art ! On parle même d'intelligence climatique. Exemple, avec le site *ebookers*, qui vend des voyages sur Internet et qui fait ses promos ciblées en fonction de la météo.

Le défilé des perturbations va se poursuivre dans les prochaines vingt-quatre heures.
C'est la déprime générale.
Il semblerait que nous ne soyons pas encore tout à fait sortis de l'auberge.

Un samedi pluvieux et la toile s'affole ! On déprime, donc on consomme.

Le mauvais temps active les ardeurs des internautes qui cliquent à tour de bras pour dénicher la destination soleil de leurs rêves.

« On a jusqu'à 75, 80 % de plus de trafic qu'un jour où il fait beau. »

Une aubaine pour *ebookers*, le numéro 1 du voyage en ligne en Suisse qui propose plus de 100 000 hôtels à travers le monde, des dizaines de milliers de vols et de destinations à bas prix.

« Alors, c'est justement... c'est le grand avantage d'Internet, c'est qu'on peut modifier le contenu du site heure par heure, en fonction des actions, en fonction des promos et en fonction des spasmes dans le monde. Donc on peut vraiment changer le site, mettre en avant des promotions, très rapidement, chose qu'une agence de voyage classique peut peut-être moins bien faire. »

Comment faire correspondre les offres aux attentes des millions de clients potentiels ? C'est ici qu'intervient Stéphane Perino et son agence de marketing météo. Une véritable salle de marché où sont rassemblées des millions de données météo qui permettent d'anticiper plusieurs semaines à l'avance les grandes tendances climatiques.

« Aujourd'hui, on a eu un mois de mai à 10 degrés. On va avoir un mois de juin à une température de 20 degrés. Mais quel est le scénario de juillet, août, septembre, voire de l'hiver 2013-2014 ? C'est clair que pour un client qui est sur une station de ski, un site d'e-commerce ou quelqu'un qui va couler du béton, ça a une importance capitale pour organiser à la fois ses RH, ses investissements et ses ressources. »

Les indicateurs météo s'ajoutent à d'autres données : des grèves, des émeutes, un attentat. Autant de recommandations pour *ebookers* qui va afficher plutôt un rabais sur Marrakech ou lancer un « last minute » pour New York.

« D'accord, et par rapport à la météo ?
– Par rapport à la météo donc on va avoir 16 % de ventes au moins. Et il faudra pousser, je pense, tout ce qui est la thématique « last minute », comme on a vu avec le client hier.
– Ouais ok. »

« C'est un conseil qui est tellement temps-réel qu'on n'a pas le temps d'avertir nos clients sur l'ensemble de ces éléments. Une information économique, politique ou météorologique, elle est traitée en temps réel. Ce qui nous intéresse, c'est vraiment d'anticiper et puis d'aider les gens à prendre la bonne décision. »

Stéphane Perino a une petite dizaine de clients qui profitent de l'intelligence climatique de ses ordinateurs pour transformer en profit le soleil et la pluie.

Unité 2

Activités 2, 3 et 4 p. 36 et activité 5 p. 37

Ambiance studieuse, et pourtant ces jeunes sont ici justement parce qu'ils n'aiment pas l'école. Sans diplôme et sans emploi jusqu'à présent, ils ont tous entre 18 et 25 ans. Ce qui les amène ici : leur intérêt pour le graphisme, le web ou la vidéo. Ces « geeks » venus de banlieue ont un an pour apprendre un métier dans le domaine du numérique grâce à ce chantier d'insertion.

« J'ai arrêté l'école en première. J'ai pas eu mon BAC. Après, pendant une bonne année, j'ai galéré. Ensuite, j'ai travaillé : j'étais dans la vente. Et ensuite, la vente, ça m'a saoulé, donc je me suis dit : « Il faut que je trouve quelque chose qui soit un peu plus en rapport avec mes envies » et pour le coup, le tremplin a largement répondu à mes attentes. Je me lève le matin, grand sourire, motivé et puis voilà, quoi ! »

Bader avait lui aussi manqué la marche de l'école. Il a rebondi sur ce tremplin numérique, en participant au chantier d'insertion il y a deux ans. Depuis, il a intégré une école d'informatique et rêve de monter sa propre entreprise web. Il a trouvé sa voie. Alors, il revient partager son savoir.

« Pour moi, ça a été une expérience fabuleuse. Donc au début c'était pas facile d'apprendre quelque chose sur le tas, quoi ! C'est un peu compliqué, mais bon, quand on se donne les moyens, y a pas de raison que ça marche pas. »

Six encadrants pour 14 jeunes de Seine-Saint-Denis et des Hauts-de-Seine embauchés à temps partiel en CDD et payés au SMIC : ils doivent produire des films d'animation, des sites Internet et des reportages pour des associations. Les écrans, les ordinateurs : ils avaient déjà tout ça dans la peau. L'association les aide seulement à transformer leur passion en savoir-faire.

« Bien sûr, le numérique est à portée de main dès la jeunesse en France globalement. Par définition, un jeune a une tablette à la main, un smartphone, mais qu'est-ce qu'on y fait ? Je suis absolument consciente que malheureusement dans les quartiers en difficulté, on n'est pas en train de former des jeunes à produire du numérique, à être acteurs du numérique... »

Selon les organisateurs du premier Forum national des banlieues actives et créatives, 50 000 emplois dans le numérique seront à pourvoir en France d'ici à 2017.

Unité 3

Activités 2, 3 et 4 p. 56 et activité 5 p. 57

Bonsoir, saviez-vous que le guitariste des Rolling Stones a composé *Satisfaction* en dormant ? Que la capsule Nespresso a été inventée dans une baignoire ? Et que la Swatch est née de discussions de bistrot entre deux adolescents attardés ? Saviez-vous aussi que le bleu favorise la créativité et qu'il est scientifiquement prouvé que les meilleures idées nous viennent sous la douche ? Vous ne le saviez pas et moi non plus ! Pourtant c'est vrai, les inventions et les solutions nouvelles apparaissent souvent là où on ne les attend pas. Aujourd'hui, grâce aux recherches scientifiques, on en sait un peu plus sur la mystérieuse façon dont les bonnes idées nous viennent à l'esprit et nous tombent dessus.

L'angoisse de la page blanche, Chappatte l'éprouve quotidiennement. Chaque matin, il se retrouve dans sa petite cuisine où il dispose de trois heures pour imaginer le dessin qui sera le lendemain à la une du journal *Le Temps*.

« Tous les jours, ici, je dois trouver entre quatre et six idées. Donc je suis un fonctionnaire de l'idée, un athlète de l'idée. Chaque jour, à la même heure, je cherche des idées. Pour cela, je m'installe dans cette cuisine, en effet, je vous montre ma petite cuisine. Je prends ce bloc-notes qui est quadrillé. C'est assez important que ce soit pas une page blanche. Ça doit être un peu sale déjà. Ça c'est déjà un bon point et puis j'essaie de trouver des idées. Voilà, ça c'est mon petit calepin dans lequel je note mes esquisses. Bon, alors aujourd'hui, il y a un sujet qui s'impose, c'est « L'Union Européenne décroche le prix Nobel de la paix ». Alors, voilà, c'est une surprise on va dire et en même temps, c'est un sujet à dessin. Je pense qu'il y a de quoi faire. »

Chappatte doit livrer six dessins politiques par semaine au *Herald Tribune*, au *Temps* et à la *NZZ*. Six dessins ça représente une trentaine d'idées originales à proposer. Alors comment s'y prend-il pour être si productif ?

« Vous voulez vraiment que je vous donne mes trucs, là, hein ? Qu'est ce que j'ai... qui sont les... le travail de toute une vie ! Y a pas un truc vraiment défini, mais j'ai l'impression avec l'expérience qu'y a plusieurs types d'idées en fait. Ce que je fais souvent, c'est que je lis des articles. Je vais lire des textes qui sont liés au sujet que je vais traiter et donc en grappillant de proche en proche, je vais trouver des idées, des choses à dire ou peut-être un gag. Et ça c'est les idées que j'appelle « horizontales ». C'est celles qu'on va chercher. Et puis, il y a un deuxième type d'idées qui sont ce que j'appelle les idées « verticales ». Qui vous tombent un peu dessus. Que vous devez pas aller chercher, qui s'imposent à vous, qui sont souvent des images, des métaphores, en fait, des métaphores visuelles. Et ces idées-là sont les plus rares, c'est aussi parfois les meilleures. C'est souvent celles que je préfère. »

Unité 4

Activités 2, 3 et 4 p. 76 et activité 5 p. 77

– Farid, mon fils, tu vas aller à ma place en Algérie. Tu vas les empêcher de démolir notre maison.
– Moi ? En Algérie ? Qu'est-ce que tu veux que j'aille faire là-bas ? Je parle même pas l'arabe.
– Pour les concours, comment tu vas faire ?
– Je t'ai dit, je pars une semaine, c'est rien !
– Tu vas l'envoyer, lui ? Il sait pas parler ! On dirait Barry White en kabyle, lui.
– Ah, Farid ! C'est lui ?
– Ça va mon cousin ? L'odeur de la France... Pigalle !
Ici, comme on est nerveux, ils nous rajoutent du goudron.
– C'est ici chez toi !
– Viens, je te présente mon cousin de la France !
– Soyez le bienvenu.
– Et ici, comment ça va ?
– L'Algérie, c'est un pays riche.
– L'Algérie c'est un pays riche, mais on n'a pas d'argent.
– C'est quoi ce bordel ? C'est « L'amour est dans le pré » ou quoi ? T'es où ?
– Un peu d'intimité, c'est possible, ça ?
– Tu sais comment on dit « intimité » en arabe ? Ça n'existe pas !
– T'as tes papiers sur toi ?
– Moi aussi, j'envoie des lettres [à la] France. C'est mon père qui devait partir [à la] France. Alors toi t'es né là-bas et moi, je suis né ici. C'est comme ça.
– Il a pris tes papiers et il est parti en France.
– Comment ça il est parti en France ?
– Je t'avais dit de te méfier de lui.
– Je suis Français, je veux juste rentrer chez moi, c'est tout.
– Vous êtes français, c'est pas marqué sur votre front...
– Il est venu pour une semaine, il est bloqué ici.
– Pourquoi tu es pressé de rentrer ? Tu es chez toi ici.
– Elle est belle Samira, hein ? On rêve tous de se marier avec elle ici.
– Depuis que je suis tout petit, quand on me demande d'où je viens, je dis que je viens d'Algérie. Pourtant, j'y avais jamais mis les pieds.
– T'avais pas le droit de faire ça ! Dégage, toi !
– Et c'est pas un immigré comme vous qui va nous expliquer comment gérer notre pays.
– Je savais rien du pays de mes parents, où ils étaient nés et comment ils avaient grandi. On n'est jamais trop curieux quand il s'agit de sa propre histoire.

Unité 5

Activités 2, 3 et 4 p. 96 et activité 5 p. 97

18 heures, en banlieue parisienne. Les yeux et le pouce sur son smartphone, Cédric ressemble à beaucoup de Français de retour du travail. Sauf qu'il n'est pas en train d'envoyer des SMS... Du bout des doigts, cet homme pilote sa maison.

« Là, je dis à la maison que je rentre, donc les volets vont s'ouvrir. »

Chez lui, Cédric a relié des dizaines d'objets à Internet. Il les contrôle à distance grâce à son téléphone.

« Qu'est-ce que vous pouvez contrôler d'autre à partir de votre téléphone ?
– Alors, à partir du téléphone, il va être possible de contrôler l'intégralité des lumières. »

Dans toutes les pièces de la maison, des caméras de surveillance, elles aussi connectées.

« Imaginons que je ne sois pas à la maison. J'ai besoin de vérifier pour une raison ou pour une autre ce qui se passe dans la maison, j'ai un accès direct à l'intégralité des images prises par les caméras de la maison. La chambre de mes filles, l'entrée, le garage, l'extérieur.
– Même si vous êtes en vacances, au ski...
– À partir du moment où mon téléphone capte, j'ai accès à la maison. »

Au moment d'aller se coucher, il appuie sur « bonne nuit » : tout le pavillon se met en sommeil.

Maison, mais aussi santé, électroménager... Des dizaines d'objets connectés sont déjà disponibles en France. Comme la fourchette connectée : elle vous alerte si vous mangez trop vite ou si vous ne mâchez pas assez. La raquette de tennis qui enregistre les performances du joueur et les compare à Raphaël Nadal.

Cette tige plantée dans la terre : elle prévient quand les plantes ont besoin d'eau. Ou encore le réfrigérateur dit intelligent : il envoie un SMS à son propriétaire quand il n'y a plus de lait. Il peut aussi passer commande automatiquement sur le site d'un supermarché.
En 2020, 80 milliards d'objets connectés peupleront notre quotidien. Comme ces voitures, qui rouleront sans conducteur. Comment fonctionnent ces objets d'un nouveau type ? Les utilisateurs l'ignorent souvent : tous ces dispositifs recueillent des données sur leur vie privée. Sont-elles bien protégées ? Aller simple pour un futur très proche.

Unité 6

Activités 2, 3 et 4 p. 116 et activité 5 p. 117

6

Paris, ses monuments, ses ponts sur la Seine et ses cadenas sur les ponts. La mode est devenue une tradition pour les amoureux, rien de tel que ce petit geste dans un cadre romantique pour se prouver ses sentiments.
« Ça représente notre amour, c'est... on a accroché notre amour à ce pont. »
D'où vient cette tradition ? Mystère. Certains disent de l'Italie, d'autres de la Russie, mais accrocher des cadenas se fait aussi en Chine ou aux États-Unis. Après tout, peu importe, c'est le symbole qui compte.
« C'est bête comme ça, mais ça prouve un peu l'amour et tout. C'est comme si on était attachés, comme le cadenas, il ne s'ouvrira plus jamais avec la clé, ben, on est liés quoi ! »
Certains posent aussi des cadenas en mémoire d'un animal de compagnie disparu ou en forme de prière pour qu'un parent ou un ami malade recouvre la santé. Tout cela fait les affaires des bouquinistes et des vendeurs à la sauvette qui écoulent des dizaines de cadenas chaque jour entre 5 et 10 euros pièce. Question : que deviennent tous ces cadenas avec le temps ? Encore un mystère, la mairie de Paris refuse de dire si elle les enlève régulièrement. Mais quand on s'aime, on ne pense pas à ce genre de détails.

Unité 7

Activités 2 et 3 p. 136 et 5 p. 137

7

Qui n'a jamais rêvé de retomber en enfance pour se faire raconter une histoire avant de s'endormir ou pour applaudir Guignol avec ses copains après l'école ? Mais pourquoi donc aimons-nous qu'on nous raconte des histoires ?
« Ben... des fois y a du suspense. Des fois, c'est rigolo. Des fois, ça fait peur !
– Oui, mais quand ça fait peur, c'est rigolo aussi. »
« Oui, j'ai gardé l'âme enfant. Et j'aime beaucoup qu'on me raconte des histoires. Surtout des histoires qui me permettent de rêver et d'imaginer, de broder. »
« Quand je les écoute, je vais un peu dans un autre monde. Je pense à autre chose. »
« Ouais, j'adore ! Ben, moi je... Coralie a toujours des histoires à me raconter, toujours quelque chose de neuf à me raconter. C'est des ragots, mais ça reste un moment de détente entre copines. »
On adore se faire raconter des histoires. C'est le plaisir de partager, d'échanger, et c'est aussi un moyen, utilisé depuis la nuit des temps, de transmettre le savoir. Et pourtant, certains se méfient des trop belles histoires, surtout quand elles prennent la forme du *storytelling*.
« Le *storytelling*, c'est ce qui permet, à travers des histoires qui sont racontées, de vous lier à une marque, à un parti politique, à une histoire collective, quelle qu'elle soit, à une entreprise, etc. Et inversement, lorsque vous créez un blog, sur Internet, et que dans ce blog vous racontez ce qui vous arrive, votre vie intime, et bien vous répondez à une injonction que vous n'avez pas entendue, mais vous y répondez, qui est : « Quel genre d'histoire êtes-vous ? » C'est ça que la société vous demande, c'est ça que la société proclame, sur tous ses murs, sur tous ses écrans : « Quel genre d'histoire êtes-vous ? » Si vous n'êtes pas une histoire, vous n'êtes rien. Vous ne valez rien sur le marché. Pour valoir quelque chose, pour avoir un... ce qu'on appelait avant un *curriculum vitae*, et bien il faut avoir une histoire. L'histoire a remplacé le *curriculum vitae*. »
Le *storytelling*, vu comme une machine à raconter les histoires et à formater les esprits, ce n'est plus tellement un art du récit.
« C'est un ensemble de pratiques qui se réclament elles-mêmes du *storytelling*, comme un art de gouverner, un art d'influencer, un art de persuader, un art de la propagande également, et de la désinformation. »
« Moi, je crois qu'on nous raconte beaucoup d'histoires. Et parce que de toute façon, c'est depuis toujours, on est manipulés. Je pense que dans les journaux, à la télévision, on peut nous raconter des histoires. »
Les médias nous racontent des histoires, mais quel rôle joue donc la presse dans ce processus ?
« La presse n'est pas victime du *storytelling*, elle participe du *storytelling*. La presse a repris le pouvoir sur le récit, c'est elle qui mène le récit. »
Les médias auraient-ils donc pour objectif de faire diversion ?
« On a notre libre arbitre. On n'est pas obligés de faire cas des médias et de lire les journaux. Donc c'est aussi nous prendre pour des idiots, quoi. »
« La presse people, ça me divertit, mais j'y crois pas une seule seconde, quoi. C'est... les histoires, c'est de la super-communication. Moi, j'y crois pas du tout. Mais je le sais, du moment que je sais qu'on nous ment, je rentre pas dans le jeu, mais c'est vrai ça me divertit. »
Finalement, si on en a conscience, se faire raconter des histoires reste plutôt un plaisir.

Unité 8

Activités 2, 3 et 4 p. 43 et 5 p. 157

8

Nous sommes en -40 000 avant Jésus-Christ. Toute la planète semble obéir aux lois de la sélection naturelle. Toute ? Non ! Une vallée résiste encore et toujours à l'évolution.
« Les enfants, c'est un grand jour pour notre famille ! Je viens de recevoir une convocation chez le notaire. Tu te souviens de mon vieil oncle, Amstra.com ? Il vient de mourir à la dernière glaciation et son testament fait de nous ses seuls héritiers !
– Attends, papa, la notion d'héritage est quand même vachement inégalitaire. Regarde les amphibiens, par exemple, ils peuvent même pas...
– Ah, tu vas pas recommencer avec tes théories alter-darwinistes ! Et il avait une grosse fortune, ton oncle ? »
« Votre oncle était un hominidé remarquable. Il est à l'origine d'un grand nombre de découvertes et de brevets exclusifs encore insuffisamment développés. Je vais donc vous lire son testament. »
Toute ma vie, j'ai poursuivi un idéal d'évolution face au conservatisme de mes contemporains. Blog, je me souviens que tu voulais travailler dans les nouvelles technologies. Je te lègue donc le brevet de la roue dont tu sauras certainement faire bon usage.
« Alors, Suzanne, à votre tour d'actionner la roue de la fortune. Désolé, Suzanne, cette monnaie n'existe pas au Paléolithique ! Vous repartez bredouille. »
« Vous l'acceptez ?
– Hein ? Oui, oui, bien sûr. »
Url, mon petit, en fervent militant de l'évolution durable, je te lègue l'invention de l'agriculture.
« Est-ce que dedans il y a le quinoa ?
– Il me semble, oui.
– Ok, alors, je prends.
– Ton fils va nous obliger à manger des légumes alter-darwinistes. »
Ma chère Spam, ta mission d'enseignante en préhistoire-géo nécessite un engagement constant. À toi je lègue l'invention du monothéisme.
« Ça sert à quoi ?
– Pour les membres de l'Éducation nationale, cela donne droit à un certain nombre de jours de congés : Pâques, l'Aïd-el-Kébir, Yom Kippour.
– Bon, je prends, mais c'est bien à cause de cette histoire de congés. »
Web, charmante jeune fille, je suis sûr que la découverte de la domestication des animaux te fera plaisir.
« Je prends !
– Fort bien. Il ne reste plus qu'à remplir quelques formalités. Il va falloir apposer vos signatures en bas du document.
– Comment ça des signatures ?
– Ben oui, écrire vos noms, quoi ! Sans cela, vous ne pouvez prétendre à toucher aucune part de cet héritage !
– Mais on est en -40 000 avant Jésus-Christ ! On n'a pas encore inventé l'écriture.
– Ah ! Dans ce cas, pas d'héritage ! »

Unité 9

Activités 2, 3 et 4 p.176

« Ça ne me va pas. J'ai l'air d'un mexicain. »
« Ça fait un peu papi, non ? »
Bon, tout le monde n'est pas convaincu, mais la moustache semble reprendre sérieusement du poil de la bête. On la porte sur un pari, pour son raffinement subtil ou peut-être parce que le poil n'a jamais été aussi tendance. Mais n'est pas Clark Gable qui veut, la moustache a sa règle d'or.
« Ça demande un entretien, raffiné je dirais presque, parce qu'il faut la mettre en forme. C'est quelque chose qui retombe très facilement sur la lèvre supérieure, qui donne tout de suite aussi ce qu'on appelle un "effet négligé". »
« Négligé », ce n'est certainement pas ce qui qualifie Guillaume, directeur du très sérieux « Paris moustache club ». Militant de la cause poilue, il les aime aussi bien rustiques que broussailleuses ou sophistiquées. En tout cas, entre la barbe et la moustache, il a choisi depuis longtemps.
« C'est plus singulier, c'est plus... c'est un choix qui est plus dur à porter je pense qu'une simple barbe. Je ne sais pas s'il y a une virilité derrière la moustache, mais en tout cas ça permet vraiment de... je pense que ça... ça pose un visage. »
Plus singulière que la barbe, elle attire le regard et fait parler d'elle. D'où l'idée du mouvement « Movember » : inciter les hommes partout dans le monde à se laisser pousser la moustache en novembre. Le but : sensibiliser au cancer de la prostate et des testicules. Mais la tendance dépasse le mouvement caritatif et la moustache commence à s'installer sérieusement dans les pages mode des magazines. Au point presque de venir détrôner le hipster barbu.
« Trop de barbe tue la barbe. On réduit la barbe et on attaque la moustache. Et il y a un aspect graphique dans la moustache qui donne une structure au visage, qui donne une personnalité au visage, qui accompagne un look. »
La mode est ingrate et pourrait bien pousser tous les hipsters à se munir d'un rasoir s'ils veulent avoir un poil d'avance sur la tendance.

Références iconographiques

couverture Fabrice LEROUGE/GettyImages **couverture** Cosmos Condina/Getty Images **4ᵉ de couverture** Cosmos Condina/Getty Images **6 bg** Andrew Rich/GettyImages **6 hg** Image Source/GettyImages **6 mg** Simone Becchetti/GettyImages **8 bg** Sebastien MATHE/ArtComArt **8 hg** Roberto Martellono/iStock/GettyImages **8 mg** Fanatic Studio/GettyImages **10 bg** Muriel de Seze/GettyImages **10 hg** Adriana Varela Photography/GettyImages **10 mg** Jean-Marc Charles - www.agefotostock.com **12-13** Image Source/GettyImages **14** Image Source/Photononstop **16** Météo Business : le temps est un produit qui se vend bien/TTC 24-06-2013/RTS Radio Télévision Suisse **16 hg** ferkelraggae - Fotolia.com **17** Martin Vidberg **18** Zoltán Futó - Fotolia.com **19 bd** Alfonso de Tomás - Fotolia.com **19 hd** Walter Bibikow/Photononstop **19 hg** Le Figaro.fr **20** Brigitte Merle/Photononstop **22** tulcarion/GettyImages **23 bg** Peter Ginter/Science Faction/Corbis **23 hd** YURI ARCURS - www.agefotostock.com **24 md** Alain Rémond, *Comme une chanson dans la nuit*, © Éditions du Seuil, 2003, Points, 2007 **24 hd** Andrey Volokhatiuk - Fotolia.com **25** eyetronic - Fotolia.com **26** Stéphanie Guglielmetti **27 hg** Attias/Sipa **27 bd** Archibald est une production tv5monde.com / illustration Zelda Zonk **27 md** Théâtre Montparnasse / Valérie Lemercier **27 mg** Brad Pict - Fotolia.com **27 mm** À la recherche du temps perdu, Proust © Éditions Gallimard **30** remerciements à isola 2000 **30** remerciements à Alpe d'Huez Tourisme **30** remerciements à l'Office du Tourisme de Font-Romeu **30** Office du tourisme de la vallée de Chamonix-Mont-Blanc **31** lassedesignen - Fotolia.com **32-33** Simone Becchetti/GettyImagers **34** Sciences Humaines n°257 - mars 2014 **35** *Être et devenir* (2014) Real Clara Bellar/Collection Christophel/© DR **35** source : www.socialearning.fr **36** *Les métiers 2.0 : un avenir pour les jeunes de banlieue* Florence Goisnard. AFPTV/AFP **36 hg** Nicola Tree/GettyImages **37** Secrétariat d'État à la formation, à la recherche et à l'innovation SEFRI (Suisse) **38** Quentin Bertoux/Agence VU/© Cosmos **39** Blend Images/Ariel Skelley/GettyImages **39** Doddygraph/Shutterstock **42** Jeu édité par COCKTAIL GAMES (www.cocktailgames.com) **43** Veronika Simkova - www.agefotostock.com **43 hg** Betsie Van der Meer/GettyImages **44** Todor Tsvetkov/GettyImages **45** william87 - Fotolia.com **46** « Les chemins de l'école » http://clemidijon.info/tag/cg-71/SIPA **46** « Femmes à leur toilette » collage de Pablo Picasso (1881-1973). Dim. 0,30 x 0,44 m. 1938 Musée Pablo Picasso © Leemage © Succession Picasso 2015 **47** E-180 Inc. **47** Alban Wyters/ABACAPRESS.COM **47** Sergey Borisov - Fotolia.com **47** bretzel - Fotolia.com **47** « Une année chez les Français », Fouad Laroui, Éditions Robert Laffont, 2010 **51** Oliver Burston/GettyImages **52-53** Andrew Rich/GettyImages **54** PM Image/Iconica/GettyImages **55 mm** Quanthem - Fotolia.com **55 md** © Sciences et Avenir **56** Dessins de presse et café gazéifié/SPECIMEN/RTS Radio Télévision Suisse **56 hg** akg-images/Science Photo Library **59 bg** GettyImages/Cultura RF **59 hd** *Sans titre*, 2013 (ciment, chêne, visserie et corde en Polypropylène) 2 x (240 x 250 x 260 cm) photo: J.Ph Humbert © Courtesy Galerie Jousse Entreprise, Paris **62** Luisa Ricciarini/Leemage **63 bd** Luisa Ricciarini/Leemage © Succession Marcel Duchamp ADAGP, Paris, 2015 **63 bg** Lucie & Simon, *Silent World, Place de l'Opéra*, 2009 **65 bd** Image Source/Corbis **65 bg** Christian Ammering - www.agefotostock.com **65 bm** Gerhard Zwerger-Schoner/imageBROKER - www.agefotostock.com **66** René Magritte - *Les valeurs personnelles* © Photothèque R. Magritte / BI, ADAGP, Paris, 2015 **67 hd** tombooks **67 hg** Tableauscopie/France Info **67 bg-mg** akg-images/Erich Lessing **67 bd** © Succession H. Matisse **70-1** AFP PHOTO/Yuri Kadobnov **70-2** photo et conception GRIS **170-3** Musée du quai Branly. Affiche de l'exposition : « Les digitales (1) MAYAS révélation d'un temps sans fin » Du 7 octobre 2014 au 8 février 2015. Paris, musée du quai Branly. © 2014. musée du quai Branly/Scala, Florence **70-4** akg-images/Bildarchiv Steffens **71** aerogondo - Fotolia.com **72-73** Roberto Martellono/iStock/GettyImages **74** Westend61/Photononstop **75** djaylor - Fotolia.com **75** Article de Paulina Dalmayer paru dans *Causeur* n°12 - avril 2014 **76** © 2012 SPLENDIDO / KISSFILMS / FRANCE 3 CINÉMA / MARS FILMS / JOUROR PRODUCTIONS / AGORA FILMS / FRAKAS PRODUCTIONS / TEN FILMS **76** *Né quelque part* (2013) Real Mohamed Hamidi/Collection Christophel © Mars distribution/DR **77 bg** Martin Barraud/Getty Images/OJO Images RF **77 hd** Pierre Kroll **78** Nicolas Genin/ABACAPRESS.COM **79** The Life List **79 hd** Caroline Purser/GettyImages **79 bg** © Mondelez International 2014 **81** JOEL SAGET/AFP Creative/Photononstop **82** *Arrête ou je continue* (2014) Real Sophie Fillieres/Collection Christophel © Pierre Grise Productions/DR **82** *L'Amour est un crime parfait* (2014) Real Arnaud Larrieu et Jean Marie Larrieu/Collection Christophel © Gaumont/Entre chien et loup/DR **82** *Quand j'étais chanteur* (2006) Real : Xavier Giannoli-Mathieu Amatric/Collection Christophel/© Europa-Corp /Rectangle Productions / France 3 Cinema / Sofica Europacorp / DR **83 bd** Lor/For Picture/Corbis **83 bg** Christophe Guibbaud/ABACAPRESS.COM **83 bm** Nicolas Briquet/ABACAPRESS.COM **84 bg** Mickael David - www.agefotostock.com **84 hd** Baltel/Sipa **84 md** *Mãn* de Kim Thúy - 2013, Liana Levi, Paris **85** Barbara Ferra Fotografia/Getty Images/Flickr RF **86** Filage de la pièce de théâtre *Un homme trop facile* au théâtre de la Gaîté. Raymond Delalande/Sipa **87 md** *Paul en appartement* de Michel Rabagliati, La Pastèque **87 bg** Ginies/Sipa **87 md** digiSchool **87 mm** *Les Garçons et Guillaume à table* (2013) Real Guillaume Gallienne/Collection Christophel © Gaumont / LGM Productions / DR **91** karelnoppe - Fotolia.com **92-93** Fanatic Studio/GettyImages **94** Alex Bramwell/GettyImages **95** Marta Nascimento/REA **96** Keep In News **96** Xie Haining/XINHUA-REA **97** YU Fangping/Featurechina/ROPI-REA **98** Maciek Pozoga pour M le magazine du Monde **99 bg** Colin Anderson/GettyImages **99 hd** Condé Nast Archive/Corbis **102** Corbis - www.agefotostock.com **103** icsnaps - Fotolia.com **104 hd** Getty Images/Brand X **104 hg** Chris Boswell - Fotolia.com **105** peshkova - Fotolia.com **106 bd** Xavier THOMAS **106 bg** Cristophe CADIOU **107 bd** Musée McCord Museum **107 hg** Nicolas Offenstadt, *En place publique : Jean de Gascogne, crieur au XVe siècle*, Stock, 2013. **107 hg** Bibliothèque royale de Belgique **107 bm** Stephan Savoia/AP/SIPA **107 hm** Pascal Victor/ArtComArt **110-1** Author's Image/Photononstop **110-2** Sime/Photononstop **110-3** Sandra Raccanello/Sime/Photononstop **110-4** Ian HANNING/REA **112-113** Sebastien MATHE/ArtComArt **114** Anne Ackermann/GettyImages **115** EELV Rhône-Alpes **116** Frédéric Soreau/Photononstop **116** Fabien Novial-David Esnault/AFPTV/AFP **117** *Rencontres* (2014) Real Maroussia Dubreuil et Alexandre Zeff/Collection Christophel © Make it films / Luna productions/DR **118** Jose Luis Pelaez Inc/GettyImages **119** J. Parsons/GettyImages **122** Cory Morse/AP/SIPA **123** Frank Herholdt/GettyImages **124** dragonstock - Fotolia.com **124** François Maret/Adagp, Paris 2015 **125** Peter Cade/GettyImages **126** Jean Tardieu, *Finissez vos phrases !* Collection Folio Junior théâtre **127 mg** N'Improtequoi **127 bd** *Tout bouge autour de moi*, Montréal, Mémoire d'encrier, 2010 (édition revue et augmentée en 2011) ; Paris, Grasset, 2011 **127 bm** Anthony Asael/Art in All of Us/Corbis **127 hg** *Qu'est ce qu'on a fait au Bon Dieu* (2014) Real Philippe de Chauveron/Collection Christophel © Les films du 24/DR **127 md** Pascal Victor/ArtComArt **130** Patrick Foto - Fotolia.com **132 133** Adriana Varela Photography/GettyImages **134** Christian Hartmann/Reuters **135 md** www.bridgemanart.com **135 mg** Selva/Leemage **136** histoiresdevies.com **137** Bande dessinée réalisé par Jacques Ferrandez d'après l'œuvre d'Albert Camus, *L'Étranger* © Éditions Gallimard Jeunesse **138** Tim Gartside/GettyImages **139 bg** Lukasz Kulicki/GettyImages **139 hd** AFP PHOTO/Franck Perry **142** John Lund/Sam Diephuis/Blend Images/Corbis **143** Africa Studio – shutterstock **144 bg** Look/Photononstop **144 hd** VO Communication SA **145** michelaubryphoto - Fotolia.com **146** mon pauvre ami **147 bd** Éditions Zulma **147 hd** Gorassini Giancarlo/ABACAPRESS.COM **147 mg** La Martinière Collection Le cercle POINTS **147 md** Printemps des poètes **150** John Warburton-Lee/Photononstop **151** Mark Bowden/GettyImages **152-153** Jean-Marc Charles - www.agefotostock.com **154 hd** Jack Barker/Alamy/hemis.dfr **154 hg** Lynn Gail/Robert Harding/Corbis **154 hm** He Haiyang/Xinhua Press/Corbis **155** agence Unité Mobile pour le Grand Lyon **156** Haut et Court TV - ARTE France 2012 **156** Hagen411 - Fotolia.com **157** Adagp, Paris 2015 **157** *Les deux messieurs de Bruxelles* de Éric-Emmanuel Schmitt © Albin Michel **158** Mike Grandmaison - www.agefotostock.com **159** Jeanne avec une œuvre de Catherine Grangier-Durandard, *Ses caprices ont la couleur de l'été*, Linogravure, 2010/Photo : Julien Bernier/Conception graphique de Céline Longue © l'inventaire **159 bg** Denkou Images/Photononstop **160 bd-bg** Onoky/Photononstop **160 bm** Blend Images/Photononstop **162** Gilles LEIMDORFER/REA **163** Duverdier **163 hd** PM Image/Iconica/GettyImages **165** Look/Photononstop **166** Joinville-le-Pont de Bruno Ruslier © Éditions Alan Sutton 2014 **167 hd** Henri Collot/SIPA **167 mg** Institut Français du Maroc **167 bg** RENAULT Philippe/hemis.fr **167 md** Thierry Caro/Wikimedia **170** Flirt/Photononstop **172-173** Muriel de Seze/GettyImages **174** Cultura/BRETT STEVENS/GettyImages **176** Martine Doucet/GettyImages **176** Simon Valmary - Agnès Coudirier-Curveur/AFPTV/AFP **178** peshkova - Fotolia.com **179** Mlle Georgette **179 hd** J.A. Bracchi/GettyImages **181** connel_design - Fotolia.com **182** Loïc Schvartz **182** Cliff Parnell/GettyImages
183 *Le fils d'Astérix* - Astérix
www.asterix.com © 2014 LES ÉDITIONS ALBERT RENÉ
183 Vlad Ivantcov - Fotolia.com **184** Ed Young/Corbis **185 bg** ktsdesign - Fotolia.com **185 hd** Francois HENRY/REA **186 bd** www.mofilms.ca **186 bg** Jean-Marc Porte **187 hm** *La dent d'orque et autres voyages autour de mes bibelots* broché de Nicolas Deleau © Glénat **187 bg** Benda Bilili/Collection Christophel © Screen Runner/DR **187 mg** David Atlas/Retna Ltd./Corbis **192-1** *Samba* (2014) Real Olivier Nakache/Collection Christophel © Quad Productions / Ten Films / Gaumont / TF1 Films Production / Korokor/DR **192-2** *Pas son genre* (2014) Real Lucas Belvaux/Collection Christophel © Agat Films & Cie / Artemis production/DR **192-3** *La liste de mes envies* (2014) Real Didier Le Pecheur/ Collection Christophel © Chabraque & Ryoan / Pathe / D8 Films / CN3 Production/DR **192-4** *Dernier diamant* (2014) Real Eric Barbier/Yvan Attal/Berenice Bejo/Collection Christophel © Vertigo Production/DR **193** StockLite – Shutterstock **195 bd** Paul Bradbury/Ojo Images/Photononstop **195 hd** exopixel – Fotolia.com

Références des textes

18 © Extrait de Simple Things n°2, magazine publié sous licence de Iceberg Press Limited. © (2014) Iceberg Press Limited. www.simple-things.fr **21** Paul Éluard, « Dans Paris, il y a... » recueilli dans *Les Sentiers et les routes de la poésie*, in *Œuvres complètes*, tome 2/ Bibliothèque de la Pléiade. © Éditions Gallimard **24** Alain Rémond, *Comme une chanson dans la nuit*, © Éditions du Seuil, 2003, Points, 2007 **34** « Cent façons d'apprendre » de J.-F. Dortier, Sciences Humaines n°257 - mars 2014 **37** « Les jobs d'avenir ne passent pas par l'uni » Par Sébastien Julan. Mis à jour le 18.05.2013 - www.lematin.ch **38** « Des jeux vidéos en ligne font progresser la recherche scientifique »/LE MONDE SCIENCE ET TECHNO | 03.03.2014 à 18h21 | Par Roxane Tchernia **47** L'École De la Vie (Grand Corps Malade) © Anouche Productions Avec l'aimable autorisation de Sony/ATV Music Publishing **54** « Utilisons-nous seulement 10 % de notre cerveau ? » Par Sophie Bartczak © Le Point.fr - Publié le 29/03/2013 à 09:37 **55** « Superstitions : Le sel porte-bonheur » Par François Folliet © Sciences et Avenir **58** « Wikipédia : 9 articles de médecine sur 10 seraient erronés » - Par Hugo Jalinière - Publié le 28-05-2014 © Sciences et Avenir **64** « Même dans les avions chinois, le turtle-burger ne passe pas »/Pékin, Chine | AFP | mercredi 31/07/2013 **64** « Une femme accouche dans la gare du Nord » Par Le Figaro.fr - Publié le 19/08/2014 **74** Guy Valette « La science du partage » http://alternative21.blog.lemonde.fr/ **75** www.lemonde.fr, 11 septembre 2014 **75** Article de Paulina Dalmayer paru dans Causeur n°12 - avril 2014 **78** Le Monde.fr | le 09.01.2013 **84** *Mãn* de Kim Thúy - 2013, Liana Levi, Paris **94** Christine Marsan **97** Calage d'idées/Calage d'idées **107** *Rhinocéros*, Ionesco, © Éditions Gallimard **114** « Quand le vide passionne » par Alice Barret, 29/7/2014 **115** « Les passions politiques, hier et aujourd'hui » - Pierre Ansart , mis à jour le 15/06/2011 issu de *La vie des idées*, Hors-série N° 21 - Juin/Juillet 1998 **115** cidj.com **117** « Rencontres, ou comment les rencontres amoureuses n'en sont pas toujours » par Aurélien Ferenczi, paru sur telerama.fr en avril 2014. **118** « L'autre vertu du mécénat : donner des couleurs aux entreprises » de Valérie Abrial « www.latribune.fr le 04/12/2013 **126** Jean Tardieu, *Finissez vos phrases !* Collection Folio Junior théâtre,© Éditions Gallimard **127** *Art*, Yasmina Reza © Éditions Albin Michel **134** « Comment adapter le Panthéon au XXIᵉ siècle » Par Olivier Le Naire, www.lexpress.fr, 22 août 2014 **137** Albert Camus, *L'Étranger* © Éditions Gallimard **146** mon pauvre ami **147** « La Rose et le Réséda », in *La Diane française* © Robert Laffont **154** Qu'est ce que la patrimoine culturel immatériel ? VN/2099/PI/H/1, © UNESCO 2009 Reproduit avec la permission de l'UNESCO **157** *Les deux messieurs de Bruxelles* de Éric-Emmanuel Schmitt © Albin Michel **158** « Les vieilles granges : un patrimoine bâti en péril » - Un texte de Rachel Brillant, de La semaine verte © Radio Canada **167** L'ITINERAIRE, Paroles & Musique : Bruno Nicolini © 2003 Universal Music Publishing/Ma Boutique/BMG **178** « Youboox, première plateforme de lecture en streaming de livres numériques » - www.youboox.fr **185** « Pierre Rabhi lance la « révolution des Colibris » devant une salle comble » Reporterre janvier 2013 **187** « DE TIMBUKTU A ESSAKANE » Paroles de Denis Pean - Musique de Denis Pean, Franck Vaillant, Mathieu Rousseau, Yamina Nid El Mourid, Nadia Nid El Mourid, Nicolas Meslien et Richard Bourreau © Emma Productions

Références des audios

13 p1 Le billet d'Audrey Pulvar : « À la recherche temps perdu » - 21/11/201 France Inter/INA **15 p2** « Les Français accordent une part grandissante aux loisirs »/ Le Monde.fr du 14.07.2014 Par Marlène Duretz **35 p17** Sur les docks | 12-13 par Irène Omélianenko En Guyane (2/4) : L'école au gré des langues 5 - 28.05.2013 © France Culture **39 p20** « Un « Mooc », c'est quoi ? », Maxime Switek et Victor Dhollande/ Publié à 10h46, le 03 janvier 2014 © Europe1 **42-43 p24 et 27** LudiWorld © Ludo **53 p28** Conception et Réalisation : Philippe Thomin - Conseiller scientifique : Pierre Edouard Bour - Université de Lorraine **55 p29** 7 milliards de voisins : « Le vaudou aujourd'hui » Par Emmanuelle Bastide avec Laennec Hurbon/ Diffusion : jeudi 11 septembre 2014 © RFI **59 p32** « Comprendre l'art contemporain », un documentaire Audi talents awards – 2012 **67 p40** 04/07/2014 : Chronique - Tableauscopie – « Une nature morte vivante... » au musée du Louvre - Mr Antoine Leiris © France Info **73 p41** Le philosophe du dimanche « Qu'est ce qui fait l'identité d'une œuvre d'art ? » par Thibaut de Saint-Maurice l'émission du dimanche 22 décembre 2013 © France Inter **75 p42** Le journal du matin : « L'usurpation d'identité dans la loi suisse » © RTS Radio Télévision Suisse **79 p46** Les experts Europe 1 – « Changer de vie : Comment faire le grand saut ? » par Roland Perez avec Julien Perret/Publié à 15h35, le 19 août 2013 © Europe1 **80 p127** *Art* de Yasmina Reza © Albin Michel **82 p48** Eclectik : Mathieu Amalric par Perrine Malinge/l'émission du dimanche 12 janvier 2014 © France Inter **93 p52** Extrait de l'émission « L'Invité des Matins » de Marc Voinchet, diffusé sur France Culture le 9 septembre 2014 © France Culture **94 p155** 30 novembre 2014 - Reportage - Le journal des outremers - Jean-Marie Chazeau © France Info **113 p65** La passion - Le sens de l'info par Michel Polacco, Michel Serres dimanche 15 juin 2014 © France Info **115 p66** « Fabien Namias: «La politique relève chez moi de la pathologie»» Par Renaud Revel, Joséfa Lopez, Guillaume Wegener, publié le 11/01/2013 sur lexpress.fr © lexpress.fr / 11.01.2013 **119 p69** C. PRODUCTIONS CHROMATIQUES **133 p81** Comprendre l'actualité - Les mots de l'actualité - HISTOIRE 23/03/2012 par Yvan Amar © RFI **135 p82** 2000 ans d'Histoire sur France Inter de Patrice Gélinet avec Gilles-Antoine Langlois © France Inter **139 p85** Grand reportage : « Le Puy du Fou, quand un parc de bénévoles devient une entreprise » Par Laurent Sadoux et Patricia Lecompte/Diffusion : vendredi 15 juillet 2011 © RFI **153 p93** Si loin si proche : « Patrimoine industriel : une autre manière de découvrir la France » Par Céline Develay Mazurelle/Diffusion : samedi 26 avril 2014 ©RFI **162 p102** Le Téléphone sonne – « La publication des patrimoines des ministres » par Pierre Weill - 4/11/2014 © France inter **173 p106** Y'a de l'idée – « Le wasbar : pour laver et papoter » par Leslie Rijmenams - 22 juin 2014 ©Nostalgie SA Belgique **175 p107** Priorité santé : « Les mécanismes du sommeil » Par Claire Hédon/Diffusion : lundi 4 août 2014 © RFI **179 p110** L'humeur vagabonde : Laurent Hasse - 27/12/201 © France Inter/© INA **191** Service Public par Guillaume Erner/l'émission du jeudi 26 avril 2012 – « Les grands commerces croqueront-ils les petits ? » © France inter **191** « Manger bio... et local ! » - Question de choix par Fabienne Chauvière samedi 20 septembre 2014 © France Info

Nous avons recherché en vain les auteurs ou les ayants droit de certains documents reproduits dans ce livre. Leurs droits sont réservés aux Éditions Didier.